CHERUB

REKRUT
Robert Muchamore

Tłumaczenie Bartłomiej Ulatowski

EGMONT

Tytuł oryginalny serii: *Cherub*
Tytuł oryginału: *The Recruit*

Copyright © 2004 Robert Muchamore
First Published in Great Britain 2004
by Hodder Children's Books

www.cherubcampus.com

© for the Polish edition by Egmont Polska Sp. z o.o.,
Warszawa 2007

Redakcja: *Joanna Egert-Romanowska*
Korekta: *Małgorzata Kąkiel, Anna Sidorek*
Projekt typograficzny i łamanie: *Mariusz Brusiewicz*

Wydanie pierwsze (w oprawie prostej), Warszawa 2010
Wydawnictwo Egmont Polska Sp. z o.o.
ul. Dzielna 60, 01-029 Warszawa
tel. 22 838 41 00

www.egmont.pl/ksiazki

ISBN 978-83-237-7426-6

Druk: Zakład Graficzny COLONEL, Kraków

CZYM JEST CHERUB?

Podczas drugiej wojny światowej wśród francuskiej ludności cywilnej narodził się ruch oporu walczący z niemieckim okupantem. Do partyzantki zaciągało się także wiele nastolatków i dzieci. Niektóre działały jako wywiadowcy i posłańcy, inne zaprzyjaźniały się ze zmęczonymi wojną niemieckimi żołnierzami, by wyciągać od nich informacje umożliwiające sabotowanie działań wroga. Brytyjski szpieg Charles Henderson pracował z francuskimi małymi żołnierzami prawie trzy lata. Po powrocie do kraju wykorzystał doświadczenie, jakie zdobył we Francji, organizując grupę wywiadowczą złożoną z dwudziestu brytyjskich chłopców. Nowa jednostka otrzymała nazwę CHERUB. Henderson zmarł w 1946 roku, ale stworzona przezeń organizacja rozwijała się nadal. Dziś CHERUB zatrudnia ponad dwustu pięćdziesięciu agentów, z których żaden nie ma więcej niż siedemnaście lat. Wprawdzie od czasu założenia jednostki metody operacyjne udoskonalono, ale jej racja bytu pozostała ta sama: dorosłym nie przychodzi do głowy, że mogą ich szpiegować dzieci.

1. WPADKA

James Choke nienawidził chemii. Jeszcze w podstawówce cieszył się wizją rzędów probówek, bulgocących płynów, syczących palników i wybuchów. Teraz godzina kiwania się na twardym stołku i patrzenia, jak panna Voolt wypisuje coś na tablicy, nie była tym, co by go pasjonowało. W dodatku wszystko musieli przepisywać do zeszytu, choć fotokopiarkę wynaleziono już 40 lat wcześniej. To była przedostatnia lekcja. Na zewnątrz padało i robiło się coraz ciemniej. James walczył z sennością – w klasie panowała duchota, a on prawie do rana grał w GTA. Samanta Jennings usiadła w ławce obok. Była ulubienicą nauczycieli: na lekcjach wiecznie uniesiona ręka, nieskazitelny mundurek, lśniące paznokcie. Wykresy rysowała trzema różnymi kolorami, a jej obłożone szarym papierem podręczniki wyglądały superkujońsko. Ale poza zasięgiem wzroku ciała pedagogicznego ugrzeczniona dziewczynka przemieniała się we wredne krówsko. James szczerze jej nienawidził. Miała paskudny zwyczaj naśmiewania się z tuszy jego mamy.

– Matka Jamesa jest tak gruba, że muszą smarować wannę smalcem, żeby w niej nie utknęła.

Przyboczne Samanty jak zwykle usłużnie zachichotały.

Mama Jamesa była ogromna. Ubrania zamawiała ze specjalnego katalogu dla chudych inaczej. Towarzyszenie jej w publicznych miejscach było koszmarem. Ludzie pokazywali ją sobie palcami, a małe dzieci wydymały policzki i naśladowały jej chód. James bardzo ją kochał, ale kiedy próbowała zabrać go dokądś ze sobą, zawsze znajdował jakąś wymówkę.

– Wczoraj przebiegłam pięć mil – oznajmiła Samanta. – Dwa okrążenia wokół matki Jamesa.

James oderwał wzrok od podręcznika.

– Moje uznanie, Samanta. To było nawet śmieszniejsze niż za pierwszym, drugim i trzecim razem, kiedy to mówiłaś.

James należał do najtwardszych pierwszoklasistów. Każdy chłopiec, który ośmieliłby się drwić z jego mamy, zarobiłby w twarz. Ale co począć z dziewczyną? Na następnej lekcji po prostu usiądzie tak daleko od Samanty, jak tylko się da.

– Twoja matka jest tak tłusta...

Tego już było za wiele. James zerwał się, przewracając stołek.

– O co ci chodzi, Samanta?!

W sali zrobiło się cicho. Wszystkie oczy bacznie śledziły rozwój wydarzeń.

– Co z tobą, James? – Samanta uśmiechnęła się słodko. – Nie znasz się na żartach?

– Jamesie Choke, proszę podnieść stołek i wracać do pracy! – krzyknęła panna Voolt.

– Jeszcze jedno słowo, Samanta, a mówię ci... – Cięte riposty nie były specjalnością Jamesa. – Mówię ci, że...

Samanta zachichotała.

– Co zrobisz, James? Pójdziesz do domu i przytulisz się do wielkiej, tłustej mamuśki?

James nagle zapragnął zetrzeć ten drwiący uśmieszek z buźki Samanty. Złapał ją, uniósł ze stołka i rzucił na ścianę, a potem odwrócił gwałtownym szarpnięciem, by spojrzeć jej w oczy. Zamarł z przerażenia. Twarz dziewczyny była umazana krwią. Na policzku widniało długie rozcięcie w miejscu, gdzie skórę rozorał sterczący ze ściany gwóźdź.

James cofnął się przerażony. Samanta podłożyła dłonie pod kapiącą krew i zaniosła się głośnym szlochem.

– Jamesie Choke! Narobiłeś sobie poważnych kłopotów! – krzyknęła panna Voolt.

Nie było ucznia, który w tej chwili siedziałby cicho. James nie umiał stawić czoła konsekwencjom swojego czynu. Nikt nie uwierzy, że to był wypadek. Zgarnął torbę i szybkim krokiem ruszył do drzwi.

Panna Voolt złapała go za bluzę.

– Dokąd to?

– Z drogi!

Pchnął nauczycielkę, nie zwalniając kroku. Runęła na plecy, wymachując bezradnie kończynami niczym wielki, odwrócony na grzbiet żuk.

James trzasnął drzwiami klasy i pobiegł korytarzem. Brama szkoły była zamknięta, ale wymknął się przez ogrodzenie parkingu dla nauczycieli.

*

Maszerował energicznym krokiem, mamrocząc pod nosem przekleństwa. Gniew ustępował miejsca przerażeniu, w miarę jak do Jamesa docierało, że oto wpadł w najgłębsze bagno swojego życia. Za kilka tygodni skończy dwanaście lat. Zastanawiał się, czy dożyje tych urodzin. Mama go zabije. Z całą pewnością zostanie zawieszony w prawach ucznia. Wiedział, że sprawa jest wystarczająco paskudna, by wyrzucono go ze szkoły.

Kiedy dotarł do małego placu zabaw niedaleko bloku, w którym mieszkał, było mu niedobrze ze zdenerwowania. Spojrzał na zegarek. Jeśli wróci do domu tak wcześnie, mama zorientuje się, że coś jest nie tak. Mógłby poczekać w pobliskim barze, ale nie miał drobnych nawet na herbatę.

Pozostało mu zaszyć się na placu zabaw i schronić przed mżawką w betonowym tunelu.

Tunel wydawał się ciaśniejszy, niż James go zapamiętał. Był upstrzony barwnymi graffiti i pachniał psim moczem. To mu nie przeszkadzało. Czuł, że zasłużył na pobyt w zimnym i cuchnącym miejscu. Roztarł dłonie dla rozgrzewki i oddał się wspomnieniom.

Dawniej mama nie była ani trochę tak gruba jak teraz. Jej twarz pojawiała się u wylotu tunelu rozjaśniona szelmowskim uśmiechem. „Idę cię pożreć, James!" – mówiła głębokim głosem. Fajnie to brzmiało, ponieważ tunel odbijał dźwięki niesamowitym echem. James postanowił wypróbować echo:

– Jestem kompletnym kretynem!

Echo z nim się zgodziło. James naciągnął kaptur na głowę i podciągnął suwak do samego końca, przysłaniając pół twarzy.

*

Po półgodzinie ponurych rozmyślań James uznał, że ma dwa wyjścia: zostać w tunelu do końca życia albo wrócić do domu i dać się zabić.

James zamknął za sobą drzwi mieszkania i zerknął na telefon komórkowy na stoliku pod wieszakiem.

12 NIEODEBRANYCH POŁĄCZEŃ
NUMER NIEZNANY

Wyglądało na to, że szkoła desperacko próbowała skontaktować się z mamą, ale ona – na całe szczęście – nie odbierała. James zastanawiał się dlaczego. Wtedy zauważył kurtkę wuja Rona.

Wuj Ron pojawił się, kiedy James jeszcze raczkował. Mieszkanie z nim przypominało trzymanie w domu włochatego, hałaśliwego i smrodliwego psa. Ron palił, pił, a wychodził wyłącznie do pubu. Raz miał nawet pracę, ale tylko przez dwa tygodnie.

James zawsze uważał Rona za idiotę. Mama w końcu zgodziła się z tym poglądem i wyrzuciła wujka, ale dopiero po wzięciu z nim ślubu i urodzeniu mu córki. Do dziś miała do niego słabość. Nigdy się nie rozwiodła. Ron zjawiał się co kilka tygodni, podobno, by zobaczyć się z Laurą, swoją córką. Ciekawe, że zawsze przychodził, kiedy była w szkole, a on akurat nie miał pieniędzy.

James wszedł do salonu. Jego mama Gwen leżała na kanapie z nogami wspartymi na stołku. Lewa była zabandażowana. Ron rozpierał się w fotelu. Stopy położył na stoliku do kawy, demonstrując palce sterczące z dziurawych skarpetek. Oboje byli pijani.

– Mamo, nie wolno ci pić. Bierzesz leki – powiedział James, ze złości zapominając o swoich problemach.

Ron wyprostował się i zaciągnął papierosem.

– Hej, synku! Tatuś wrócił – oznajmił, rozciągając twarz w uśmiechu.

James i Ron mierzyli się wzrokiem.

– Nie jesteś moim ojcem, Ron – warknął James.

– Fakt – zgodził się Ron. – Twój ojciec zwiał, kiedy tylko ujrzał szpetną buźkę synka.

James nie chciał przy Ronie opowiadać o szkolnej wpadce, ale prawda zżerała go od środka.

– Mamo, coś stało się w szkole. To był wypadek.

– Znowu zmoczyłeś spodnie? – zachichotał Ron.

James nie chwycił przynęty.

– James, kochanie, posłuchaj – powiedziała szybko Gwen. – W cokolwiek się wpakowałeś, pogadamy później. Idź i odbierz siostrę ze szkoły. Trochę przesadziłam z drinkami i lepiej, żebym nie prowadziła.

– Przepraszam, mamo, ale to ważne. Chciałem ci powiedzieć...

– Idź po siostrę, James! – przerwała mu ostro. – Głowa mi pęka.

– Laura jest wystarczająco dorosła, żeby wracać sama.

– Nie, nie jest – wtrącił Ron. – Rób, co ci kazano. Moim zdaniem przydałby mu się solidny kopniak w...

– Ile pieniędzy chce tym razem? – spytał James z krzywym uśmiechem.

Gwen pomachała dłonią przed twarzą. Miała dość ich obu.

– Nie możecie wytrzymać ze sobą dwóch minut bez awantury? James, zajrzyj do mojej portmonetki. Wracając, kupcie sobie coś do jedzenia. Dziś nie gotuję.

– Ale...

– Wyjdź, James, zanim stracę cierpliwość!

James nie mógł się doczekać, kiedy dorośnie na tyle, by móc stłuc Rona. Gdy wuj trzymał się z dala, mama była w porządku.

Portmonetkę znalazł w kuchni. Na obiad wystarczyłaby dziesiątka, ale wyjął dwie dwudziestki. Ron i tak ukradnie wszystko przed wyjściem, zatem wina spadnie na niego. Miło było wepchnąć czterdzieści funtów w kieszeń szkolnych spodni. Zresztą Gwen nie zostawiała na wierzchu rzeczy nieprzeznaczonych do zwędzenia przez Jamesa lub Rona. Poważne sumy trzymała na górze, w sejfie.

2. SIOSTRA

Inne dzieci były szczęśliwe, mając jedną konsolę. James Choke miał każdą konsolę, grę i gadżet, o jakich zamarzył. Miał też komputer, odtwarzacz MP3, komórkę, plazmowy telewizor i kino domowe. Nigdy nie dbał o swój sprzęt. Kiedy jakaś rzecz się popsuła, dostawał nową. Miał osiem par nike'ów, fantastyczną deskorolkę, wyścigowy rower za 600 funtów. Bałagan w jego pokoju wyglądał tak jak ToysRUs po wybuchu bomby.

James miał to wszystko, ponieważ Gwen Choke była złodziejką. Kierowała siatką sklepowych rabusiów z głębin swojego fotela, oglądając telenowele i pochłaniając ogromne ilości czekolady i pizzy. Nigdy nie kradła osobiście. Przyjmowała zlecenia z góry i przekazywała je złodziejom pracującym dla niej. Starannie zacierała ślady, nie zbliżała się do skradzionych towarów i co kilka dni zmieniała komórkę, żeby policja nie mogła namierzyć jej kontaktów.

*

James widział swoją podstawówkę po raz pierwszy, odkąd przed wakacjami przestał być jej uczniem. Przy bramie stało kilka matek zabijających czas pogawędką.

– Gdzie twoja mama, James? – spytała jedna z kobiet.

– Niedysponowana – mruknął ponuro.

Nie zamierzał jej kryć po tym, jak wykopała go z domu. Kobiety wymieniły spojrzenia.

– Potrzebuję Medal Of Honor na Playstation – powiedziała inna. – Może mi załatwić?

James wzruszył ramionami.

– Jasne. Pół ceny, tylko gotówka.

– Będziesz pamiętał, James?

– Nie. Jak da mi pani kartkę z nazwiskiem i telefonem, to przekażę.

Zaszeleściły otwierane torebki, w rękach mamuś pojawiły się długopisy. Sportowe buty, biżuteria, zdalnie sterowany samochód – James wpychał kolejne skrawki papieru do kieszeni bluzy.

– Potrzebuję na wtorek – dorzucił ktoś jeszcze.

James nie był w nastroju.

– Jeśli ma pani jakieś uwagi do mamy, proszę zapisać. Ja nie zapamiętam.

Ze szkoły zaczęły wychodzić dzieci. Dziewięcioletnia Laura szła na samym końcu swojej klasy. Ręce trzymała w kieszeniach lotniczej kurtki, dżinsy miała ubłocone po meczu, jaki rozegrała z chłopcami na dużej przerwie. Laura miała jasne włosy tak jak James, ale wciąż prosiła mamę, by pozwoliła ufarbować je na czarno.

Laura żyła na innej planecie niż większość jej rówieśniczek. Nie miała ani jednej sukienki. Swoje Barbie upiekła w mikrofalówce, kiedy miała pięć lat, i od tamtej pory nie tknęła lalek. Gwen Choke mawiała, że gdzie istnieją dwa sposoby zrobienia czegoś, Laura zawsze wybierze trzeci.

– Nie cierpię tej starej prukwy – oznajmiła Laura, zbliżając się do Jamesa.

– Kogo?

– Pani Reed. Znów zrobiła nam klasówkę. Skończyłam w dwie minuty, a ona kazała mi czekać na resztę tych tępaków do końca lekcji. Nie dała mi nawet zejść do szatni po książkę.

James przypomniał sobie, że przeżywał dokładnie to samo, kiedy pani Reed uczyła go trzy lata temu. Zupełnie jakby karała go za bycie zdolnym.

– A ty skąd się tu wziąłeś? – spytała Laura.

– Mama się spiła.

– Nie wolno jej pić przed operacją.

– Jej to powiedz! – James wzruszył ramionami. – Co ja na to poradzę?

– Ale co ty tu robisz? Powinieneś być w szkole.

– Bójka. Wysłali mnie do domu.

Laura potrząsnęła głową, ale nie zdołała ukryć szerokiego uśmiechu.

– Znowu bójka? To zdaje się już trzecia w tym semestrze, prawda?

James postanowił zmienić temat.

– Co chcesz najpierw – spytał – dobrą czy złą wiadomość?

Laura wzruszyła ramionami.

– Wszystko jedno.

– Twój tata jest w domu. Dobra wiadomość jest taka, że mama dała nam kasę na obiad. Zanim wrócimy, Ron powinien się zmyć.

*

Weszli do fast foodu. James zamówił zestaw z podwójnym cheeseburgerem. Laura poprzestała na cebulowych krążkach i coli. Nie była głodna, więc zgarnęła garść śmietanek do kawy i torebek z cukrem, by się nimi pobawić. Podczas gdy James jadł, wysypała cukier na stół, wymieszała ze śmietanką, po czym wzmocniła miksturę strzępkami papierowych torebek.

– Po co to robisz? – spytał James.

– Tak się składa – odrzekła kwaśno Laura – że przyszłość całej zachodniej cywilizacji zależy od mojej uśmiechniętej buźki z keczupu.

– Zdajesz sobie sprawę, że jakiś biedny frajer będzie to musiał posprzątać?

– Nie mój problem. – Laura wzruszyła ramionami.

James wepchnął do ust resztkę cheeseburgera i uświadomił sobie, że ciągle jest głodny. Laura prawie nie tknęła swojej cebuli.

– Jesz to? – spytał.

– Jeśli chcesz, to bierz. I tak są zimne.

– To nasza jedyna szansa na obiad. Lepiej coś zjedz.

– Nie jestem głodna – odparła Laura. – Później zrobię ciepłe kanapki.

James uwielbiał ciepłe kanapki Laury. Były obłędne: z nutellą, miodem, cukrem pudrem, syropem cukrowym, płatkami czekoladowymi – słowem, ze wszystkim słodkim, co znajdowało się w domu, i to w wielkiej ilości. Z wierzchu chrupiące, w środku miały trzy centymetry gorącej mazi. Nie sposób było jeść, nie parząc sobie palców.

– Ale potem posprzątaj – poradził James. – Mama się wściekła, jak ostatnio je robiłaś.

*

Kiedy ruszyli do domu, było już prawie ciemno. Zza żywopłotu za nimi wyszli dwaj starsi chłopcy. Jeden z nich złapał Jamesa i przycisnął do muru, wykręcając rękę za plecami.

– Witaj, James – wydyszał mu prosto do ucha. – Czekaliśmy na ciebie.

Drugi chłopak unieruchomił Laurę i zakrył jej usta dłonią.

Opinia Jamesa o jego własnej inteligencji właśnie sięgnęła dna. Tak bardzo martwił się spodziewanymi przejściami z mamą, szkołą, a może nawet policją, że zapomniał o ważnym szczególe: Samanta Jennings miała szesnastoletniego brata.

Greg Jennings należał do bandy miejscowych zadymiarzy. Byli królami osiedla, w którym mieszkał James, specjalistami od demolowania samochodów, okradania dzieci i wszczynania bójek. Kiedy zobaczył ich jakiś dzieciak, wbijał wzrok we własne buty, zaciskał kciuki i był szczęśliwy, jeśli skończyło się na blasze w czoło i odebraniu kieszonkowego. Niezłym sposobem na wkurzenie bandy było pobicie siostry jej członka.

Greg Jennings przeciągnął twarzą Jamesa po cegłach.

– Twoja kolej, James.

Puścił jego ramię. James czuł krew kapiącą mu z nosa i płynącą po policzkach. Nie było sensu walczyć. Greg złamałby go jak gałązkę.

– Boisz się? – warknął Greg. – Powinieneś.

James otworzył usta, ale nie zdołał dobyć z siebie głosu. Dygot jego nóg musiał wystarczyć za odpowiedź.

– Masz kasę? – spytał Greg.

James wyciągnął resztę z czterdziestu funtów.

– Ładnie – ucieszył się Greg.

– Proszę, zostawcie moją siostrę – błagał James.

– Moja siostra ma osiem szwów na twarzy – odparł Greg, wyciągając z kieszeni nóż. – Masz szczęście, że nie bawi mnie krzywdzenie małych dziewczynek, bo twoja siostra miałaby osiemdziesiąt. – Odciął szkolny krawat Jamesa, a potem guziki jego koszuli. Na koniec rozciął mu spodnie. – To na początek, James – powiedział. – Odtąd będziemy widywać się częściej.

Pięść Grega wbiła się w brzuch Jamesa. Ronowi zdarzało się go uderzyć, ale nigdy tak mocno. Greg i jego kumpel odeszli, pozostawiając Jamesa kulącego się na chodniku.

Laura podeszła do brata. Nie czuła wielkiego współczucia.

– Pobiłeś się z Samantą Jennings?

James spojrzał w górę na siostrę. Był obolały i palił go wstyd.

– Skaleczyła się przez przypadek. Chciałem ją tylko nastraszyć.

Laura odwróciła się na pięcie i ruszyła w stronę domu.

– Pomóż mi, Laura, nie mogę wstać.

– To się czołgaj.

Po kilku następnych krokach Laura zrozumiała, że nie potrafi zostawić swojego brata, nawet jeżeli jest idiotą. James pokuśtykał do domu wsparty na ramieniu siostry. Musiała wytężyć wszystkie siły, by go utrzymać.

3. POGORSZENIE

James wtoczył się do przedpokoju, trzymając się ręką za brzuch. Zerknął na wyświetlacz telefonu mamy:

48 NIEODEBRANYCH POŁĄCZEŃ
4 WIADOMOŚCI

Wyłączył telefon i wetknął głowę do salonu. Światło było zgaszone, ale w kącie migotał telewizor. Mama spała w fotelu. Po Ronie ani śladu.

– Poszedł – powiedział James.

– I dzięki Bogu – westchnęła Laura. – Zawsze mnie całuje, a jedzie mu z ust. – Zamknęła drzwi wejściowe i podniosła z podłogi odręcznie napisaną notkę. – To z twojej szkoły. – Laura czytała na głos, z trudem brnąc przez niewyraźne pismo: – Droga pani Choke, proszę o pilny kontakt ze szkolną sekretarką albo ze mną pod jednym z poniższych numerów, wąs... zwis...

– W związku – domyślił się James.

– W związku z dzisiejszym zachowaniem Jamesa w szkole. Podpisano: Michael Rook, zastępca dyrektora szkoły.

James nalał sobie szklankę wody z kranu i opadł na krzesło. Laura usiadła naprzeciwko i zsunęła trampki ze stóp.

– Mama cię zmasakruje – wyszczerzyła zęby w złośliwym uśmiechu. Wizja cierpień brata wyraźnie ją ucieszyła.

– Możesz się zamknąć? Próbuję o tym nie myśleć.

James zamknął się w łazience. To, co ujrzał w lustrze, nieco nim wstrząsnęło. Lewa strona twarzy i końcówki jego przystrzyżonych blond włosów były krwistoczerwone. Opróżnił kieszenie, rozebrał się i wcisnął mocno zszargane ciuchy do foliowego worka. Miał zamiar zakopać je później w śmietniku, żeby mama nic nie znalazła.

Kłopoty, w jakie się wpakował, wprawiły Jamesa w zadumę i skłoniły do refleksji na własny temat. Wiedział, że nie jest ideałem. Był zdolny, ale przez swoją niechęć do jakiegokolwiek wysiłku dostawał złe stopnie. Nauczyciele powtarzali mu do znudzenia, że marnuje swoje możliwości i źle skończy. Wysłuchał miliardów takich wykładów z wyłączonym mózgiem. Teraz zaczynał dopuszczać do siebie myśl, że nauczyciele mieli sporo racji, a to sprawiało, że nienawidził ich jeszcze bardziej.

Otworzył buteleczkę z wodą utlenioną i uświadomił sobie, że najpierw powinien zmyć krew. Wszedł pod prysznic. Gorąca woda spłynęła mu po twarzy i brzuchu, by zawirować różową kałużą wokół stóp.

James nie był pewien, czy wierzy w Boga, ale trudno mu było wyobrazić sobie, by cokolwiek mogło zaistnieć bez jakiegoś stwórcy. Jeśli naprawdę warto było się modlić, to właśnie teraz. Przemknęło mu przez głowę, że pewnie nie powinien przemawiać do Boga nagi i pod prysznicem, ale tylko wzruszył ramionami i złożył mokre dłonie.

– Cześć, Boże... Wiem, że nie zawsze jestem dobry. Właściwie to nigdy. Po prostu pomóż mi być dobrym i tak dalej... Pomóż mi być lepszym człowiekiem. To na razie. Amen. Aha, i proszę, nie pozwól, by Greg Jennings mnie zabił.

James zerknął na swoje dłonie, nieprzekonany co do skuteczności modlitwy.

Po kąpieli James włożył swoje ulubione ciuchy: koszulkę Arsenalu i powycierane dresowe spodnie Nike'a. Musiał ukrywać je przed mamą. Wyrzucała wszystko, co nie wyglądało jak przed chwilą ukradzione ze sklepu. Nigdy nie rozumiała, że czasem wygląda się lepiej, kiedy ubranie jest nieco sfatygowane.

Po szklance mleka, dwóch ciepłych kanapkach Laury i półgodzinie grania w GT4 pod kołdrą naciągniętą na głowę James poczuł się odrobinę lepiej. Byłoby zupełnie dobrze, gdyby nie żołądek, który palił go przy każdym gwałtowniejszym ruchu, no i perspektywa opowiedzenia o wszystkim mamie, kiedy się obudzi. Chociaż nie zanosiło się, by miało to nastąpić wkrótce. Musiała wypić naprawdę dużo.

James zawadził zderzakiem o barierkę i sześć samochodów przemknęło obok, spychając go na ostatnie miejsce. Cisnął joystick na podłogę. Zawsze wykładał się na tym zakręcie. Samochody kierowane przez komputer przejeżdżały tamtędy jak po szynach, zupełnie jakby gra starała się go zirytować. To nudne grać samemu, ale nie było sensu prosić Laury. Nienawidziła gier komputerowych. Grała wyłącznie w piłkę, a w domu rysowała.

James złapał komórkę i wyszukał numer Sama. Sam mieszkał piętro niżej i chodził do tej samej klasy.

– Halo, pan Smith? Tu James Choke. Jest Sam?

Sam odebrał w swojej sypialni. Jego głos zdradzał podniecenie.

– Cześć, psycholu – zaczął ze śmiechem. – Masz taaakie kłopoty!

Nic takiego początku rozmowy oczekiwał James.

– Co się działo, kiedy poszedłem?

– Stary, to było chore. Samancie leciała krew, po twarzy, po rękach, po wszystkim. Zabrała ją karetka. Voolt zrobiła sobie coś w plecy, poryczała się i w kółko gadała, że przebrała się miarka i że odchodzi na wcześniejszą emeryturę.

Byli dyro i zastępca. Dyro zobaczył, że Miles się śmieje, i zawiesił go na trzy dni.

James nie wierzył własnym uszom. Trzy dni zawieszenia za śmiech?

– Wściekł się. Wykopie cię jak nic, James.

– Nie ma mowy.

– Jest mowa, świrze. Nie przetrwałeś nawet do końca pierwszego semestru. To chyba rekord. Mama już ci wklepała?

– Jeszcze nic nie wie. Śpi.

Sam znów zarechotał.

– Śpi! Nie sądzisz, że wolałaby, żebyś ją obudził i powiedział, że wyrzucili cię ze szkoły?

– Ma to gdzieś – skłamał James beztroskim tonem. – To jak, wpadniesz do mnie na gry?

Sam nagle spoważniał.

– Eee... raczej nie, stary. Muszę odrobić lekcje.

James się roześmiał.

– Nigdy nie odrabiasz lekcji.

– Zacząłem. Starzy cisną. Ważą się losy urodzinowych prezentów.

James wiedział, że Sam kłamie, ale nie mógł zrozumieć dlaczego. Zwykle po prostu prosił mamę o pozwolenie, a ona zawsze się zgadzała.

– Co? Co ci zrobiłem, że nagle mnie nie lubisz?

– To nie to, James, ale...

– Ale co, Sam?

– Naprawdę nie kumasz?

– Nie!

– Jesteśmy kumplami, James, ale nie mogę się z tobą zadawać, dopóki to nie przycichnie.

– A to niby czemu?

– Bo Greg Jennings zrobi z ciebie miazgę, a jak ktoś mnie z tobą zobaczy, to ja też mogę pożegnać się z życiem.

– Mógłbyś mi pomóc – powiedział z wyrzutem James.

Sam uznał, że to najśmieszniejszy żart, jaki słyszał.

– Mój chudy zad na niewiele ci się przyda. Lubię cię, James, jesteś naprawdę dobrym kolegą, ale w tej chwili znajomość z tobą to pewna śmierć.

– Wielkie dzięki, Sam.

– Trzeba było pomyśleć, zanim postanowiłeś nadziać na zardzewiały gwóźdź siostrę najgorszego zbira w szkole.

– Nie chciałem jej nic zrobić. To był wypadek.

– Daj znać, kiedy Greg Jennings w to uwierzy.

– Nie do wiary, że mi to robisz, Sam.

– Na moim miejscu zrobiłbyś to samo i dobrze o tym wiesz.

– To koniec, tak? Teraz jestem trędowaty?

– Takie życie, James. Przykro mi.

– Akurat.

– Możemy do siebie dzwonić. Nadal cię lubię.

– Jestem wzruszony.

– Muszę kończyć. Na razie, James. Naprawdę mi przykro.

– Miłego odrabiania lekcji.

James odłożył słuchawkę i po raz drugi tego wieczoru pomyślał o modlitwie.

*

James zasnął przed telewizorem. Przyśniło mu się, że Greg Jennings depcze mu po flakach, i nagły atak paniki wyrwał go ze snu. Czuł gwałtowną potrzebę pójścia do toalety. Ból w trzewiach był pięćdziesiąt razy silniejszy niż przedtem.

Pierwsza kropla, jaka spadła do sedesu, była czerwona. James zacisnął oczy i spojrzał jeszcze raz. Nadal czerwono. Sikał krwią. Kiedy opróżnił pęcherz, ból niemal zniknął, ale pozostał strach. Musiał powiedzieć mamie.

Telewizor w salonie wciąż mamrotał i zalewał pokój bladym światłem. James wyłączył odbiornik. Zapadła cisza.

– Mamo?

Dziwne uczucie. Było wręcz za cicho. James dotknął ręki zwisającej z kanapy. Zimna. Przysunął dłoń do ust mamy. Żadnego oddechu. Żadnego pulsu. Nic.

*

James tulił Laurę, siedząc z nią w tylnej kabinie karetki pogotowia. Zwłoki mamy leżały tuż obok przykryte kocem. Paznokcie Laury wbijały się Jamesowi w plecy. Czuł, że traci zmysły, ale ze wszystkich sił starał się panować nad sobą. Bał się o siostrę.

Kiedy karetka zajechała pod szpital, James patrzył tępo na oddalające się nosze na kółkach. Uświadomił sobie, że takie będzie jego ostatnie wspomnienie o mamie: potężnie wybrzuszony koc w błyskach niebieskiego światła.

James musiał wyjść z karetki razem z wczepioną w niego Laurą. Nie było mowy, by go puściła. Przestała płakać i teraz dyszała jak zwierzę.

Laura szła niczym zombi. Kierowca poprowadził ich przez poczekalnię do gabinetu. Czekała na nich lekarka. Wiedziała, co się stało.

– Jestem doktor May – przedstawiła się. – Laura i James, prawda?

James głaskał siostrę po ramieniu, próbując ją uspokoić.

– Lauro, czy mogłabyś puścić brata? Chcielibyśmy porozmawiać.

Laura nawet nie drgnęła.

– Nic do niej nie dociera – powiedział James.

– Jest w szoku. Muszę podać jej coś na uspokojenie, inaczej straci przytomność.

Doktor May wzięła strzykawkę ze stolika i podciągnęła Laurze rękaw koszulki.

– Przytrzymaj ją.

Kiedy igła zagłębiła się w skórze, Laura nagle zwiotczała. James delikatnie ułożył ją na leżance. Lekarka podniosła jej nogi i okryła kocem.

– Dziękuję – mruknął James.

– Powiedziałeś kierowcy, że miałeś krew w moczu – zagadnęła doktor May.

– Rzeczywiście.

– Uderzyłeś się w brzuch?

– Zostałem uderzony – sprostował James. – Biłem się. Jest bardzo źle?

– Po mocnym ciosie mogą ci krwawić wnętrzności. To normalne rany, tyle że w środku. Powinny się zagoić. Jeżeli do jutra wieczór krwawienie nie ustanie, zgłoś się do nas.

– Co teraz z nami będzie? – spytał James.

– Jedzie do was pani z opieki społecznej. Skontaktuje się z waszymi krewnymi.

– Ja nie mam krewnych. Babcia umarła w zeszłym roku, a taty nie znam.

4. DOM DZIECKA

James obudził się rankiem w obcym łóżku, w sztywnej pościeli pachnącej środkiem dezynfekującym. Nie miał pojęcia, gdzie jest. Jego wspomnienia kończyły się na chwili, kiedy wziął od pielęgniarki pigułkę nasenną i ruszył do samochodu z głową ważącą milion ton.

Był ubrany, ale jego buty leżały na podłodze.

Kiedy uniósł się na łokciach, zobaczył drugie łóżko i zakopaną w pościeli Laurę. Spała z kciukiem w ustach. James nie pamiętał, by to robiła, odkąd przestała być niemowlęciem. Cokolwiek jej się śniło, ten kciuk nie był dobrym znakiem.

Wygramolił się z łóżka. Wciąż był otępiały po zażyciu pigułki. Czuł dziwną sztywność w szczękach, a w skroniach ćmiący ból. W pokoju było jasno mimo zaciągniętych zasłon. Za przesuwanymi drzwiami James znalazł prysznic i toaletę. Załatwiając się, z ulgą zauważył, że jego mocz ma już zupełnie normalny kolor. Opłukał twarz wodą.

Wiedział, że powinien czuć rozpacz po śmierci mamy, ale w duszy miał emocjonalną pustkę. Wszystko wydawało się takie nierealne, jakby siedział w fotelu, oglądając samego siebie w telewizji.

Wyjrzał przez okno. Zobaczył podwórko pełne biegających, rozwrzeszczanych dzieciaków. Przypomniał sobie, że jedną z ulubionych gróźb jego mamy była zapowiedź, że odda go do domu dziecka, jeżeli będzie niegrzeczny.

Kiedy otworzył drzwi, żeby wyjść z pokoju, rozległ się brzęczyk.

Z sąsiedniego gabinetu wyjrzała kobieta i wyciągnęła do Jamesa rękę. Uścisnął ją, nieco zdetonowany widokiem jej purpurowych włosów i metalowych ozdób zwisających z każdego ucha.

– Witaj, James. Jestem Rachel. Witam cię w Nebraska House. Jak się czujesz?

James wzruszył ramionami.

– Bardzo mi przykro z powodu twojej mamy.

– Dziękuję, pani psor.

Rachel zaśmiała się.

– Nie jesteś w szkole, James. Różnie mnie tu nazywają, ale nigdy panią profesor.

– Przepraszam.

– Oprowadzę cię, a potem zjesz porządne śniadanie. Jesteś głodny?

– Trochę – przyznał James.

– Posłuchaj, James – zaczęła Rachel, gdy wyszli na korytarz – wiem, że to plugawe miejsce i że życie wydaje ci się teraz koszmarem, ale tak naprawdę jest tu sporo dobrych ludzi, którzy chcą ci pomóc.

– Jasne.

– Spójrz, oto nasze luksusowe kąpielisko – powiedziała Rachel.

Wyciągnęła rękę w stronę okna, wskazując zdezelowany brodzik, wypełniony deszczówką i niedopałkami.

James uśmiechnął się lekko. Rachel była miła, nawet jeśli częstowała tymi samymi tekstami każdego świra, jaki tutaj trafiał.

– Supernowoczesny kompleks sportowy. Wstęp surowo wzbroniony, dopóki nie odrobisz lekcji.

Szli przez pokój z tarczą do strzałek i dwoma stołami bilardowymi. Podarte sukno poprzyklejano do blatów taśmą dwustronną. Obok stał parasolnik wypełniony połamanymi kijami pozbawionymi szczytówek.

– Pokoje są na górze. Chłopcy na pierwszym piętrze, dziewczęta na drugim. Łazienki i prysznice są tutaj – ciągnęła Rachel. – Zwykle trudno was do nich zagonić.

– W moim pokoju jest prysznic – zauważył James.

– To pokój dla nowych. Śpi się w nim tylko jedną noc.

Dotarli do stołówki. Było w niej kilka tuzinów dzieciaków, przeważnie w szkolnych mundurkach. Rachel pokazywała palcem.

– Sztućce tam, gorące dania przy bufecie, płatki, sok. Jeżeli chcesz, przyrządź sobie tosta.

– Super – mruknął James.

Nie czuł się super. Onieśmielał go tłum obcych, hałaśliwych dzieci.

– Kiedy zjesz, przyjdź do mojego gabinetu.

– Co z moją siostrą? – spytał James.

– Przyprowadzę ją do ciebie, gdy się obudzi.

– Dobrze.

James nałożył sobie płatków na talerz i usiadł sam.

Nikt nie zwracał na niego uwagi. Wszyscy wokół zajęci byli swoim jedzeniem. Najwyraźniej nowi przybysze nie byli tutaj niczym niezwykłym.

*

Rachel rozmawiała przez telefon. Na jej biurku piętrzyły się papiery i skoroszyty. W popielniczce dopalał się papieros. Rachel ujęła go w dwa palce i zaciągnęła się, odkładając słuchawkę. Spostrzegła, że wzrok Jamesa podąża ku znakowi „Nie palić".

– Jak mnie wywalą, będą mieli o sześć osób za mało – powiedziała. – Zapalisz?

James był wstrząśnięty. Taka propozycja od dorosłej osoby? Nigdy jeszcze go to nie spotkało.

– Ja nie palę.

– To dobrze – pochwaliła go Rachel. – Papierosy powodują raka, ale wolimy je wam dawać, niż żebyście kradli ze sklepów. Zwal gdzieś moje śmiecie i rozgość się.

James zdjął stos papierów z krzesła i usiadł.

– Jak się czujesz, James?

– Trochę otępiały. To chyba przez tę pigułkę na sen.

– To minie. Chodziło mi raczej o to, jak się czujesz po tym, co się stało z waszą mamą.

James wzruszył ramionami.

– No, raczej źle.

– Najważniejsze, żebyś nie dusił tego w sobie. Zorganizujemy ci spotkanie z psychologiem, a tymczasem możesz śmiało rozmawiać z każdym z wychowawców. Nawet o trzeciej nad ranem.

– Czy ktokolwiek wie, dlaczego umarła? – spytał James.

– Z tego, co wiem, wasza mama zażywała środki przeciwbólowe z powodu wrzodu na nodze...

– Nie powinna była pić – przerwał jej James. – O to chodzi, prawda?

– Leki w połączeniu z alkoholem uśpiły ją. Jej serce przestało bić. Jeżeli choć trochę cię to pocieszy, wasza mama nie cierpiała.

– Co będzie z nami? – spytał James.

– Nie sądzę, byś miał jakichś krewnych.

– Tylko ojczyma. Nazywam go wujkiem Ronem.

– Policja znalazła go wczoraj.

– Pewnie go zamknęli – powiedział James.

Rachel uśmiechnęła się.

– Zauważyłam, że nie przepadacie za sobą, kiedy wczoraj z nim rozmawiałam.

– Rozmawiała pani z Ronem?

– Owszem... Czy dogadujecie się z Laurą bez problemów?

– Przeważnie – przytaknął James. – Kłócimy się dziesięć razy dziennie, ale raczej się rozumiemy.

– Ron był mężem waszej mamy, nawet jeśli z wami nie mieszkał. Jest też ojcem Laury, dlatego automatycznie otrzymał prawo do przejęcia nad nią opieki.

– Nie możemy mieszkać z Ronem. To menel.

– Posłuchaj, James. Ron kategorycznie sprzeciwia się pozostawieniu Laury w domu dziecka. Jest jej ojcem. Nie możemy go powstrzymać, chyba że były udokumentowane przypadki maltretowania. Chodzi o to, James...

James sam poskładał części układanki.

– Nie chce mnie, tak?

– Przykro mi.

James wbił wzrok w podłogę, starając się trzymać nerwy na wodzy.

Trafienie do domu dziecka było dostatecznym nieszczęściem, nawet bez rozstania z Laurą, która w dodatku miała zamieszkać z Ronem.

Rachel wyszła zza biurka i objęła Jamesa ramieniem.

– Tak mi przykro, James.

James zastanawiał się, dlaczego Ronowi może zależeć na zabraniu Laury.

– Jak długo pozostaniemy razem?

– Ron powiedział, że przyjdzie dziś przed południem.

– Nie możecie nam dać choć kilku dni?

– Być może trudno ci to zrozumieć, James, ale odwlekanie rozstania tylko pogorszy sprawę. Zresztą będziecie mogli się odwiedzać.

– On nie potrafi się nią zająć. To mama zawsze robi pranie i wszystko. Laura boi się ciemności. Nie może sama chodzić do szkoły. Ron w niczym jej nie pomoże. Jest beznadziejny.

– Spróbuj się nie martwić, James. Będziemy go regularnie odwiedzać i sprawdzać, jak Laura radzi sobie w nowym domu. Jeżeli nie będzie miała właściwej opieki, zaczniemy działać.

– A co będzie ze mną? Zostaję tutaj?

– Dopóki nie znajdziemy ci miejsca w rodzinnym domu zastępczym. Wtedy zamieszkasz u rodziny, która na pewien czas przyjmuje do siebie dzieci takie jak ty. Jest też szansa, że zostaniesz adoptowany, co oznaczałoby, że inna para zaopiekuje się tobą na stałe, dokładnie tak, jakby byli twoimi prawdziwymi rodzicami.

– Jak długo to może potrwać? – spytał James.

– Brakuje nam rodzin zastępczych. Najmarniej kilka miesięcy. Może powinieneś spędzić trochę czasu z siostrą, zanim przyjedzie Ron.

James wrócił do sypialni i delikatnym szturchnięciem obudził Laurę.

Po chwili dziewczynka usiadła i wolno dochodziła do siebie, wydłubując śpiochy z kącików oczu.

– Co to jest? – wymamrotała wreszcie. – Szpital?

– Dom dziecka.

– Boli mnie głowa – powiedziała, cedząc słowa. – Niedobrze mi.

– Pamiętasz coś z wczoraj?

– Pamiętam, jak mówiłeś, że mama nie żyje. A potem czekaliśmy na karetkę. Zasnęłam, tak?

– Musieli dać ci zastrzyk na uspokojenie. Pielęgniarka powiedziała, że po przebudzeniu będziesz się czuć dziwnie.

– Zostajemy tutaj?

– Później przyjedzie po ciebie Ron.

– Tylko po mnie?

– Tak.

– Zaraz się porzygam – oznajmiła Laura, zakrywając ręką usta.

James odskoczył do tyłu z obawy przed rozbryzgiem.

– Tam jest łazienka – rzucił, wskazując palcem drzwi.

Laura wbiegła do toalety, skąd po chwili doszły go odgłosy wymiotowania. Przez moment kaszlała, po czym spuściła wodę.

Zapadła cisza. James zapukał.

– Nic ci nie jest? Mogę wejść?

Odpowiedzi nie było.

James uchylił drzwi i wetknął głowę przez szparę. Laura płakała.

– Co to będzie za życie z tatą?! – łkała.

James wziął siostrę w ramiona. Jej oddech pachniał wymiocinami, ale w tej chwili nie miało to znaczenia. Do tej pory Laura zawsze po prostu była. James nie zdawał sobie sprawy, jak bardzo tęskniłby, gdyby jej nagle zabrakło.

Laura uspokoiła się trochę i postanowiła wziąć prysznic. Nie mogła nawet myśleć o śniadaniu, więc usiedli w świetlicy. Wszystkie inne dzieci poszły już do szkoły.

Oczekiwanie na Rona było bolesnym doświadczeniem. James chciał rozluźnić atmosferę jakimś zabawnym tekstem, ale nic nie przychodziło mu do głowy. Laura wpatrywała się w podłogę i obijała reebokami nogi krzesła.

Ron zjawił się z lodem w ręku. Laura pokręciła głową, ale i tak go wzięła. Nie była w stanie spierać się o cokolwiek. James walczył ze sobą, by nie rozpłakać się przy wujku. Laurę zatkało do tego stopnia, że nie mogła mówić.

– Jak będziesz chciał zobaczyć się z Laurą, tu jest numer – powiedział Ron, wręczając Jamesowi skrawek papieru. – Zabieram rzeczy z mieszkania. Rozmawiałem z człowiekiem z opieki społecznej; później ktoś tam z tobą pojedzie. Wszystko, czego nie zabierzesz do piątku, ląduje na śmietniku.

James nie mógł uwierzyć, że Ron potrafi być wredny w taki dzień.

– Ty ją zabiłeś – powiedział cicho. – To ty przyniosłeś alkohol.

– Niczego w nią nie wmuszałem. – Ron wzruszył ramionami. – Aha, i na twoim miejscu nie spodziewałbym się częstych spotkań z Laurą.

James poczuł się, jakby za chwilę miał wybuchnąć.

– Kiedy dorosnę, zabiję cię – wysyczał. – Przysięgam.

Ron zaniósł się śmiechem.

– Autentycznie trzęsę się ze strachu! Mam nadzieję, że twoi więksi koledzy wbiją ci do głowy trochę manier. Najwyższy czas, żeby ktoś to zrobił.

Ron złapał Laurę za rękę i odszedł.

5. SEJF

James ustawił bile w trójkąt i rozbił je białą. Nie interesowało go, dokąd się potoczą. Chciał tylko zająć czymś umysł, żeby nie myśleć o okropnościach, jakie chodziły mu po głowie. Grał już od ponad godziny, kiedy przedstawił mu się chudy dwudziestoparolatek z odstającymi uszami.

– Kevin McHugh, tutejszy cieć, były więzień – zaśmiał się. – To jest, wychowanek, rzecz jasna.

– Cześć – mruknął James. Nie był w nastroju do żartów.

– Jedziemy po twoje rzeczy?

James powlókł się za nim do mikrobusu.

– Słyszałem o twojej mamie, James. Przykra sprawa. – Kevin wyciągał szyję, wypatrując okazji do włączenia się do ruchu.

– Dzięki, Kevin. Mieszkałeś tu kiedyś?

– Przez trzy lata. Tatę posadzili za napad z bronią w ręku, mama przeżyła załamanie nerwowe, a ja wylądowałem tutaj. Byłem w porządku wobec wychowawców, więc kiedy skończyłem siedemnaście lat, dali mi pracę.

– Da się tu żyć?

– Można wytrzymać. Tylko uważaj na swoje rzeczy. Wszystko znika. Przy pierwszej okazji spraw sobie przyzwoitą kłódkę i załóż na swojej szafce. Śpij z kluczem na szyi. Nie zdejmuj go nawet pod prysznicem. Jeśli masz kasę, możemy kupić kłódkę w drodze powrotnej.

– Ciężko jest? – spytał James.

– Poradzisz sobie. Wyglądasz na kogoś, kto potrafi o siebie zadbać. Jest kilka ciężkich przypadków, jak w każdym takim miejscu, musisz po prostu schodzić im z drogi.

*

Mieszkanie było przewrócone do góry nogami. Znikło wiele wartościowych rzeczy. W salonie brakowało telewizora, magnetowidu i wieży, z przedpokoju wyparował telefon, a z kuchni mikrofalówka.

– Co tu się stało? – zdziwił się Kevin. – Wczoraj też tak było?

– Prawie się tego spodziewałem – powiedział James. – Ron wyczyścił lokal. Mam nadzieję, że moje graty zostawił w spokoju.

James pobiegł na górę do swojego pokoju. Telewizor, DVD i komputer znikły.

– Zarżnę bydlaka! – zaryczał.

Kopniakiem otworzył drzwi szafy. Ron zostawił przynajmniej Playstation i większość osobistych rzeczy. Do pokoju wszedł Kevin.

– Nie damy rady zabrać tego wszystkiego – zauważył, patrząc na zawalające podłogę sterty. – Twoja mama musiała być nadziana.

– Lepiej zabierzmy, ile się da. Ron powiedział, że opróżni dom w piątek.

James wpadł na pewien pomysł. Poprosił Kevina, żeby zaczął pakować ubrania do foliowych worków, a sam poszedł do sypialni mamy. Ron zabrał stamtąd telewizor, a z toaletki szkatułkę na biżuterię – nie wiadomo po co, bo biżuterię, która była coś warta, ukradł już dawno temu.

James otworzył szafę mamy i spojrzał na sejf. W środku była fortuna. Gwen Choke była złodziejką i nie mogła przechowywać pieniędzy w banku, nie ryzykując, że ktoś zacznie dociekać, skąd je bierze. Sądząc po rozrzuconych wokół narzędziach i rysach na drzwiach, Ron podjął dość żałosną próbę sforsowania zamka. Z pewnością wróci z lepszym sprzętem.

James wiedział, że nigdy nie zdoła włamać się do sejfu. Kiedy go dostarczono, trzej tragarze ledwie zdołali wnieść go po schodach. Klucza nie było. Aby dostać się do wnętrza, należało wykręcić określoną sekwencję liczb pokrętłem na drzwiach. James nie znał tej kombinacji. Jedyną wskazówką, jaką dysponował, było wspomnienie chwili, kiedy wszedł do sypialni mamy akurat wtedy, gdy otwierała sejf. Trzymała w ręku powieść Danielle Steel, a trzeba przyznać, że ukrycie szyfru w książce, której James i Ron nie tknęliby nawet trzymetrowym kijem, wydawało się rozsądnym posunięciem. A jeśli później zmieniła kombinację? James miał tylko jedną szansę na pokonanie Rona w starciu o pieniądze, więc musiał przynajmniej spróbować.

Gwen trzymała kilka książek na półce nad łóżkiem. James odszukał Danielle Steel i przekartkował tom.

– Żyjesz, James?! – krzyknął Kevin z drugiej sypialni.

James był tak spięty, że podskoczył na metr w górę, wypuszczając z rąk książkę.

– Wszystko w porządku! – odkrzyknął.

Wziął otwartą książkę z podłogi i uniósł do oczu. Na marginesie widniała seria napisanych odręcznie liczb. Książka musiała być otwierana na tej stronie setki razy. Kiedy wypuścił ją z rąk, sama otworzyła się we właściwym miejscu. James po raz pierwszy od wielu dni poczuł, że sprzyja mu szczęście. Dał susa przez dywan i dopadłszy sejfu, szybko wykręcił liczby: 262, 118, 320, 145, 077. Szarpnął za klamkę. Nic. A taki był pewien swego. Na myśl o tym, że Ron jednak położy łapę na pieniądzach, aż zatkało go z wściekłości.

Wtedy dostrzegł naklejkę pod gałką, a na niej instrukcję obsługi sejfu. Przeczytał pierwszy punkt.

1) Wybierz pierwszą liczbę sekwencji, obracając pokrętło w stronę przeciwną do ruchu wskazówek zegara.

James nie miał pojęcia, że kierunek obrotów ma znaczenie. Wybrał pierwszy numer i przeszedł do punktu drugiego.

2) Wybierz cztery kolejne liczby, za każdym razem obracając pokrętło w stronę przeciwną względem kierunku poprzedniego obrotu. Każde odstępstwo od powyższej procedury uniemożliwi uruchomienie mechanizmu zamka.

James wykręcił trzy następne liczby.

– W co ty sobie pogrywasz? – spytał Kevin.

James odwrócił się gwałtownie. Kevin stał na progu. Na szczęście otwarte drzwi szafy zasłaniały mu sejf. Kevin wydawał się miły, ale James był pewien, że każdy dorosły, który dowiedziałby się o skarbcu, zmusiłby go do wydania jego zawartości policji albo wujkowi Ronowi.

– Szukam czegoś – powiedział James, czując, że zabrzmiało to mało przekonująco.

– Chodź i pomóż mi w pakowaniu. Skąd mam wiedzieć, co chcesz zabrać?

– Zaraz przyjdę – obiecał James. – Tylko znajdę albumy ze zdjęciami.

– Pomóc ci szukać?

– Nie – prawie krzyknął James.

– Mamy kwadrans. Za godzinę muszę być pod szkołą.

Kevin wycofał się do drugiego pokoju. James odetchnął i wykręcił piątą liczbę – mechanizm szczęknął obiecująco. Zanim pociągnął za dźwignię, przeczytał trzeci punkt instrukcji i nie zdołał powstrzymać uśmiechu.

3) Ze względów bezpieczeństwa po zapoznaniu się z mechanizmem naklejkę należy zerwać.

James otworzył ciężkie drzwi. Grube ściany sprawiały, że wnętrze sejfu było zaskakująco małe. W środku leżały cztery sterty banknotów i nieduża koperta. James wrzucił pieniądze do foliowego worka, a kopertę schował w kieszeni. Wyobraził sobie minę Rona, kiedy ten wejdzie i zobaczy, że sejf jest otwarty. Nagle przyszło mu do głowy coś lepszego. Zerwał z drzwi naklejkę z instrukcją i włożył ją do sejfu razem z powieścią Danielle Steel. Na okrasę, żeby rozwścieczyć Rona do granic możliwości, James wziął swoją fotografię z szafki przy łóżku mamy i postawił w sejfie tak, żeby była pierwszą rzeczą, jaką Ron ujrzy, gdy wreszcie sforsuje zamek. Na koniec zatrzasnął drzwi, zakręcił gałką i rozmieścił narzędzia dokładnie tak, jak zostawił je Ron.

*

Wchodząc z pieniędzmi pod pachą do swojego pokoju, James był w nieco lepszym nastroju niż wcześniej. Z pomieszczenia zniknęła większość rzeczy. Kevin spakował wszystkie ubrania i pościel, które zwykle zalegały na podłodze.

– Znalazłem albumy – powiedział James.

– Świetnie. Ale obawiam się, że coś będziesz musiał poświęcić, James. W Nebraska House dostaniesz tylko szafę, komódkę i schowek.

James zaczął szperać w zabawkach i rzeczach na podłodze. Ze zdumieniem uświadomił sobie, jak mało obchodzi go większość z nich. Wziął Playstation 2, telefon komórkowy, odtwarzacz CD i nic więcej. Resztę stanowiły zabawki, z których wyrósł albo które mu się znudziły. Złościło go, że Ron zabrał telewizor, co oznaczało, że nie ma do czego podłączyć konsoli.

Kevin przykucnął obok, zerkając na Segę Dreamcast i Nintendo Gamecube.

– Nie bierzesz tego?

– Używam tylko Playstation – odparł James. – Jak chcesz, to sobie weź.

– Nie wolno mi przyjmować prezentów od wychowanków.

James kopnął konsole na środek podłogi.

– Nie chcę, żeby mój ojczym na nich zarobił. Skoro ich nie bierzesz, rozwalam je.

Kevin nie wiedział, co odpowiedzieć. James z impetem wbił piętę w Segę. Ku jego zaskoczeniu konsola wytrzymała, więc podniósł ją i cisnął o ścianę. Trzasnęła obudowa. Konsola odbiła się i wylądowała za łóżkiem. Kevin szybko pochylił się, by ocalić Gamecube.

– Dobra, James, coś ci powiem. Wezmę Gamecube i gry, a w zamian w drodze do domu kupię ci kłódkę. Co ty na to? Zgoda?

– W porządku – odrzekł James.

*

Kiedy już spakowali wszystkie rzeczy i znieśli worki do mikrobusu, James po raz ostatni obszedł pokoje, w których mieszkał od urodzenia. Gdy wreszcie przekroczył próg drzwi wejściowych, miał łzy w oczach.

Przed blokiem rozległ się odgłos klaksonu. Kevin uruchomił już silnik. James zignorował go i wszedł do mieszkania jeszcze raz. Nie mógł wyjść bez pamiątki po mamie. Pobiegł na górę do jej sypialni i rozejrzał się.

Pamiętał, że kiedy był bardzo mały, po kąpieli mama sadzała go przy swojej toalecie. Wciągała mu przez głowę górę od piżamy, a potem stawała z tyłu i zaczynała go czesać. To było jeszcze przed urodzeniem się Laury. Byli tylko we dwoje, senni, pachnący szamponem. James poczuł wzruszenie i smutek. Znalazł wysłużoną drewnianą szczotkę do włosów i zatknął ją za gumkę spodni od dresu. Ze szczotką łatwiej mu będzie odejść.

6. DOM DZIECKA

James uświadomił sobie, że postąpił głupio. Powinien był zostawić trochę gotówki w sejfie, żeby Ron nie zorientował się, że został wyrolowany. Włożenie zdjęcia było dowcipnym pomysłem, ale widząc je, Ron natychmiast zorientuje się, że James zabrał pieniądze. Może próbować je wykraść, a co gorsza, po takim numerze na pewno zrobi wszystko, żeby utrudnić mu widywanie się z Laurą.

*

Kevin pokazał Jamesowi jego pokój, wytłumaczył, co i jak – na przykład, gdzie jest pralnia i skąd brać środki czystości – po czym zostawił go, by mógł się rozpakować. Po każdej stronie pokoju były łóżko, komoda i szafa ze schowkiem. Pod oknem ustawiono dwa biurka. Dzieciak, który mieszkał w drugiej części, ozdobił swoją ścianę plakatami Slipknota. Na podłodze leżała deskorolka, a w szafie wisiały skate'owe ciuchy: workowate bojówki, bluza z kapturem i podkoszulki z metkami Pornstar i Gravis. Kimkolwiek był współlokator Jamesa, wydawał się w porządku. Przyjemne było też to, że na biurku stał przenośny telewizor, co oznaczało, że będzie do czego podłączyć Playstation. To już coś.

James spojrzał na zegarek. Do powrotu współlokatora ze szkoły miał mniej więcej godzinę. Wysypał pieniądze z foliowego worka. Były to banknoty dwudziesto- i pięćdziesięciofuntowe powiązane gumkami w pliki. Szybko zorientował się, że w każdym jest dokładnie tysiąc funtów. Plików naliczył czterdzieści trzy.

James zastanowił się nad sposobem ukrycia pieniędzy na wypadek, gdyby Ron przyszedł ich szukać. Z mieszkania zabrał swój stary radiomagnetofon, totalny złom, połowa przycisków nie działała, a odtwarzacz nie przewijał kaset. Wziął go tylko dlatego, że Ron zwędził ten lepszy, z odtwarzaczem CD.

James przyciągnął torbę ze swoimi rzeczami i wyszperał z niej szwajcarski scyzoryk. Wyjął śrubokręt i odkręcił tylną część obudowy radiomagnetofonu. Wnętrze wypełniały płytki drukowane i kable. James zaczął je usuwać, odkręcając, co się tylko dało, i wyłamując resztę. Zostawiał tylko te elementy, które było widać od frontu, takie jak głośnik i kieszeń na kasetę. Wypatroszywszy obudowę, wpakował do niej wszystkie pieniądze z wyjątkiem czterech tysięcy funtów. Upchnął paczki ciasno, żeby nie mogły się przesuwać, po czym przykręcił tył obudowy i wsunął radiomagnetofon do schowka. Pozostałe banknoty ukrył w oczywistych skrytkach: w tylnej kieszeni dżinsów, w bucie i w książce. Z ostatniego pliku wyjął sto funtów na drobne wydatki, a resztę przykleił taśmą do ścianki wewnątrz schowka.

Pomysł polegał na tym, by Ron, kiedy już włamie się do pokoju Jamesa, szybko znalazł cztery tysiące, nie domyślając się, że jest ich jeszcze trzydzieści dziewięć we wnętrzu radiomagnetofonu tak zdezelowanego, że nawet on nie chciał go ukraść.

James włożył do schowka co cenniejsze rzeczy. Zatrzasnął drzwi, założył kłódkę, a klucz przywiązał do sznurka i zawiesił sobie na szyi. Nie zawracał sobie głowy rozpakowywaniem reszty. Wrzucił do szafy tyle worków, ile się zmieściło, a pozostałe kopnął pod łóżko. Potem rzucił się na materac i wlepił wzrok w ścianę upstrzoną setkami otworków po pinezkach i grudkami niebieskiej masy klejącej, którą poprzedni lokatorzy mocowali plakaty. Zastanawiał się, co robi Laura.

*

Tuż po czwartej do pokoju wpadł Kyle, współlokator, chudy dzieciak, nieco wyższy od Jamesa, ubrany w szkolny mundurek. Kyle z hukiem zatrzasnął drzwi, docisnął je barkiem i zaczął gorączkowo manipulować w okolicach dziurki od klucza. James zastanawiał się, co tu się, do diabła, dzieje. Nim Kyle zdążył zamknąć drzwi, staranował je jakiś inny chłopak. Wyglądał na starszego. Był tego samego wzrostu co Kyle, ale dwa razy szerszy. Kyle wskoczył na swoje łóżko. Osiłek złapał go i po chwili szamotaniny ściągnął na podłogę. Usiadł na nim okrakiem i kilka razy uderzył pięścią w ramię.

– Myślisz, że jesteś taki cwany? – zapytał.

– Weź to sobie – jęknął Kyle.

Kyle przyjął kilka upokarzających policzków. Napastnik wyciągnął mu spod bluzy pamiętnik i zdzielił go nim w głowę.

– Jeszcze raz dotkniesz moich rzeczy, palancie, a rozkwaszę ci twarz.

Wstał, kopnął Kyle'a w udo i wyszedł.

James dźwignął się na łokciu i usiadł. Kyle udawał, że nic wielkiego się nie stało, ale nie zdołał powstrzymać grymasu bólu, kiedy gramolił się na swoje łóżko.

– Jestem Kyle – powiedział.

– James. Coś ty mu zrobił?

– Pamiętnik wypadł mu z kieszeni, a ja byłem szczęśliwym znalazcą. Większość to bzdety, ale był tam też wiersz o takiej jednej.

James roześmiał się.

– Wielki łosiu pisze wiersze?

– Nie inaczej – wyszczerzył się Kyle. – Przeczytałem kilka linijek jego kolegom. Nie przyjął tego zbyt dobrze.

– Nic ci nie jest? – spytał James. – Nieźle ci dowalił.

– Myślałem, że po prostu zabierze mi pamiętnik, a nie będzie próbował mnie zabić... Jeden kawałek był niezły: *Gdy się uśmiechasz, śmieję się i ja. Nawet gdy ogarnia mnie melancholija.* Czyż to nie piękne?

Kyle nagle wytrzeszczył oczy.

– Ożeż... Czy ja dobrze widzę?

– Co znowu?

– Ta deska pod twoim łóżkiem... Musiała kosztować najmarniej stówę.

– Myślisz? – zdziwił się James. – Wyszedłem z nią może ze dwa razy.

Kyle zaniósł się prawie histerycznym śmiechem.

– Ta deska to legenda, James! Dzieciaki dałyby się zabić, żeby dorwać ją w swoje łapy, a ty wyszedłeś z nią ze dwa razy? Mogę zobaczyć?

– Bierz! – James wzruszył ramionami.

Kompletnie zapominając o bólu, Kyle zanurkował pod łóżko Jamesa i wytoczył deskorolkę. Powoli usiadł na swoim łóżku, obracając ją w rękach.

– Piękna – mruknął. – Twarde kółka, musi być szybka. Dasz wypróbować?

– Jasne, i tak na niej nie jeżdżę. Ale pod warunkiem, że będę mógł podłączyć Playstation 2 do twojego telewizora.

– Playstation 2?! Mamy Playstation 2 w tym pokoju?! James, jesteś moim idolem. Jakie masz gry?

– Nie wiem. Będzie z sześćdziesiąt różnych – powiedział James.

Kyle z wyciem rzucił się na plecy i zaczął kopać powietrze.

– Sześćdziesiąt gier! Nie do wiary, James. Musisz być najbardziej zepsutym dzieciakiem na tej planecie i nawet nie zdajesz sobie z tego sprawy.

– No co? – zdziwił się James. – Nikt tu nie ma konsoli czy jak?

– Dostajemy trzy funty tygodniowo kieszonkowego. Widzisz koszulkę Gravisa na podłodze? Dwadzieścia pięć funtów. Oszczędzałem po dwa funty przez 12 tygodni, żeby ją kupić. Szorty Stussy musiałem ściągnąć ze sklepu w Camden Lock. Gdybym nie znał paru ruchów, skończyłbym z głową pod glanem ochroniarza.

– Chcesz pograć teraz? – spytał James.

– Jak odrobię lekcje – powiedział Kyle. – Zawsze najpierw odrabiam lekcje.

James wyciągnął się na łóżku, zastanawiając się, czy przypadkiem nie trafił na kujona. Ktoś zapukał.

– Proszę.

To był jeden z wychowawców, typ brodatego hippisa. Spojrzał uważnie na Jamesa.

– Załatwiłem ci miejsce w gimnazjum West Road. Możesz zacząć od jutra. Będziesz musiał wrócić w porze lunchu. Masz spotkanie z psychologiem.

Jamesowi zrzedła mina. Był pewien, że śmierć mamy plus wyrzucenie ze szkoły zapewnią mu co najmniej dwa tygodnie wolnego.

– W porządku – powiedział. – Gdzie jest West Road?

Mężczyzna zwrócił się do drugiego z chłopców.

– Kyle, znajdziesz Jamesowi szkolny mundurek i pokażesz mu jutro drogę?

– Żaden problem – odrzekł Kyle.

*

Chłopcy spędzili cały wieczór razem. Po uporaniu się z lekcjami Kyle zaciągnął Jamesa na kolację. Jedzenie nie było rewelacyjne, ale i tak lepsze niż w domu. Potem podłączyli Playstation. Podczas gry opowiadali sobie historie o szkolnych aferach i o tym, jak trafili do domu dziecka. James nie mógł uwierzyć, że jego współlokator jest już w trzeciej klasie, chociaż ma dopiero trzynaście lat. Kyle stwierdził, że jest dobry ze wszystkiego z wyjątkiem WF-u.

Nie miał lekkiego życia, bo wszyscy w klasie byli od niego starsi. James wyznał, że jedyne przedmioty, z jakich on jest dobry, to WF i matma.

Zanim poszli spać, Kyle zaprowadził Jamesa do pralni, gdzie stała skrzynia z mundurkami. James miał szkolne spodnie i koszule, ale potrzebował jeszcze blezera z tarczą West Road i krawatu. Choć wybór był ograniczony, a wszystkie rzeczy mocno sfatygowane, Kyle w końcu wyszperał wystrzępiony krawat i blezer w odpowiednim rozmiarze.

*

Kyle zasnął, ale Jamesowi zbyt wiele myśli kłębiło się w głowie. Jutrzejszy dzień miał być pierwszym dniem jego nowego życia: jedzenia posiłków z innymi dziećmi, chodzenia do nowej szkoły i spędzania czasu z Kyle'em. Nie było najgorzej, ale wolałby mieć przy sobie Laurę.

Nagle stanęła mu przed oczami mała, brązowa koperta z sejfu. Kompletnie o niej zapomniał! Wygramolił się z łóżka i wciągnął spodnie od dresu. Szybko przeszukał kieszenie. Omal nie zemdlał ze strachu, kiedy nie natrafił na nią od razu. Teraz potrzebował światła i miejsca, gdzie mógłby przejrzeć zawartość koperty bez świadków. Najoczywistszym wyborem była toaleta.

James zamknął się w kabinie i delikatnie otworzył kopertę tak, by móc ją później zakleić. W środku był klucz i wizytówka:

REX
Skarbiec depozytowy
Gwarantujemy całkowitą dyskrecję i bezpieczeństwo.
Skrytki sejfowe w ośmiu różnych rozmiarach.

Na odwrocie wizytówki był adres. Wyglądało na to, że mama miała jeszcze jedną tajną skrytkę. James obejrzał kluczyk i zawiesił go na szyi obok klucza do schowka.

7. PSYCHOLOG

James zawsze chodził do szkół koedukacyjnych, ale w West Road byli sami chłopcy. Brak dziewcząt wypełniał korytarze aurą zagrożenia. Było głośniej i wszyscy popychali się mocniej niż w starej szkole. James miał wrażenie, że w każdej chwili może się zdarzyć coś nieprzyjemnego.

Jakiś czwartoklasista pchnął pierwszoklasistę, który odbił się od Jamesa, przewrócił i wrzasnął, kiedy napastnik nadepnął mu na dłoń. Krzyk utonął w jednostajnej wrzawie szkolnego korytarza. James wpatrywał się w mapkę, która nie miała najmniejszego sensu, w którąkolwiek stronę ją obrócił.

– Ładny krawat, panienko – rzucił ktoś.

James uznał, że to musiało być skierowane do niego. Jego krawat był w strzępach. Postanowił, że przy pierwszej okazji zabierze jakiemuś kujonowi lepszy. Morze uczniów stopniowo przelewało się do klas i w ciągu minuty korytarz opustoszał, jeśli nie liczyć sporadycznie pojawiających się spóźnialskich.

Dwaj czwartoklasiści o groźnym wyglądzie zastąpili Jamesowi drogę. Jeden z nich miał nastroszone na żel włosy i koszulkę Metalliki pod blezerem. Obaj nosili glany ze stalowymi noskami, budzące paskudne skojarzenia. Szerokie sznurowadła wlokły się po ziemi.

– Czego tu szukasz, młody?

James uniósł na nich wzrok skazańca. Oto miał zginąć jeszcze przed swoją pierwszą lekcją w nowej szkole.

– Sekretariatu – wykrztusił.

Fan Metalliki wyjął mu mapkę z dłoni.

– Cóż, chyba tam nie trafisz – powiedział.

James zebrał się w sobie, szykując się do przyjęcia ciosu.

– Chyba że skorzystasz z tej części planu, na której napisano budynek główny, a nie przybudówka. Sekretariat jest tam.

Metallica oddał pomiętą mapkę Jamesowi i wyciągnął palec w stronę żółtych drzwi w głębi korytarza.

– Dzięki – sapnął James i puścił się biegiem.

– I zdejmij ten krawat! – krzyknął za nim Metallica.

James zerknął na krawat. Fakt, był trochę wystrzępiony, ale o co tyle hałasu?

*

James wręczył wychowawcy notkę i rozejrzał się w poszukiwaniu wolnego miejsca. Uczniowie jego nowej klasy gapili się na niego jak na dziwoląga. Usiadł w ostatniej ławce, obok czarnoskórego chłopaka, który przedstawił się jako Lloyd.

– Jesteś jedną z tych sierot z domu dziecka? – spytał Lloyd, kładąc akcent na „sierot", by pytanie zabrzmiało dwuznacznie.

Chłopcy siedzący w pobliżu roześmiali się. James wiedział, że liczy się pierwsze wrażenie. Nie odpowiadając, wyszedłby na mięczaka. Odpowiedź musiała być cięta, ale dość łagodna, by nie sprowokować bójki.

– Skąd wiesz? – udał zdziwienie. – Twoja mama przyuważyła mnie, kiedy czyściła u nas kible?

Kolejny wybuch śmiechu. Lloyd skrzywił się, ale po chwili także się roześmiał.

– Ładny krawat, siostro – powiedział.

James miał tego dość. Gniewnym ruchem ściągnął krawat i uważnie mu się przyjrzał. Potem spojrzał na krawat Lloyda. Miał trochę inny kolor. Krawaty wszystkich innych także.

– Co to za krawat? – spytał.

– Dobra wiadomość, sieroto – oznajmił radośnie Lloyd.

– To krawat gimnazjum West Road. A teraz zła wiadomość: to krawat żeńskiego gimnazjum West Road.

James rechotał razem ze wszystkimi. Nowi koledzy wydawali się w porządku. Ale Kyle był świnią, że wyciął mu taki numer.

*

Po porannych lekcjach James wrócił do Nebraska House na wizytę u psycholożki. Jej gabinet mieścił się na drugim piętrze. Stało w nim kilka doniczek z wybujałą zielistką wypuszczającą odnogi na wszystkie strony. Pani psycholog Jennifer Mitchum była drobną, nieco patykowatą kobietą, niewiele wyższą od Jamesa. Miała paskudnie żylaste ręce, na które James starał się nie patrzeć, ale jej głos brzmiał miękko i przyjemnie.

– Gdzie będzie ci wygodniej, na fotelu czy kozetce?

James oglądał telewizję i wiedział, jak powinna wyglądać wizyta u psychologa. Czuł, że dla pełnego efektu powinien położyć się na kozetce.

– Super – powiedział, układając się wygodnie. – Mógłbym przespać na tym całą noc.

Jennifer nieśpiesznie przeszła przez gabinet i opuściła rolety, tak że zrobiło się niemal zupełnie ciemno. Wreszcie usiadła.

– Chciałabym, żebyś się odprężył i zaufał mi, James. Wszystko, co powiesz, zostanie między nami. Kiedy zadam pytanie, nie staraj się znaleźć właściwej odpowiedzi. Mów to, co myślisz, i pamiętaj: jestem tu, żeby ci pomóc.

– W porządku – odparł James.

– Powiedziałeś, że mógłbyś przespać na kozetce całą noc. Czy dobrze spałeś tej nocy?

– Nie bardzo. Za dużo rzeczy chodzi mi po głowie.

– O czym myślisz najczęściej?

– Zastanawiam się, czy z moją siostrą wszystko w porządku.

– W aktach napisano, że nie wierzysz w zdolność Rona do zapewnienia Laurze stosownej opieki.

– To przygłup – wyjaśnił James. – Nie potrafiłby zająć się chomikiem. Nie rozumiem nawet, dlaczego chciał ją zabrać.

– Może kocha Laurę, ale miał trudności z okazaniem tego, kiedy żyła wasza mama.

James roześmiał się.

– Totalna bzdura. Musiałaby go pani poznać, żeby to pojąć, inaczej się nie da.

– Gdybyście widywali się z Laurą regularnie, byłoby lżej wam obojgu.

– Wiem, ale to niewykonalne.

– Porozmawiam z Ronem i spróbuję ustalić harmonogram spotkań. Być może moglibyście spędzać razem soboty.

– Można spróbować, ale Ron nienawidzi mnie jak psa. Nie sądzę, żeby pozwolił Laurze widywać się ze mną.

– Powiedz, co czujesz w związku ze śmiercią mamy?

James wzruszył ramionami.

– Umarła. Co mogę poradzić? Żałuję, że nie byłem lepszy, kiedy żyła.

– W jakim sensie?

– Ciągle pakowałem się w kłopoty. Bójki i takie tam.

– Dlaczego pakowałeś się w kłopoty?

James musiał się zastanowić.

– Nie wiem. Zawsze robię coś głupiego, chociaż wcale tego nie chcę. Tak jakoś wychodzi. Chyba po prostu jestem skrzywiony, zły.

– Na początku spytałam cię, o czym najczęściej myślisz. Odpowiedziałeś, że martwisz się o siostrę. Nie sądzisz, że zły człowiek myśli przede wszystkim o sobie?

– Kocham Laurę... Mogę pani o czymś opowiedzieć?

– Oczywiście, James.

– Rok temu pokłóciłem się z nauczycielem. Trzasnąłem drzwiami i poleciałem do łazienki. Był tam pewien chłopak, o rok młodszy ode mnie. Wklepałem mu. Nie dlatego, że coś do mnie powiedział; po prostu musiałem się wyżyć.

– Czy w tamtym momencie wiedziałeś, że to, co robisz, jest złe?

– No pewnie. Wiadomo, że nie wolno bić ludzi.

– Zatem czemu to zrobiłeś?

– Bo... – James nie potrafił zdobyć się na szczerość.

– Kiedy biłeś tamtego chłopca, jak się wtedy czułeś?

James wykrztusił to z siebie:

– Było super. Dzieciak zalewał się łzami, a ja czułem się fantastycznie.

Spojrzał na Jennifer, spodziewając się zszokowanej miny, ale jej twarz była spokojna.

– Jak sądzisz, dlaczego tak ci się to podobało?

– Już pani mówiłem. Jestem walnięty. Ktoś powie coś nie tak i dostaję świra.

– Spróbuj opisać, co czułeś wobec tego chłopca, którego biłeś.

– Był mój. Nie mógł nic zrobić, choćby nie wiem jak próbował.

– Zatem po kłótni z nauczycielem, kiedy byłeś bezradny i musiałeś robić, co ci każą, znalazłeś się w sytuacji, w której trafiłeś na kogoś słabszego od siebie i mogłeś wykorzystać swoją władzę nad nim. To musiała być nie lada satysfakcja.

– Można to tak ująć – zgodził się James.

– Kiedy ma się tyle lat co ty, James, życie wydaje się frustrujące. Wiesz, czego chcesz, ale wciąż musisz robić, co ci każą inni. Chodzisz do szkoły, kiedy ci każą, chodzisz spać, kiedy ci każą, mieszkasz, gdzie ci każą. Wszystkim sterują inni ludzie. To nic niezwykłego, że chłopcy w twoim wieku wyładowują się w takich nagłych atakach, kiedy czują, że mają nad kimś kontrolę.

– Co nie zmienia faktu, że wdając się w bójki, pakuję się w poważne kłopoty – zauważył James.

– Nauczę cię kilku technik panowania nad agresją. Ale to później. Na razie spróbuj zapamiętać, że masz dopiero jedenaście lat i nikt nie oczekuje od ciebie, że będziesz doskonały. Nie myśl o sobie jak o złym człowieku albo osobie skrzywionej psychicznie. Chciałabym teraz spróbować czegoś, co nazywamy wzmocnieniem pozytywnym. Powtarzaj za mną.

– Co mam powtarzać? – spytał James.

– Powiedz: nie jestem złym człowiekiem.

– Nie jestem złym człowiekiem.

– Powiedz: nie jestem chory na umyśle.

– Nie jestem chory na umyśle. – James uśmiechnął się. – Czuję się jak kretyn.

– Nie obchodzi mnie, czy czujesz się jak kretyn, James. Weź głęboki wdech, powtórz słowa jeszcze raz i pomyśl o tym, co znaczą.

James pomyślał, że marnuje tylko czas, ale nie mógł zaprzeczyć, że poczuł się trochę lepiej.

– Jestem dobrym człowiekiem, nie jestem chory na umyśle – powiedział.

– Znakomicie, James. Sądzę, że tym pozytywnym akcentem zakończymy naszą pierwszą sesję. Następne spotkanie w poniedziałek.

James zsunął się z kozetki.

– Jeszcze jedno, James. W twoich papierach z poprzedniej szkoły jest drobiazg, który mnie zaintrygował. Powiedz, ile jest sto osiemdziesiąt siedem razy szesnaście?

James zastanawiał się niecałe trzy sekundy.

– Dwa tysiące dziewięćset dziewięćdziesiąt dwa.

– Imponujące – powiedziała Jennifer. – Gdzie się tego nauczyłeś?

– Zawsze tak miałem. – James wzruszył ramionami. – Odkąd zacząłem uczyć się matmy. Nie lubię, kiedy ludzie mnie o to proszą. Czuję się wtedy jak jakiś cudak.

– To dar – zauważyła Jennifer. – Powinieneś być dumny.

*

James poszedł do swojego pokoju. Zaczął odrabiać geografię, ale szybko stwierdził, że nie ma do tego serca. Włączył Playstation. Do pokoju wszedł Kyle, który właśnie wrócił ze szkoły.

– Jak tam pierwszy dzień? – rzucił wesoło.

– Całkiem nieźle, ale nie dzięki tobie.

– Niezły numer z tym krawatem, co?

James zerwał się z krzesła i złapał Kyle'a za koszulę. Kyle odepchnął go tak mocno, że James wylądował plecami na biurku. Chłopak był silniejszy, niż można się było spodziewać.

– Chryste, James! Myślałem, że masz poczucie humoru.

– Świetny żart. Pierwszy dzień w nowej szkole, a ty robisz ze mnie przygłupa.

Kyle rzucił na łóżko swoją torbę.

– Wybacz, James. Gdybym wiedział, że tak się wkurzysz, nie zrobiłbym tego.

James miał ochotę na poważniejszą awanturę, ale Kyle był jedynym dzieciakiem w Nebrasce, jakiego znał choćby z imienia. Wolał nie zrywać tej znajomości.

– Po prostu się do mnie nie odzywaj – warknął.

Kyle wziął się do odrabiania lekcji. James przez jakiś czas siedział nadąsany na łóżku, ale szybko mu się znudziło. Postanowił się przejść.

Na korytarzu zobaczył chłopaka w koszulce Metalliki, tego samego, którego spotkał w szkole. Stał w kącie z trzema nieprzyjemnie wyglądającymi opryszkami. James podszedł do nich.

– Dzięki za pomoc w szkole – powiedział.

Metallica spojrzał ponad jego głową.

– Nie ma sprawy, młody. Jestem Rob. A to mój gang: Vince, Duży Paul i Mały Paul.

– Jestem James.

Zapadła niezręczna cisza.

– Coś jeszcze, szczylu? – spytał Duży Paul.

– Nie.

– No to spadaj.

James poczuł, że krew napływa mu do twarzy. Zaczął odchodzić, ale wtedy odezwał się Rob.

– Hej, James, dziś wieczorem wychodzimy na miasto. Idziesz?

– Super – ucieszył się James.

*

Po kolacji wrócił do pokoju, żeby zdjąć mundurek i włożyć cywilne ciuchy. Kyle skończył odrabiać lekcje i teraz leżał na łóżku, czytając pismo dla skate'ów.

– Pogramy na Playstation? – zagadnął. – Przepraszam za wcześniej. Nie chciałem cię wkurzyć.

– Graj sam – powiedział James. – Ja wychodzę.

– Z kim?

– Z Robem.

– Że niby z Robertem Vaughnem? Facetem w metalowej koszulce i glanach?

– Tak, z nim i paroma chłopakami.

Kyle wyglądał na przestraszonego.

– Stary, dobrze ci radzę, nie zadawaj się z nimi. Są popaprani. Obrabiają samochody, kradną ze sklepów i tak dalej.

– Nie zamierzam codziennie tu siedzieć i patrzeć, jak odrabiasz lekcje. Stary, spójrz na siebie.

James włożył buty i podszedł do drzwi. Kyle zrobił obrażoną minę.

– Hej, ostrzegałem cię, James. Nie przychodź do mnie, kiedy wylądujesz po uszy w gównie.

– Możesz grać na Playstation, kiedy tylko zechcesz – powiedział James.

*

James siedział na ceglanym murze na tyłach małej fabryki. Wszyscy w gangu byli od niego starsi. Rob i Duży Paul mieli po piętnaście lat. Vince miał czternaście, ale wyglądał najgroźniej ze wszystkich z tlenionymi włosami i zdeformowanym od ciosów nosem. Mały Paul był jego młodszym bratem. Miał dwanaście lat.

Chłopcy podawali sobie paczkę papierosów. James powiedział, że nie pali. To nie było *cool*, ale pomyślał, że to lepsze niż udawanie palacza, a potem wykaszliwanie z siebie wnętrzności.

– Nudy – powiedział mały Paul. – Zróbmy coś.

Znaleźli parking pełen firmowych fiesta vanów i przeleźli przez dziurę w ogrodzeniu. Vince i Rob poszli wzdłuż rzędu samochodów, szarpiąc za tylne klapy, żeby sprawdzić, czy któraś nie jest otwarta.

– Bingo! – ucieszył się Rob.

Klapa uniosła się z sykiem siłowników. Ron sięgnął do bagażnika i wyciągnął dużą torbę z narzędziami. Pociągnął za suwak.

– Masz ochotę na odrobinę destrukcji, James?

James sięgnął do torby i wydobył młotek. Każdy z pozostałych wziął coś dla siebie. Było trochę strasznie, ale fajnie szło się ulicą z młotkami i kluczami w dłoniach. Jakaś kobieta omal nie wpadła pod samochód, kiedy na ich widok rzuciła się na drugą stronę ulicy. James nie wiedział, czego właściwie szukają. Wreszcie Vince zatrzymał się przed wypasionym mercedesem. Dwaj Paulowie wyszli na środek ulicy.

– Jazda! – krzyknął Rob i uderzył młotkiem w tylną szybę mercedesa.

Zaskrzeczał alarm. Pozostali w milczeniu przyłączyli się do demolki. Po chwili wahania James złapał swój młotek oburącz i strzaskał okno. Rozochocony, utrącił jeszcze lusterko i zrobił dwa duże wgniecenia w drzwiach. Po dwudziestu sekundach samochód nie miał ani jednej niewgniecionej blachy, ani jednej całej lampy i szyby. Vince rzucił hasło odwrotu i pobiegł ulicą, po drodze rozbijając jeszcze kilka samochodowych okien. Ruszyli na osiedle komunalne wąską ulicą i przez betonowy plac otoczony blokami. Jamesowi brakowało tchu, ale strach nie pozwalał mu zwolnić. Jeszcze kilka zakrętów, skok przez płot i znaleźli się na boisku. Buty Jamesa zaczęły się ślizgać na błocie. Zatrzymali się. Ciężkie oddechy kondensowały się w mroźnym powietrzu, otaczając ich kłębami pary. James zaczął się śmiać, choć kłujący ból w boku odbierał mu dech. Rob położył mu dłoń na ramieniu.

– Jesteś w porządku, James – powiedział.

– Ale było obłędnie! – zachłystywał się James.

Mieszanka strachu, zmęczenia i podniecenia przyprawiała go o zawrót głowy. Nie mógł uwierzyć w to, co właśnie zrobił.

8. URODZINY

James czuł się, jakby dryfował przez życie. Każdy dzień był taki sam. Pobudka, szkoła, powrót, piłka nożna albo wypady z Robem Vaughnem i jego gangiem. Nigdy nie kładł się spać przed północą. Wiedział, że jeśli porządnie się wymęczy, nie będzie przewracał się z boku na bok, rozpaczając z powodu Laury i mamy. Od czasu śmierci mamy widział swoją siostrę jeszcze tylko raz: na pogrzebie. Numer telefonu na kartce, którą dostał od Rona, był fałszywy. Ron powiedział Jennifer Mitchum, że James ma zły wpływ na Laurę. Nie życzył sobie, żeby się do niej zbliżał.

*

– Śmierdzisz – powiedział Kyle.

Półprzytomny James usiadł na brzegu łóżka, przecierając pięściami oczy. Nie musiał się ubierać. Poprzedniego wieczoru zsunął tylko trampki i położył się spać w ubraniu.

– Nie zmieniałeś skarpetek od tygodnia – ciągnął Kyle.

– Nie jesteś moją mamą, Kyle – wymamrotał James.

– Twoja mama nie musiała spać w pokoju cuchnącym twoimi wydzielinami.

James mlasnął i melancholijnie spojrzał na poczerniałe podeszwy swoich skarpet. Przeraźliwie śmierdziały, ale on zdążył już przywyknąć do smrodu.

– Wezmę prysznic – obiecał.

Kyle rzucił mu na łóżko garść twiksów.

– Wszystkiego najlepszego z okazji dwunastych urodzin – powiedział. – Powinienem był kupić dezodorant.

Jamesowi zrobiło się przyjemnie, że Kyle pamiętał. Prezent nie był wyszukany, ale pięć twiksów to kosztowna rzecz dla kogoś z trzema funtami kieszonkowego tygodniowo.

– Tak czy owak lepiej się dobrze wypucuj. Jedziesz dziś na policję.

James zlustrował kolegę wzrokiem. Kyle wyglądał nieskazitelnie z ulizanymi żelem włosami, w schludnym mundurku, z wpuszczoną w spodnie koszulą i krawatem zwisającym porządnie na przepisową długość, a nie na dziesięć centymetrów, tak jak wiązała go znakomita większość uczniów. James obejrzał żałobę za swoimi paznokciami, przeciągnął dłonią po tłustym kołtunie na głowie i zarechotał ponuro na myśl o bagnie, w jakie przemieniło się teraz jego życie.

*

Rachel była wściekła. Silnik się przegrzewał, wszędzie koszmarne korki, a teraz okazało się, że na parkingu przed posterunkiem nie ma ani jednego wolnego miejsca.

– Nie dam rady zaparkować. Musisz iść sam. Masz na bilet, żebyś mógł wrócić?

– Tak – odpowiedział James.

Wysiadł z samochodu i ruszył w stronę posterunku. Miał na sobie bawełniane spodnie i najlepszą bluzę. Przed wyjściem wziął prysznic i nawet rozczesał włosy. Wszyscy mówili, że policyjne ostrzeżenie to nic takiego, ale on myślał zupełnie coś innego, kiedy podchodził do biurka, by podać swoje nazwisko.

– Siadaj – powiedziała policjantka, wskazując rząd krzeseł.

James czekał godzinę. Ludzie wchodzili i wychodzili, niektórzy z nich wypełniali formularze, przeważnie zgłoszenia kradzieży samochodów i komórek.

– James Choke.

James wstał. Potężnie wyglądający glina wyciągnął rękę i prawie zmiażdżył mu dłoń w uścisku.

– Sierżant Peter Davies, policyjny kurator dla nieletnich.

Poszli na górę do pokoju przesłuchań. Sierżant wyjął z pudełka poduszkę do atramentu i kartki.

– Rozluźnij dłoń, James. Ja się wszystkim zajmę.

Policjant ujmował kolejne palce chłopca, by docisnąć je do poduszki z atramentem, a następnie do kartki. James pomyślał, że fajnie by było dostać kopię odcisków palców. Wyglądałaby super, przypięta do ściany nad łóżkiem.

– Dobrze, James, a teraz ostrzeżenie. Masz może jakieś pytania?

James wzruszył ramionami. Policjant wziął z biurka kartkę i zaczął czytać.

– Do policji stołecznej dotarła informacja, że dziewiątego października, podczas lekcji w Holloway Dale School dopuściłeś się napaści na koleżankę z klasy Samantę Jennings. W wyniku napaści panna Jennings doznała obrażeń w postaci głębokiego rozcięcia policzka, wymagającego interwencji lekarskiej i założenia ośmiu szwów. W czasie tego samego incydentu zaatakowałeś nauczycielkę, pannę Kasandrę Voolt, która doznała obrażeń kręgosłupa. – Sierżant przerwał na chwilę, żeby spojrzeć na Jamesa. – Ponieważ jest to twoje pierwsze wykroczenie – podjął – policja stołeczna postanowiła poprzestać na oficjalnym ostrzeżeniu pod warunkiem, że przyznasz się do stawianych zarzutów. Czy przyznajesz się do popełnienia wymienionych wyżej czynów?

– Tak – powiedział James.

– Jeżeli zostaniesz uznany za winnego jakiegokolwiek innego czynu o charakterze przestępczym przed ukończeniem osiemnastu lat, szczegóły opisanego powyżej incydentu zostaną przekazane sądowi, co prawdopodobnie spowoduje znaczne zaostrzenie wyroku.

Sierżant Davies odłożył kartkę i zamienił oficjalny ton na bardziej przyjazny.

– Wyglądasz na porządnego chłopaka, James.

– To było nieumyślnie. Chciałem tylko, żeby się wreszcie zamknęła.

– James, nie próbuj sobie wmawiać, że Samancie stała się krzywda bez twojej winy. Nie można przewidzieć, co się wydarzy podczas bójki. Jeżeli ktoś jest na tyle głupi, żeby ją wszcząć, to odpowiada za rezultat niezależnie od tego, czy był zamierzony, czy nie.

James skinął głową.

– Chyba ma pan rację.

– Nie chcę cię tu więcej oglądać, James. Dopilnujesz tego, dobrze?

– Postaram się – mruknął James.

– Nie wyglądasz na przekonanego. Wiesz, ile byś dostał za to, co zrobiłeś, gdybyś był dorosły?

James zaprzeczył.

– Za osiem szwów na twarzy dziewczyny? Poszedłbyś za kratki na dwa lata. Nic śmiesznego, co?

– Nic śmiesznego – zgodził się James.

*

James cieszył się, że ma już policję z głowy. Wszyscy mieli rację; to nie było gorsze od wezwania na dywanik do dyrektora szkoły. Wyciągnął ze schowka trochę pieniędzy i poszedł sprawić sobie prezent urodzinowy. Kupił nową grę na Playstation i dres Nike'a, a potem obżarł się jak prosię w Pizza Hut. Zadbał o to, by znaleźć się w Nebraska House dopiero wtedy, gdy było już za późno, by zdążyć na popołudniowe lekcje. Wróciwszy do swego pokoju, włączył nową grę i stracił poczucie czasu. Wreszcie wrócił Kyle. Wszedł do pokoju i jak zwykle usiadł na swoim łóżku. Nagle jakby coś wyczuł. Sięgnął ręką pod siebie i wydobył koszulkę Jamesa z godłem Arsenalu.

59

– Można wiedzieć, co twoja śmierdząca koszulka robi w moim łóżku?

James wiedział, że Kyle się wścieknie. Miał kompletnego świra na punkcie czystości. Kiedy Kyle wyszarpnął koszulkę spod narzuty, tuż za nią wysunął się nowiutki CD Walkman.

– James, człowieku, ukradłeś to?

– Wiedziałem, że to powiesz – westchnął James. – Paragon jest w pudełku.

– To dla mnie? – spytał niepewnie Kyle.

– Narzekasz na stary, odkąd tu jestem.

– Skąd wziąłeś kasę, James?

James lubił Kyle'a, ale nie ufał mu na tyle, by opowiedzieć o pieniądzach w schowku.

– Przywiązałem staruszkę do drzewa, bezlitośnie stłukłem i ukradłem jej emeryturę.

– Dobra, dobra. Poważnie, James, skąd wziąłeś sześć dych?

– Bierzesz go czy będziesz zanudzał mnie głupimi pytaniami? – zirytował się James.

– Jesteś wielki. Mam tylko nadzieję, że nie wpakowałeś się w jakieś kłopoty. Jak w piątek dostanę kieszonkowe, to kupię ci ten dezodorant.

– Taa, dzięki.

– Robimy coś z okazji twoich urodzin? Możemy pójść do kina czy coś.

– Nie. – James potrząsnął głową. – Umówiłem się z Robem i chłopakami.

– Dobrze by było, gdybyś dał sobie z nimi spokój.

James nie zamierzał tego słuchać.

– Odpuść sobie kazanie. Znam je na pamięć.

*

Siedzieli na murku za fabryką. Było przeraźliwie zimno. Od czasu zdemolowania mercedesa zajmowali się wyłącznie snuciem po okolicy i paleniem. Wprawdzie Duży Paul wybił ząb dzieciakowi z prywatnej szkoły oraz zabrał mu komórkę i portfel, ale Jamesa przy tym nie było. Gang pogratulował Jamesowi jego pierwszego zatargu z prawem. Vince powiedział, że był aresztowany już piętnaście razy. Miał pół tuzina spraw sądowych na karku i groził mu rok w więzieniu dla nieletnich.

– Mam to gdzieś. – Vince machnął ręką. – Brat w poprawczaku, ojciec w więzieniu, dziadek w więzieniu...

– Fajna rodzinka – rzucił James.

Rob i Duży Paul roześmiali się. Vince rzucił Jamesowi mordercze spojrzenie.

– Jeszcze słowo o mojej rodzinie, James, i jesteś trupem.

– Przepraszam – powiedział James. – Nie pomyślałem.

– Całuj piach! – krzyknął Vince.

– Co? – James był kompletnie zaskoczony. – Daj spokój, przecież powiedziałem przepraszam.

– Przeprosił cię – przyznał Rob. – To był żart.

– Całuj piach, James! – upierał się Vince. – Trzeci raz nie będę powtarzał.

Walka z Vince'em byłaby samobójstwem. James ześliznął się z murku. Bał się, że Vince skoczy na niego albo kopnie go w głowę, kiedy się pochyli, ale jaki miał wybór? Ukląkł, oparł dłonie na chodniku i pocałował zimny beton. Wstał, wycierając usta rękawem. Miał nadzieję, że Vince'owi to wystarczy.

– Wiecie, co nas rozgrzeje? – powiedział wesoło Rob. – Piwo!

– Tutaj nikt nam nie sprzeda – zauważył Mały Paul. – Zresztą nie mamy szmalu.

– W tym monopolu kawałek dalej trzymają zgrzewki po dwadzieścia cztery puszki na środku sklepu – wyjaśnił Rob.

– Można wbiec, złapać jedną i przebiec pięć przecznic, zanim właściciel, kupa sadła, wydostanie się zza lady.

– Kto to zrobi? – zapytał Mały Paul.

– Nasz jubilat – powiedział Vince, szczerząc zęby we wrednym uśmiechu.

James uświadomił sobie, że postąpiłby lepiej, gdyby postawił się Vince'owi. Pewnie nie wyszedłby z tego cało, ale przynajmniej nie straciłby jego szacunku. Okazywanie słabości komuś takiemu jak Vince było zapraszaniem go do dalszych prześladowań.

– Daj spokój, dopiero co dostałem ostrzeżenie – przypomniał James.

– Nigdy nie widziałem, żebyś cokolwiek robił – naciskał Vince. – Jeśli chcesz trzymać z nami, musisz być gotów do każdej akcji.

– Mnie tam ryba, idę do domu. I tak zrobiło się nudno – zdenerwował się James.

Vince złapał go i przycisnął do muru.

– Zrobisz to – warknął.

– Zostaw go, Vince – rozkazał Rob.

Vince puścił. James podziękował Robowi ruchem głowy.

– A ty lepiej rób, co ci każą – ciągnął Rob, zwracając się do Jamesa. – Nie lubię, jak nazywają mnie nudziarzem.

James po raz pierwszy pożałował, że nie posłuchał Kyle'a. Teraz nie miał wyboru.

– Jak chcecie – rzucił najbardziej nonszalanckim tonem, na jaki było go stać. – Mogę to zrobić.

Gang pomaszerował w stronę monopolowego. Duży Paul trzymał Jamesa za ramię, pilnując, żeby nie uciekł.

– Musisz to zrobić szybko – radził Rob. – Wpadasz i wypadasz. Wtedy w życiu cię nie złapią.

James wszedł do sklepu zdenerwowany jak diabli. W środku było rozkosznie ciepło. Zatarł przemarznięte dłonie i rozejrzał się wokoło.

– W czym mogę pomóc, synu? – spytał facet za ladą.

James nie miał powodu, by zaglądać do monopolowego. Sprzedawca wiedział, że coś się święci. James szybko sięgnął po zgrzewkę piwa. Była ciężka i wyślizgiwała mu się z zesztywniałych palców.

– Odłóż to, mały...!

James odwrócił się na pięcie i pobiegł w stronę wyjścia. Ale odbił się od szyby. Vince i Duży Paul przytrzymywali drzwi od zewnątrz.

– Puszczajcie! – wrzasnął w panice, szarpiąc za klamkę.

Sprzedawca wytoczył się zza lady.

– Proszę, Vince – błagał James.

Vince uśmiechnął się złośliwie i przystawił do szyby środkowy palec. James wiedział, że jest skończony. Na zewnątrz Mały Paul podskakiwał z radości.

– Masz przerąbane! Masz przerąbane!

Sprzedawca złapał Jamesa za ręce i pociągnął za sobą. Vince i Duży Paul puścili drzwi i spokojnie odeszli.

– Miłych snów w celi, sandale! – krzyknął Vince na odchodnym.

James przestał się wyrywać – nie było sensu, sprzedawca był pięć razy większy. Zaciągnął chłopca za ladę i rzucił na krzesło. Następnie zadzwonił na policję.

*

Jamesowi odebrano buty i wszystko, co miał w kieszeniach. Tkwił w celi już od trzech godzin. Siedział na podłodze oparty o ścianę, rękami obejmując kolana. Spodziewał się twardego materaca i graffiti, ale zapach aresztu zaskoczył go całkowicie. Śmierdziało mieszanką środka dezynfekującego i wszelkiego paskudztwa.

Drzwi otworzyły się i do celi wkroczył sierżant Davies. James miał nadzieję, że to nie będzie on. Spojrzał bojaźliwie w górę, spodziewając się wybuchu wściekłości, ale policjant wyglądał raczej na rozbawionego.

– Cześć, James – powiedział. – Czyżby nasza poranna pogawędka nie trafiła ci do przekonania? Upiekło ci się, więc postanowiłeś uczcić to paroma piwkami?

Sierżant zaprowadził Jamesa do pokoju przesłuchań. Rachel już tam czekała. Była wściekła. Nie przestając się uśmiechać, sierżant włożył kasetę do magnetofonu, wcisnął przycisk nagrywania, po czym wyrecytował do mikrofonu nazwisko swoje i Jamesa.

– James – zwrócił się do chłopca – biorąc pod uwagę, że w sklepie, w którym cię zatrzymano, są trzy kamery nadzoru, czy przyznajesz się do próby kradzieży dwudziestu czterech puszek piwa?

– Tak – potwierdził James.

– Na nagraniu wideo widać dwóch troglodytów, którzy trzymają drzwi i nie chcą wypuścić cię ze sklepu. Czy byłbyś łaskaw powiedzieć mi, kim oni są?

– Nie mam pojęcia. – James pokręcił głową. Wiedział, że wsypując elitę oprychów Nebraska House, podpisałby na siebie wyrok śmierci.

– Czemu nie chcesz powiedzieć, James? Gdyby nie oni, nie byłoby cię tutaj.

– Nigdy przedtem ich nie widziałem – upierał się James.

– Dla mnie wyglądają jak Vincent St John i Paul Puffin. Czy te nazwiska obiły ci się o uszy?

– Nigdy – powiedział James z przekonaniem.

– No dobrze, kończymy to przesłuchanie. – Sierżant Davies wyłączył magnetofon. – Kto igra z ogniem, ten może się poparzyć, James. Trzymanie z tą parą jest jak zabawa dynamitem.

– Zawaliłem sprawę – przyznał James. – Jakąkolwiek karę dostanę, zasłużyłem na nią.

– Nie tym powinieneś się martwić, chłopcze. Staniesz przed sądem dla nieletnich i skończy się pewnie na dwudziestu funtach grzywny. Gorsza jest dalsza perspektywa.

– Jak to? – James nie zrozumiał.

– Widziałem setki takich dzieciaków jak ty, James. Wszystkie zaczynają tak samo. Małe, aroganckie gnojki.

Potem mężnieją, rosną im włosy, pryszcze i pewność siebie. Stale mają coś na sumieniu, ale nadal nic poważnego. A potem robią coś naprawdę głupiego: pchnięcie nożem, handel dragami, rozbój z bronią w ręku, coś w tym guście. Prawie wszyscy płaczą albo są w takim szoku, że nie mogą mówić. Mają po szesnaście, siedemnaście lat i lądują w kiciu na następnych siedem. W twoim wieku wszystko uchodzi jeszcze na sucho, James, ale jeśli nie zaczniesz dokonywać właściwych wyborów, spędzisz w celi większość życia.

9. ZMIANA

Pokój wydawał się luksusowy w porównaniu z lokalem w Nebraska House. Przede wszystkim był jednoosobowy. W skład jego wyposażenia wchodziły: telewizor, elektryczny czajnik, telefon i miniaturowa lodówka. Przypominał hotel, w którym mieszkali, kiedy mama zabrała jego i Laurę do Disney Worldu. James nie miał pojęcia, gdzie jest i jak się tu dostał. Ostatnia rzecz, jaką pamiętał, to powrót z posterunku i prośba Jennifer Mitchum, by wstąpił do jej gabinetu.

James przekręcił się pod kołdrą i uświadomił sobie, że jest nagi. Poczuł się dziwnie. Usiadł i wyjrzał przez okno. Pokój znajdował się wysoko i wychodził na boisko z bieżnią. Były tam dzieci w kolcach do biegania zajęte ćwiczeniami rozciągającymi. Na ceglanych kortach nieopodal inna grupa grała w tenisa pod okiem trenerów. To musiał być dom dziecka, i to o wiele fajniejszy od Nebraski.

Na podłodze leżało czyste ubranie: białe skarpetki i bokserki, wyprasowana pomarańczowa koszulka z krótkimi rękawami, zielone wojskowe spodnie z kieszeniami zapinanymi na suwaki i para wysokich butów. James podniósł je i dokładnie obejrzał: były lśniące, miały czarne podeszwy. Poczuł zapach gumy. Były nowe.

Paramilitarny strój wywołał w Jamesie obawę, że znalazł się w miejscu, do którego trafiają trudne dzieci. Włożył bieliznę i przyjrzał się znaczkowi, który był wyhaftowany na koszulce. Przedstawiał uskrzydlone dziecko siedzące na kuli. Przy dokładniejszych oględzinach kula okazała się Ziemią, o czym świadczyły kontury Europy i obu Ameryk. Pod spodem widniały litery układające się w dziwne słowo CHERUB. To musiał być skrót jakiejś nazwy. James przerzucił w myśli kilka kombinacji, ale żadna nie miała sensu.

Po korytarzu chodziły dzieci w takich samych wojskowych spodniach i butach, jakie dostał James, ale ich koszulki były czarne lub szare. Na każdej bez wyjątku widniało logo CHERUB. James zaczepił zbliżającego się chłopca.

– Słuchaj, nie wiem, co robić...

– Zakaz rozmów z pomarańczowymi – powiedział chłopiec, nie zatrzymując się.

James spojrzał w jedną, a potem w drugą stronę. I tu, i tam ciągnęły się rzędy drzwi. Przy końcu korytarza stała grupka dziewcząt w zielonych spodniach i wojskowych butach.

– Hej! – zawołał James, podchodząc do nich bliżej. – Powiecie mi, co mam robić?

– Zakaz rozmów z pomarańczowymi – odparła jedna z dziewcząt, a druga tylko się uśmiechnęła.

– Nie możemy rozmawiać – potwierdziła, ale palcem wskazała drzwi windy, a potem kierunek: w dół.

– Dzięki – westchnął James.

W windzie było już kilkoro dzieci oraz dorosły mężczyzna, również w regulaminowych spodniach i butach, ale w białej koszulce. James spytał go o drogę.

– Zakaz rozmów z pomarańczowymi – rzucił mężczyzna, unosząc jeden palec.

Do tej pory James zakładał, że jako nowy pada ofiarą dowcipu, ale to, że do zabawy włączył się dorosły, trochę zbiło go z tropu. Po chwili dotarło do niego, że palec oznacza piętro, na którym powinien wysiąść.

Na pierwszym piętrze znalazł recepcję. Przez główne wejście do budynku widać było wspaniałe ogrody i fontannę plującą wodą na wysokość pięciu metrów. Wieńcząca ją rzeźba przedstawiała skrzydlate dziecko na globie, takie samo, jakie widniało na koszulkach. James podszedł do starszej kobiety siedzącej za kontuarem.

– Proszę nie mówić zakaz rozmów, ja tylko...

– Witaj, James – przerwała mu kobieta. – Doktor McAfferty przyjmie cię w swoim gabinecie.

Przeprowadziła Jamesa przez krótki korytarz i zapukała do drzwi.

– Proszę wejść – odpowiedział miękki głos z wyraźnym szkockim akcentem.

James wszedł do pokoju z wielkimi, tarasowymi oknami i kominkiem. Trzaskający ogień rzucał ciepły blask na rzędy oprawionych w skórę książek. Doktor McAfferty wyszedł zza biurka i zmiażdżył Jamesowi dłoń w potężnym uścisku.

– Witam w kampusie CHERUBA, James – zagrzmiał. – Jestem doktor Terrence McAfferty, tak zwany Prezes. Wszyscy mówią mi Mac. Siadaj, proszę.

James wyciągnął krzesło spod biurka Maca.

– Nie tu, przy ogniu – powiedział Mac. – Musimy pogadać.

Rozsiedli się w fotelach przed kominkiem. James nie zdziwiłby się, gdyby Mac okrył sobie kolana pledem i zaczął coś opiekać na długim widelcu.

– Wiem, że to głupio brzmi... – zaczął. – Jakoś nie pamiętam, jak się tu znalazłem.

Mac uśmiechnął się.

– Osoba, która cię tu przywiozła, zrobiła ci zastrzyk. Łagodny środek nasenny. Nie było skutków ubocznych, mam nadzieję. – Spojrzał pytająco.

James wzruszył ramionami.

– Czuję się dobrze. Ale po co mnie uśpiliście?

– Najpierw opowiem ci o organizacji CHERUB, a potem będziesz zadawał pytania, dobrze?

– Jak pan chce.

– Na początek powiedz mi, jakie są twoje pierwsze wrażenia?

– Myślę, że niektóre domy dziecka są dotowane hojniej niż inne – powiedział James. – To miejsce jest obłędne.

Doktor McAfferty ryknął śmiechem.

– Cieszę się, że ci się spodobało. Mamy dwustu osiemdziesięciu podopiecznych oraz cztery baseny, sześć krytych kortów, halę piłkarską, salę gimnastyczną i strzelnicę. Mamy też własną szkołę. Klasy liczą najwyżej po dziesięciu uczniów. Każdy uczy się co najmniej dwóch języków obcych. Mamy wyższy odsetek absolwentów dostających się na czołowe uniwersytety niż najlepsze prywatne szkoły w kraju. Nie chciałbyś u nas zostać?

James wzruszył ramionami.

– Pięknie tu. Ogrody i w ogóle... Ale specjalnie zdolny to ja nie jestem.

– Ile wynosi pierwiastek kwadratowy z czterystu czterdziestu jeden?

James myślał przez chwilę.

– Dwadzieścia jeden.

Mac uśmiechnął się.

– Znam kilku bardzo zdolnych ludzi, którzy nie poradziliby sobie z tą sztuczką. W tym ja.

– No tak, z matmy jestem niezły – przyznał James nieco zakłopotany. – Ale z innych przedmiotów idzie mi, niestety, fatalnie.

– Dlatego, że nie jesteś zdolny, czy dlatego, że nie przykładasz się do pracy?

– Zawsze się nudzę i trudno mi się skupić.

– James, przyjmujemy nowych wychowanków pod pewnymi warunkami. Pierwszym jest zdanie egzaminu wstępnego. Drugim, dość niecodziennym warunkiem, jest twoja zgoda na zostanie agentem brytyjskiego wywiadu.

– Że niby kim? – spytał James, sądząc, że się przesłyszał.

– Szpiegiem, James. CHERUB jest częścią brytyjskich służb wywiadowczych.

– Ale po co robić z dzieci szpiegów?

– Bo potrafią dokonać rzeczy, jakim nie mogą podołać dorośli. Przestępcy chętnie wykorzystują dzieci. Dam ci przykład. Wyobraź sobie, że dorosły mężczyzna w środku nocy puka do drzwi staruszki. Podejrzane, prawda? Gdyby poprosił o otworzenie drzwi, staruszka odmówiłaby. Gdyby powiedział, że miał wypadek, zapewne wezwałaby pogotowie, ale wątpię, by wpuściła go do domu. A teraz wyobraź sobie, że ta sama kobieta podchodzi do drzwi i widzi zapłakanego chłopca, a ty mówisz: „Proszę pani, wpadliśmy w poślizg. Mój tata się nie rusza. Niech nam pani pomoże!". Staruszka natychmiast otwiera drzwi, z krzaków wyskakuje tatuś, wali ją po głowie i daje nogę z całą gotówką wyciągniętą spod materaca. Ludzie zawsze są mniej podejrzliwi wobec dzieci, a przestępcy to wykorzystują. W naszej organizacji CHERUB odwracamy role i używamy dzieci do łapania przestępców.

– Dlaczego ja?

– Bo jesteś inteligentny, sprawny fizycznie i masz apetyt na kłopoty.

– To zaleta? – zdziwił się James.

– Potrzebujemy dzieci, które lubią dreszczyk emocji. Cechy, jakie zwykle przysparzają problemów, u nas są mile widziane.

– Brzmi fajnie – przyznał James. – Czy to niebezpieczne?

– Większość zadań nie. CHERUB działa od ponad pięćdziesięciu lat. W tym czasie straciliśmy w akcjach czworo agentów. To mniej więcej tyle ofiar, ilu uczniów przeciętnej szkoły w dużym mieście ginie w tym czasie pod kołami samochodów, ale wciąż o cztery za dużo. Za moich rządów, a dowodzę tu od dziesięciu lat, najgorsze, co się nam przytrafiło, to jedno paskudne zachorowanie na malarię i jeden przypadkowy postrzał w nogę. Nigdy nie przydzielamy dziecku zadania, które może wykonać dorosły, a każdy plan misji musi zostać zatwierdzony przez komisję do spraw etyki. Każdy agent zostaje dokładnie poinformowany o tym, czego się od niego wymaga, i ma święte prawo odmówić udziału w misji, jak również zrezygnować z wykonania zadania w dowolnym momencie.

– A jak powstrzymacie mnie przed wyjawieniem waszej tajemnicy, jeżeli tu nie zostanę? – spytał nagle James.

Mac poruszył się w fotelu. Wyglądał na lekko zafrasowanego.

– Żadna tajemnica nie jest wieczna, James – powiedział po chwili. – Ale co właściwie byś powiedział?

– Jak to?

– Wyobraź sobie, że dzwonisz do dużej, ogólnokrajowej gazety. Rozmawiasz z reporterem dyżurnym. Co powiesz?

– No... Jest takie miejsce, gdzie z dzieci robi się szpiegów. Byłem tam.

– Gdzie to jest?

– Nie mam poję... To dlatego mnie uśpiliście, tak?

Mac skinął głową.

– Dokładnie, James. Następne pytanie od reportera: czy przywiozłeś stamtąd coś, co mogłoby posłużyć jako dowód?

– No gdyby...

– Przeszukamy cię, zanim odejdziesz, James.

– W takim razie raczej nie.

– Czy znasz kogoś powiązanego z tą organizacją?

– Nie.

– Czy masz w ogóle jakiekolwiek dowody?

– Nie.

– Czy sądzisz, że gazeta wydrukuje twoją historię?

– Nie.

– A gdybyś opowiedział swojemu najlepszemu kumplowi, co ci się dziś przytrafiło, uwierzyłby?

– W porządku, wszystko jasne. Nikt nie uwierzy w ani jedno moje słowo, więc równie dobrze mogę trzymać gębę na kłódkę.

Mac uśmiechnął się.

– Sam nie ująłbym tego lepiej. Masz może jeszcze jakieś pytania?

– Tak sobie myślałem... Ciekawe, co naprawdę znaczy CHERUB.

– To rzeczywiście ciekawe. Nasz pierwszy prezes wymyślił tę nazwę i zamówił sporo papieru firmowego. Niestety, stosunki z żoną nie układały mu się najlepiej. Zastrzeliła go, zanim zdążył komukolwiek wyjawić znaczenie akronimu. Była wojna i organizacji nie było stać na zmarnowanie sześciu tysięcy kartek z nagłówkami. Dlatego nazwa CHERUB została. Jeżeli kiedykolwiek wymyślisz, co mogą znaczyć te litery, daj mi znać. Czasem mam dość tych krępujących pytań.

– Nie jestem pewien, czy panu wierzę – oznajmił James.

– Być może nie powinieneś – powiedział Mac. – Ale czemu miałbym kłamać?

– Może nazwa podpowiedziałaby mi, gdzie jestem? Może jest w niej czyjeś nazwisko czy coś?

– I ty chcesz mi wmówić, że nie byłbyś dobrym szpiegiem.

James nie zdołał powstrzymać uśmiechu wypływającego mu na usta.

– Tak czy owak, James, jeżeli chcesz, możesz przystąpić do egzaminu wstępnego. Jeśli zdasz, zaoferuję ci miejsce, a ty będziesz mógł wrócić na kilka dni do Nebraski, żeby przemyśleć sprawę. Egzamin składa się z kilku części i zajmie ci resztę dnia. Jesteś gotów spróbować?

– Chyba tak – powiedział James.

10. PRÓBY

Mac przewiózł Jamesa przez teren kampusu wózkiem golfowym. Zatrzymali się przed budynkiem w tradycyjnym japońskim stylu, z jednospadowym dachem, zbudowanym z wielkich sekwojowych bali. Otoczenie domu stanowił starannie zagrabiony ogród żwirowy z oczkiem wodnym, pełnym pomarańczowych ryb.

– To nowy budynek – powiedział Mac. – Jedna z naszych uczennic wpadła na trop medycznego fałszerstwa. Ocaliła setki istnień i miliardy jenów japońskiej firmy farmaceutycznej. Japończycy podziękowali nam, fundując nowe *dojo*.

– Co to jest *dojo*? – spytał James.

– Dom, w którym trenuje się sztuki walki. To japońskie słowo.

James i Mac weszli do środka. Trzydzieścioro dzieciaków w białych piżamach, przewiązanych brązowymi lub czarnymi pasami, wykręcało się nawzajem w nienaturalnych pozycjach. Niektórzy padali na maty, by natychmiast podnieść się znowu bez widocznego wysiłku. Między walczącymi parami spacerowała groźnie zmarszczona Japonka, która zatrzymywała się od czasu do czasu, by wykrzyczeć słowa krytyki w łamanym języku angielsko-japońskim. James nie rozumiał z tego prawie słowa.

Mac zaprowadził Jamesa do mniejszego pomieszczenia, którego podłogę pokrywała niebieska sprężysta mata. Pod ścianą stał żylasty chłopak ćwiczący skłony. Był o jakieś dziesięć centymetrów niższy od Jamesa, ubrany w kimono do karate z czarnym pasem.

– Zdejmij buty i skarpetki, James – polecił Mac. – Czy kiedykolwiek ćwiczyłeś sztuki walki?

– Gdy miałem osiem lat, zapisałem się na karate, ale szybko mi się znudziło. Nie tak to sobie wyobrażałem. Wszyscy byli do bani.

– To jest Bruce – powiedział Mac. – Będziesz z nim walczył.

Chłopiec zbliżył się, skłonił i wyciągnął dłoń. Ściskając jego chude, kościste palce, James był pewny zwycięstwa. Miał przewagę wielkości i masy, wobec której Bruce musiał być bezradny, nawet jeżeli znał kilka fajnych chwytów.

– Zasady – zagrzmiał Mac. – Zwycięży ten, kto pierwszy wygra pięć starć, zmuszając przeciwnika do poddania się. Chęć poddania się sygnalizujecie głosem lub uderzając dłonią w matę. Możecie wycofać się z walki w dowolnym momencie. Wszystkie chwyty są dozwolone, z wyjątkiem wydłubywania oczu i ciosów w jądra. Czy obaj zrozumieliście? – Chłopcy skinęli głowami. Mac wręczył Jamesowi ochraniacz na zęby. – Stańcie dwa metry od siebie i przygotujcie się do pierwszego starcia.

– Rozwalę ci nos – powiedział Bruce.

James uśmiechnął się.

– Próbuj, konusie.

– Walka! – zawołał Mac.

Bruce poruszał się tak szybko, że James nie widział jego dłoni, dopóki nie zmiażdżyła mu nosa. Trysnęła krwawa mgiełka. James zatoczył się do tyłu. Bruce kopnięciem w łydki posłał go na matę, po czym szybko złapał za nadgarstek i boleśnie wykręcił rękę za plecami. Drugą ręką wcisnął twarz przeciwnika w rosnącą na podłodze kałużę krwi.

– Dość – wykrztusił James przez ochraniacz.

Bruce wstał. James nie mógł uwierzyć, że dał się powalić w niecałe pięć sekund. Wytarł zakrwawioną twarz w rękaw koszulki.

– Gotowi? – spytał Mac.

James miał nos zatkany krwią. Łapał powietrze jak ryba.

– Poczekaj, Mac – powiedział Bruce. – Którą ręką on pisze?

James był wdzięczny za kilka chwil odpoczynku, ale to dziwne pytanie nieco go zaniepokoiło.

– Którą ręką piszesz, James? – spytał Mac.

– Lewą.

– W porządku. Walka!

Tym razem James nie zamierzał dać się zaskoczyć. Skoczył do przodu. Kłopot w tym, że Bruce'a już tam nie było. James poczuł, że jest ciągnięty do tyłu. Przeciwnik powalił go na plecy i usiadł okrakiem na piersiach, udami wyciskając z jego płuc resztkę tchu. James szarpnął się, ale nie mógł nawet odetchnąć. Bruce złapał go za prawą dłoń i wykręcił kciuk. Rozległ się głośny trzask. James wrzasnął. Bruce uniósł pięść i wyplul ochraniacz.

– Jeśli się nie poddasz, dostaniesz w nos jeszcze raz.

Dłoń wyglądała o wiele groźniej, niż kiedy James ściskał ją kilka minut wcześniej.

– Poddaję się.

James wstał, z trudem łapiąc równowagę. Lewą dłonią trzymał się za kciuk. W ustach czuł słony smak krwi cieknącej mu po górnej wardze. Matę pokrywały czerwone smugi.

– Chcesz kontynuować? – spytał Mac.

James skinął głową. Wiedział, że nie ma szans z prawą ręką tak obolałą, że nie mógł nią nawet ruszyć, ale był wściekły jak nigdy i zdecydowany dosięgnąć przeciwnika przynajmniej raz, choćby miało go to zabić.

– Proszę, poddaj się – rzekł Bruce. – Nie chcę zrobić ci krzywdy.

James zaatakował, nie czekając na sygnał do rozpoczęcia walki. Znów chybił. Pięta Bruce'a trafiła go w żołądek. James złożył się wpół. Przed oczami zatańczyły mu żółte i zielone plamy. Wciąż stojąc, poczuł, że jego ręka jest wykręcana.

– Tym razem złamię ci rękę – oświadczył Bruce. – Wolałbym tego nie robić.

James wiedział, że złamania nie zniesie.

– Dość! – zawołał. – Wycofuję się z próby.

Bruce cofnął się o krok i wyciągnął rękę do Jamesa.

– Dobra walka – pochwalił z uśmiechem.

James ostrożnie uścisnął mu dłoń.

– Chyba złamałeś mi kciuk.

– Jest tylko zwichnięty. Pokaż.

James wyciągnął rękę przed siebie.

– Będzie bolało – ostrzegł Bruce i zdecydowanym ruchem wcisnął mu kciuk w staw. Przeszywający ból posłał Jamesa na kolana, ale kość wskoczyła na swoje miejsce. Bruce roześmiał się.

– Myślisz, że to ból? Kiedyś ktoś złamał mi nogę w dziewięciu miejscach.

James osunął się na podłogę. Nos bolał go tak, jakby głowa miała mu pęknąć na pół dokładnie między oczami. Tylko duma powstrzymywała go od płaczu.

– To jak? – odezwał się Mac. – Gotów do następnej próby?

*

James już wiedział, dlaczego Bruce pytał, którą ręką pisze. Prawa była teraz do niczego. Siedział w obszernej sali zastawionej drewnianymi ławkami. Oprócz niego i Maca nie było w niej nikogo. Nozdrza wciąż miał zatkane porozrywaną krwawą tkanką. Jego ubranie było w strzępach.

– Prosty test na inteligencję, James – wyjaśnił Mac. – Mieszanka zadań matematycznych i logicznych. Masz czterdzieści pięć minut, licząc od... teraz.

Z każdym kolejnym zadaniem szło mu coraz gorzej. W normalnych okolicznościach nie byłoby tak źle, ale teraz ciało bolało go co najmniej w pięciu różnych miejscach, z nosa ciekła krew, a za każdym razem, gdy przymykał oczy, miał wrażenie, że leci do tyłu. Kiedy skończył się czas, pozostały mu trzy strony do końca.

*

Nos nareszcie przestał krwawić i James odzyskał częściowo władzę w ręku, ale to nie poprawiało mu humoru. W dwóch pierwszych próbach nie sprawił się dobrze. W zatłoczonej stołówce czuł się cokolwiek dziwnie. Ludzie przestawali rozmawiać, kiedy się do nich zbliżał. Usłyszał zakaz rozmów z pomarańczowymi aż trzy razy, nim ktoś łaskawie wskazał mu sztućce. James wziął sobie porcję lasagne, trochę pieczywa czosnkowego i smakowicie wyglądający pomarańczowy mus, posypany czekoladowymi wiórkami. Kiedy zasiadł przy stole, uświadomił sobie, że nie jadł od poprzedniego wieczoru i głód dosłownie wykręca mu kiszki. Jedzenie było o niebo lepsze niż mrożonki w Nebraska House.

*

– Lubisz kurczaki? – spytał Mac.

– Jasne.

Siedzieli w małym gabinecie po obu stronach prostego biurka. Na blacie stała metalowa klatka z żywym kurczakiem w środku.

– Zjadłbyś tego?

– Jest żywy.

– Widzę, James. Zabiłbyś go?

– W życiu!

– Dlaczego nie?

– To okrutne.

– Chcesz przez to powiedzieć, że przechodzisz na wegetarianizm?

– Nie.

– Skoro uważasz, że zabijanie kurczaków jest okrutne, czemu bez oporów je zjadasz?

– Nie wiem. – James był kompletnie skołowany. – Mam dwanaście lat. Jem to, co dostanę na talerzu.

– James, chcę, żebyś uśmiercił tego kurczaka.

– Co za kretyńska próba! – zdenerwował się James. – Niby czego to ma dowieść?

– Nie będę dyskutował o próbach, póki ich nie skończymy. Zabij kurczaka. Jeżeli odmówisz, kucharz i tak w końcu to zrobi. Dlaczego miałby cię wyręczać?

– Bo jemu za to płacą – burknął James.

Mac wyciągnął z portfela pięciofuntowy banknot, położył na klatce i przyklepał dłonią.

– Oto twoja zapłata, James. Zabij kurczaka.

– Ja...

Jamesowi zabrakło argumentów. Zrezygnowany pomyślał, że mordując ptaka, zda przynajmniej ten jeden test.

– No dobra. Jak mam to zrobić?

Mac wręczył mu długopis.

– Przebij mu tym szyję, tuż poniżej głowy. Porządny sztych uszkodzi tętnicę szyjną i tchawicę, uniemożliwiając ptakowi oddychanie. Wyzionie ducha w jakieś pół minuty.

– To jest chore – skrzywił się James.

– Trzymaj go zadkiem od siebie – dodał Mac. – W szoku może dość gwałtownie opróżnić jelita.

James ujął długopis i sięgnął w głąb klatki.

*

James przestał martwić się ptasią krwią i odchodami na swoim ubraniu, kiedy tylko zobaczył napowietrzny tor przeszkód. Zaczynał się od wysokiej siatki do wspinania.

Na górze czekał poziomy drążek prowadzący do kolejnej sznurowej drabinki i kilku pomostów z desek rozstawionych w pewnych odstępach. Dalej tor znikał między drzewami. James zauważył tylko tyle, że deski są coraz wyżej, a pod spodem nie ma siatek zabezpieczających.

Mac przedstawił Jamesowi jego przewodników: Paula i Arifa, dwóch muskularnych szesnastolatków w granatowych koszulkach CHERUBA. Chłopcy wspięli się na siatkę razem z Jamesem, biorąc go między siebie.

– Nigdy nie patrz w dół – doradził Arif.

James pokonał drążek, przesuwając dłoń za dłonią i walcząc z bólem kciuka. Pierwsza luka między pomostami mierzyła około metra. James skoczył po krótkiej chwili wahania. Chłopcy wspięli się po drabince na kolejny zestaw pomostów. Wisiały co najmniej dwadzieścia metrów nad ziemią. James stawiał stopy ostrożnie, patrząc prosto przed siebie. Drzewa skrzypiały w podmuchach wiatru.

Następny pomost był odsunięty o półtora metra. James wiedział, że na ziemi nie byłby to trudny skok, ale wysokość dwudziestu metrów skutecznie zniechęcała do podejmowania takich wyzwań. Arif wziął krótki rozbieg i lekko przeskoczył na drugą stronę.

– To proste, James – zachęcał. – Śmiało, to już końcówka.

Z gałęzi sfrunął spłoszony ptak. James odprowadził go wzrokiem w dół i dopiero teraz uświadomił sobie w pełni, jak wysoko się znalazł. Zalała go fala paniki. Szybko podniósł głowę, ale na widok przepływających nad nim chmur poczuł, że się przewraca.

– Nie wytrzymam – wybełkotał, chwiejąc się na ugiętych nogach. – Zaraz się wyrzygam.

Paul złapał go za rękę.

– Nie dam rady – powiedział James.

– Jasne, że dasz. – Paul uśmiechnął się. – Na ziemi nawet nie zwolniłbyś kroku.

– Ale to nie jest cholerna ziemia! – krzyknął James. Miał tego dość. Nie mógł pojąć, jakim cudem znalazł się na drzewie, dwadzieścia metrów nad ziemią, z rozbitym nosem, obolałym kciukiem, a do tego cały w kurzej krwi i odchodach. Potem pomyślał o tym, jak paskudnym miejscem jest Nebraska House, i o tym, co sierżant Davies powiedział o chłopcach z talentem do pakowania się w kłopoty. A może warto zaryzykować? Ten skok może odmienić jego życie.

Wziął rozbieg. Deski załomotały, kiedy wylądował po drugiej stronie przepaści. Arif podtrzymał go, ratując przed upadkiem. Podeszli do krótkiej rampy z barierkami po obu stronach, ale otwartej z przodu.

– Świetnie – powiedział Arif. – Została nam ostatnia rzecz.

– Co? – zdumiał się James. – Przecież powiedziałeś, że to końcówka. Teraz po prostu zejdziemy sobie po drabince...

James spojrzał na koniec rampy. Tkwiły tam dwa haki do zawieszania sznurowej drabinki, ale drabinki nie było.

– O nie! – jęknął. – Musimy wrócić na start.

– Nie. Trzeba skoczyć.

James nie wierzył własnym uszom.

– To łatwe – ciągnął Arif. – Odpychasz się mocno i spadasz na materac.

James spojrzał na brudnoniebieski kwadrat na dole.

– A gałęzie po drodze? – spytał.

– Są cienkie – uspokoił go Arif. – Ale piecze jak diabli, jeśli któraś cię smagnie.

Arif skoczył pierwszy.

– Droga wolna! – zawołała miniaturowa sylwetka na ziemi.

James podszedł do brzegu rampy. Nim zdążył zebrać się na odwagę, poczuł na plecach ręce Paula. Mocne pchnięcie wyrzuciło go do przodu.

Lot był wspaniały. Przemykające obok gałęzie rozmazywały się w szare smugi. James rąbnął w materac z głuchym grzmotnięciem. Jedynym obrażeniem, jakie odniósł, było skaleczenie w miejscu, gdzie smagnęła go jakaś witka.

*

James nie był w stanie przepłynąć nawet kilku metrów. Gdy tylko odrywał nogi od dna, paraliżował go strach. Nie miał ojca, który nauczyłby go pływać, a mama nie chodziła na basen, bo wstydziła się swojej tuszy. Ostatecznie zraził się do wody podczas pierwszych zajęć na szkolnej pływalni. Dwaj chłopcy, których zwykł dręczyć na przerwach, zaciągnęli go na część basenu z głęboką wodą i zostawili. Wyłowił go instruktor, który potem musiał wypompować mu wodę z płuc. Po tym wszystkim James kategorycznie odmawiał udziału w lekcjach pływania i przeczekiwał zajęcia w szatni.

Stał na krawędzi basenu, całkowicie ubrany.

– Zanurkujesz, podniesiesz cegłę z dna i przepłyniesz na drugi koniec – powiedział Mac.

James pomyślał, że mógłby chociaż spróbować. Spojrzał na drgającą w rytm fal cegłę i wyobraził sobie swoje usta wypełnione chlorowaną wodą. Cofnął się o dwa kroki zdjęty nagłym strachem.

– Nie mogę – oznajmił, kręcąc głową. – Nie przepłynę nawet szerokości basenu.

*

James wylądował w punkcie wyjścia: przed kominkiem w biurze doktora McAfferty'ego.

– A zatem, skoro egzamin masz już za sobą, czy powinniśmy zaofcrować ci miejsce?

– Raczej nie. Nie sądzę.

– Pierwsza próba poszła ci dobrze.

– Przecież nie trafiłem go ani razu – zaprotestował James i spochmurniał.

– Bruce jest pierwszorzędnym karateką. Przeszedłbyś test, gdybyś go pokonał, ale było to wielce nieprawdopodobne. Wycofałeś się, kiedy dostrzegłeś, że nie możesz zwyciężyć, a Bruce zagroził ci poważnym urazem. I to się liczy. Nie ma niczego bohaterskiego w narażaniu się na ciężkie obrażenia w imię dumy. Ale najlepsze, że nie poprosiłeś o czas na dojście do siebie przed następną próbą i nie wydałeś z siebie słowa skargi. To dowodzi, że masz silny charakter i autentycznie pragniesz dołączyć do agencji CHERUB.

– Bruce bawił się mną. Nie było sensu tego ciągnąć.

– To prawda, James. W normalnej walce mógłby użyć chwytu duszącego, który pozbawiłby cię przytomności, a nawet życia, gdyby tego zechciał. Z testem inteligencji także poradziłeś sobie przyzwoicie: wybitnie z częścią matematyczną, z resztą zadań przeciętnie. Jak myślisz, jak poszła ci trzecia próba?

– W końcu zabiłem tego kurczaka.

– Ale czy to znaczy, że zdałeś egzamin?

– Przecież kazał mi pan go zabić.

– Kurczak był próbą twojej odwagi moralnej. Zdałbyś celująco, gdybyś od razu go złapał i uśmiercił albo gdybyś oświadczył, że jesteś przeciwko zabijaniu i jedzeniu zwierząt, i odmówił wykonania polecenia. Moim zdaniem sprawiłeś się marnie. Wyraźnie nie miałeś ochoty zabijać kurczaka, ale ze strachu pozwoliłeś mi się przekonać. Mimo to zaliczam ci test, bo w końcu podjąłeś decyzję i konsekwentnie ją wypełniłeś. Oblałbyś, gdybyś nagle odstąpił od próby albo stracił panowanie nad sobą.

James był zadowolony, że zdał trzy pierwsze sprawdziany.

– W czwartej próbie spisałeś się znakomicie. Bałeś się, ale zdołałeś zapanować nad strachem i pokonać wszystkie przeszkody. I wreszcie ostatnia próba.

– Tę musiałem oblać – stwierdził ponuro James.

– Wiedzieliśmy, że nie potrafisz pływać. Gdybyś jakimś cudem nagle się nauczył i wyłowił cegłę, dostałbyś najwyższą ocenę. Gdybyś skoczył i zaczął tonąć, oblałbyś. Ty jednak uznałeś, że zadanie przekracza twoje możliwości, i zrezygnowałeś. Mieliśmy nadzieję, że tak właśnie postąpisz. Podsumowując, James, dobrze się spisałeś. Z przyjemnością oferuję ci miejsce w agencji CHERUB. Teraz zostaniesz odwieziony do Nebraska House i oczekuję twojej decyzji w ciągu dwóch dni.

11. PRZEPROWADZKA

Pierwszy etap drogi do Nebraska House James pokonał w pozbawionej okien ładowni furgonetki. Nie mógł zasnąć, choć był wykończony, a kierowca nie odzywał się ani słowem. Po dwóch godzinach jazdy zatrzymali się na stacji benzynowej, gdzie skorzystali z toalety i wypili po kubku paskudnej herbaty. Resztę drogi James mógł przesiedzieć w kabinie. Wreszcie doczekał się drogowskazu. Byli w pobliżu Birmingham i jechali w stronę Londynu. Nie mówiło to zbyt wiele o lokalizacji CHERUBA. James uznał, że przejechali już ponad sto kilometrów.

Do Nebraska House dotarli o trzeciej nad ranem. Drzwi były zamknięte. James wdusił guzik dzwonka. Minęły wieki, nim szczęknął otwierany zamek. Wychowawca oświetlił twarz niespodziewanego przybysza latarką, po czym odpiął łańcuch i otworzył drzwi szerzej.

– Gdzieś ty się podziewał, do licha?

Do Jamesa nagle dotarło, że CHERUB porwał go, nikogo o tym nie informując. Potrzebował wiarygodnej wymówki.

– Eee... Poszedłem na spacer?

– Na dwadzieścia sześć godzin?!

– No, bo ja...

– Marsz do łóżka, James. Porozmawiamy rano.

Po siedzibie agencji dom dziecka wydawał się jeszcze paskudniejszy niż przedtem. James wszedł do pokoju na palcach, ale Kyle i tak się obudził.

– O, Einstein! – zawołał. – Gdzie byłeś?

– Śpij – rzucił James.

– Słyszałem o twojej przygodzie w monopolowym. W konkursie debilizmu masz dziesięć punktów na dziesięć.

James popryskał sobie nos przeciwbólowym sprayem, prezentem od CHERUBA, i zaczął się rozbierać.

– Nie mogę powiedzieć, że mnie nie ostrzegałeś.

– Vince robi pod siebie – stwierdził Kyle. – Myśli, że go wsypałeś i że przenieśli cię do innego domu, aby cię chronić.

– Nikogo nie wsypałem – powiedział James. – Ale i tak się odegram.

– Lepiej sobie odpuść. Dasz mu powód, to cię pochlasta.

*

Rachel obudziła Jamesa, potrząsając go za ramię.

– Co ty tu robisz? Jest wpół do jedenastej. Powinieneś być w szkole.

James usiadł i potarł twarz dłońmi. Nos miał napuchnięty i obolały. Przynajmniej ból głowy zniknął.

– Wróciłem o trzeciej nad ranem – wymamrotał.

– Nie jesteś za młody na szlajanie się po klubach?

– Em, ja... – James jakoś nie mógł wymyślić wiarygodnego usprawiedliwienia.

– Za dwadzieścia minut chcę cię widzieć w mundurku, maszerującego do szkoły.

– Jestem zmęczony.

– A czyja to wina?

– Jestem niedysponowany – powiedział James, wskazując na swój nos.

– Bójka, jak przypuszczam.

– Nie.

– W takim razie co?

– Musiałem zasnąć w dziwnej pozycji.

Rachel parsknęła śmiechem.

– James, słyszałam już rozmaite bzdurne wymówki, ale spuchnięty nos i podbite oko od spania w dziwnej pozycji to usprawiedliwienie najgorsze ze wszystkich.

– Mam śliwę?

– Dorodną.

James ostrożnie pomacał okolice oka. Zawsze chciał mieć śliwę. Fajnie to wyglądało.

– Mogę pójść do pielęgniarki?

– Nie mamy pielęgniarki, James. Ale West Road ma.

– Proszę, zwolnij mnie ze szkoły, Rachel. Umieram.

– Jesteś tu od trzech tygodni. W tym czasie dostałeś ostrzeżenie od policji, aresztowano cię za kradzież piwa, szkoła skarżyła się na twoje zachowanie na lekcjach, a teraz zniknąłeś na półtora dnia. Jesteśmy tu dość pobłażliwi, James, ale są pewne granice. Ubieraj się. Jak chcesz się poskarżyć, idź do kierownika.

*

James pakował podręczniki do plecaka, kiedy do pokoju weszła Jennifer Mitchum.

– Nie jesteś zbyt zmęczony na szkołę, James?

– Rachel kazała.

Jennifer zamknęła drzwi i usiadła na łóżku Kyle'a.

– Wyczerpujące te próby, nie?

– Co?

– Wiem, gdzie byłeś, James. Trafiłeś tam między innymi z mojego polecenia.

– Ostatnie, co pamiętam, to twój gabinet. To ty zrobiłaś mi zastrzyk usypiający?

Jennifer uśmiechnęła się.

– Przyznaję się do winy. A zatem... przemyślałeś już sprawę wstąpienia do organizacji CHERUB?

– Tam jest o wiele fajniej niż tutaj. Nie mam powodu zostawać.

– To fantastyczna okazja. Cieszyłam się każdą spędzoną tam chwilą.

– Byłaś w CHERUBIE?

– To było wieki temu. Moi rodzice zginęli w wybuchu gazu. Zwerbowali mnie w domu dziecka tak jak ciebie.

– Byłaś szpiegiem i w ogóle?

– Dwadzieścia cztery misje. Dość, żeby zasłużyć na czerń.

– Jak to? – zdziwił się James.

– Zauważyłeś, że wszyscy w CHERUBIE noszą koszulki w różnych kolorach?

– Owszem. Nikt nie chciał ze mną gadać, bo miałem pomarańczową.

– Pomarańczowe są dla gości, a żeby rozmawiać z gościem, trzeba mieć zezwolenie od Maca. W czerwonych koszulkach chodzą juniorzy: młodsze dzieci, które uczą się w kampusie. Po ukończeniu dziesiątego roku życia mogą przejść szkolenie podstawowe i zostać agentami, jeżeli podejmą taką decyzję. Jasnoniebieskie koszulki są dla rekrutów. Po przejściu szkolenia dostaje się szarą. Potem można już tylko przejść na ciemną stronę. Granatowa koszulka przysługuje tym, którzy wykazali się nieprzeciętną skutecznością w jednej lub kilku akcjach. Prawdziwe orły dostają czarną koszulkę za wybitne dokonania w dużej liczbie misji.

– Jak dużej?

– Jednym wystarczą trzy lub cztery naprawdę nadzwyczajne akcje, innym potrzeba dziesięciu. Decyduje Prezes. Jest też biała koszulka dla członków sztabu i starych pryków, jak ja.

– To znaczy, że wciąż pracujesz dla CHERUBA? – spytał James.

– Pracuję dla urzędu dzielnicy Camden, ale kiedy trafiam na kogoś takiego jak ty, piszę rekomendację. Zanim jednak podejmiesz ostateczną decyzję, chciałabym cię ostrzec.

– Przed czym?

– Na początku życie w kampusie nie będzie łatwe. Musisz zdobyć wiele nowych umiejętności i CHERUB chce, żebyś je zdobył, zanim będziesz za stary, by je wykorzystać. Będziesz miał wrażenie, że wszyscy we wszystkim są lepsi od ciebie. Myślisz, że będziesz w stanie to znieść?

– Chciałbym spróbować – powiedział James. – Kiedy mnie aresztowali, policjant opowiadał, jak tacy jak ja tracą panowanie nad sytuacją i niechcący kończą w więzieniu. Wystraszył mnie, bo to jest dokładnie to, co się dzieje ze mną. Ja nie chcę kłopotów, ale zawsze tak jakoś wychodzi, że w końcu w nie wpadam.

– Zatem chcesz sobie to jeszcze przemyśleć czy mam zadzwonić do CHERUBA i powiedzieć, że przyjeżdżasz?

– Nie mam się nad czym zastanawiać – oświadczył James.

*

Mieli przyjechać po niego o trzeciej, więc James miał sporo czasu na spakowanie rzeczy. Było mu trochę przykro z powodu Kyle'a. To był równy gość i zasługiwał na coś więcej niż syfiasty pokoik w Nebraska House i trzy funty kieszonkowego tygodniowo. James zubożył plik banknotów o dwie pięćdziesiątki, po czym wepchnął je pod narzutę Kyle'a. Pośpiesznie naskrobał liścik:

Kyle,
dobry z Ciebie kumpel. Przenoszą mnie do innego domu.
James

W drzwiach stanął Kyle. James spanikował. W wymyślaniu wymówek był słaby.

– O której mamy podwózkę? – spytał Kyle.

– Że co?

– Słyszałeś. O której mamy autobus do CHERUBA?

– Ciebie też zwerbowali?!

– Kiedy miałem osiem lat.

– Ale jak to... Ja nie rozumiem.

Kyle zaczął wyciągać swoje rzeczy z szafy.

– Cztery miesiące temu wykonywałem zadanie na Karaibach. Wziąłem coś, czego nie powinienem był dotykać, i położyłem w niewłaściwym miejscu. Źli ludzie zauważyli, nabrali podejrzeń i znikli. Nikt nie wie gdzie. Dwa lata pracy tuzina agentów MI51 poszły na marne. A wszystko przeze mnie.

– Ale co to ma wspólnego z Nebraska House?

– Widzisz, nie wróciłem stamtąd w glorii asa wywiadu. Za karę wysłali mnie na misję werbunkową.

– Tutaj?

– Bingo, James. Zesłali mnie w to bagno, żebym szukał kolejnego dzieciaka, który mógłby wstąpić do CHERUBA. Jennifer stwierdziła, że możesz się nadawać, kiedy przejrzała twoje szkolne papiery. Załatwiła ci ten pokój, żebym mógł cię ocenić.

– Czyli to, co mówiłeś o rodzicach i tak dalej, to były kłamstwa?

Kyle wyszczerzył zęby.

– Stuprocentowa fikcja, stary, przykro mi. – Kyle zamknął szafę i odwrócił się do Jamesa. – Chciałeś odegrać się na Vinsie. Masz jakiś plan?

James popatrzył zdumiony.

– Mówiłeś, żebym sobie odpuścił.

– Nienawidzę go – powiedział Kyle z mocą. – Kiedy był w domu zastępczym, zaczął dręczyć siedmiolatka i zrzucił go z dachu. Dzieciak złamał sobie kręgosłup. Zostanie na wózku inwalidzkim do końca życia.

– Jezu!

– Wiesz, gdzie trzymają zapas piasku do piaskownicy? – spytał Kyle.

– Pod schodami.

– Weź dwa worki. Spotkamy się pod pokojem Vince'a.

– Będzie zamknięty – zauważył James.

– Poradzę sobie.

James wtaszczył na górę dwa worki piasku. Kyle uporał się już z zamkiem i czekał w pokoju Vince'a.

– A ja myślałem, że to ty jesteś fleja. Spójrz tylko.

Vince i jego młodszy brat Paul nie byli mistrzami w utrzymywaniu porządku. Pokój był zawalony brudnymi ciuchami, płytami i pismami. James wzruszył ramionami.

– Normalna sypialnia normalnego chłopaka.

– Już niedługo. Zacznij rozsypywać piasek. Skołuję trochę płynów.

James zasypał piaskiem łóżka, szuflady i biurka. Kyle przemycił z kuchni cztery ogromne butle z pepsi. Każdą solidnie wstrząsnęli, by następnie posłużyć się nią jak gaśnicą. Kiedy skończyli, wszystko było pokryte chrzęszczącym, lepkim błockiem.

James zataczał się ze śmiechu.

– Chciałbym zobaczyć jego minę!

– Niestety, nas już tu nie będzie. Chcesz zobaczyć, co ma w schowku? – Kyle wyciągnął z kieszeni metalowy przedmiot.

– Co to jest? – spytał James.

– Wytrych uniwersalny. Otwiera większość zamków. Nauczysz się nim posługiwać na szkoleniu wstępnym.

– Ekstra!

Kyle wsunął wytrych w otwór kłódki Vince'a i manipulował nim przez chwilę. Metalowe drzwi otworzyły się.

– Świerszczyki – stwierdził Kyle, ciskając pisma na podłogę. – Zaczekaj...

– Co? – zainteresował się James.

– Spójrz na to. – Na dnie schowka leżał stos groźnie wyglądających noży. – Konfiskuję to – powiedział Kyle. – Znajdź mi coś, w co mógłbym je zawinąć.

– Wszystko jest mokre.

– Nieważne. Nie będę paradował po korytarzu z tym arsenałem w rękach.

Pod łóżkiem Paula James znalazł bluzę tylko trochę uwalaną piaskiem. Kyle owinął nią noże.

– Gotowe. Ile do wyjazdu?

– Dwadzieścia minut.

– O dwadzieścia za dużo – westchnął Kyle. – Nienawidzę tej dziury.

12. CHRZEST

James siedział w biurze Meryl Spencer, ubrany w komplet CHERUBA z niebieską koszulką rekruta. Meryl była jego opiekunką. Była też biegaczką. Zdobyła złoty medal dla Kenii na olimpiadzie w Atlancie, a w kampusie pełniła funkcję trenerki. Jej nogi wyglądały, jakby mogły kruszyć skały. Z palca wyciągniętego nad biurkiem zwisał sznurek z kluczem do skrzynki depozytowej.

– Niewiele dzieci trafia do nas z czymś takim – oznajmiła.

– Dostałem to, kiedy umarła mama – powiedział James.

– Nie wiem, co jest w depozycie.

– Rozumiem – wycedziła Meryl podejrzliwie. – Przechowamy klucz w bezpiecznym miejscu. Co z gotówką, którą Kyle znalazł w pokoju?

James był przygotowany na pytania o pieniądze. Nie wątpił, że Kyle przeszukał jego rzeczy, odkąd zobaczył, jak włamuje się do schowka Vince'a.

– Należała do mamy – wyjaśnił.

– Ile tego jest?

– Były cztery tysiące, ale wydałem kilka setek...

– Tylko cztery? – Meryl sięgnęła do szuflady biurka i wyciągnęła zieloną drukowaną płytkę omotaną kablami. James rozpoznał elementy: pochodziły z jego starego radiomagnetofonu.

– Ach, więc wiedzieliście.

Meryl skinęła głową.

– Kyle znalazł to w śmietniku w dniu, w którym cię poznał. Potem odkrył pieniądze i ustaliliśmy, że pochodziły z sejfu twojej matki. Działałeś sprytnie. Zostawiłeś nawet trochę na wierzchu, na wypadek gdyby Ron przyszedł węszyć za forsą. Wszyscy byliśmy pod wrażeniem. To jeden z powodów, dla których zaproponowano ci wstąpienie do agencji CHERUB.

– Nie mogę uwierzyć, że dowiedzieliście się tego wszystkiego – przyznał James.

Meryl roześmiała się.

– James, na co dzień rozpracowujemy międzynarodowe kartele narkotykowe i organizacje terrorystyczne. Dwunastoletni chłopcy są mniej kłopotliwi.

James uśmiechnął się niepewnie.

– Przepraszam, że skłamałem. Powinienem się domyślić...

– Widzisz tę bieżnię za oknem? – spytała Meryl.

– Tak.

– Następnym razem, kiedy mnie okłamiesz, będziesz biegał po niej w kółko, aż zemdlejesz. Bądź ze mną szczery, dobrze?

James skinął głową.

– A co będzie z moimi pieniędzmi? Oddacie je policji?

– Broń Boże! Ostatnia rzecz, jakiej tu potrzebujemy, to policjanci, zadający pytania na twój temat. Rozmawiałam o tym z Makiem i sądzę, że uznasz nasz pomysł za rozsądny. – Meryl położyła na biurku dwie czerwone książeczki.

– Lokaty oszczędnościowe – wyjaśniła. – Połowa pieniędzy dla ciebie, połowa dla twojej siostry, kiedy skończy osiemnaście lat. Jezeli chcesz, możesz wypłacać trzydzieści funtów miesięcznie plus sto na każde urodziny i Gwiazdkę. Czy to brzmi fair?

James potwierdził.

– Jak się nazywa twoja siostra?

– Laura Zoe Onions.

– A ty?

– James Robert Choke.

– Nie, pytam o twoje nowe nazwisko.

– Jakie nowe nazwisko? – zdziwił się James.

– Mac niczego ci nie powiedział?

James rozłożył ręce.

– Możesz zachować swoje imię, ale tutaj musisz przyjąć nowe nazwisko.

– Jakie tylko chcę?

– W granicach rozsądku, James. Nic ekstrawaganckiego i musi pasować do twojej przynależności etnicznej.

– Co to jest?

– Chodzi o twoje pochodzenie. To znaczy, że nie możesz nazywać się James Patel albo James Bin Laden.

– Mogę się jeszcze zastanowić?

– Przykro mi, James, mam tonę formularzy do wypełnienia. Potrzebne mi nazwisko już.

James zaczął się zastanawiać nad jakimś fajnym nazwiskiem, ale w głowie miał kompletną pustkę.

– Kto jest liderem twojego ulubionego zespołu? Albo ulubionym piłkarzem? – spytała Meryl po chwili ciszy.

– Avril Lavigne jest w porządku.

– A zatem James Lavigne.

– Nie, już wiem! Tony Adams. Z Arsenalu. Chcę być Jamesem Adamsem.

– Niech będzie James Adams. Chcesz zatrzymać Roberta na drugie?

– Chciałbym, ale czy mogę nazywać się James Robert Tony Adams?

– Tony to zdrobnienie od Anthony'ego. A może James Robert Anthony Adams?

– Jasne. – James Robert Anthony Adams uznał, że jego nowe nazwisko jest super.

– Poproszę Kyle'a, żeby pokazał ci twój pokój. Szkolenie podstawowe zaczniesz za trzy tygodnie, jeśli przejdziesz badania lekarskie i nauczysz się pływać.

– Pływać?! – James był wstrząśnięty.

– Nie rozpoczniesz szkolenia, dopóki nie będziesz przepływał pięćdziesięciu metrów. Zapisałam cię na dwie lekcje dziennie.

*

Kyle zaprowadził Jamesa na górę do pokoi.

– Bruce Norris chce się z tobą zobaczyć – oznajmił, pukając do drzwi.

– Otwarte! – zawołał Bruce ze środka.

James wszedł za Kyle'em do pokoju Bruce'a. Jedną ścianę zajmowały półki z pucharami i medalami. Drugą – krwawe plakaty z mistrzami sztuk walki.

– Obłędne plakaty – pochwalił James.

– Dzięki. – Bruce zeskoczył z łóżka i wyciągnął dłoń w stronę gościa. – Chciałem się upewnić, czy nie jesteś na mnie zły po próbie.

– Ani trochę – uspokoił go James.

– Chcesz coś do picia? – Bruce wskazał dłonią lodówkę.

– Muszę pokazać mu jego pokój – zauważył Kyle.

– Zamieszka na tym piętrze? – spytał Bruce.

– Tak. Naprzeciw mnie.

– Super – ucieszył się Bruce. – Do zobaczenia na kolacji.

James i Kyle wyszli na korytarz.

– Jest trochę straszny – powiedział James. – Dziwnie jest siedzieć w pokoju z kimś, kto może cię tak po prostu zabić gołymi rękami.

Kyle uśmiechnął się.

– Chyba każdy w tym budynku mógłby uśmiercić cię w dwie sekundy. Ja też. A Bruce jest przezabawny. Zgrywa twardziela, ale czasem jest totalnym dzieciakiem. Jak tylko ukończył szkolenie podstawowe i dostał szarą koszulkę, usłyszał, że wszystkie czerwonokoszulkowe maluchy idą na wielkanocne szukanie jajek. Nie pozwolili mu iść, więc się popłakał. Leżał w swoim pokoju i ryczał ze trzy godziny! Ale nie to jest najlepsze.

– A co?

– On śpi z misiem.

– Nie!

– Przysięgam, James! Kiedyś niechcący zostawił uchylone drzwi do pokoju i wszyscy to widzieli: mały, niebieski misio na poduszce.

Kyle zatrzymał się przy drzwiach z kluczem w zamku.

– Proszę bardzo – powiedział. – Twój nowy dom.

Rzeczy Jamesa leżały w torbach na podłodze. Wszystkie sprzęty w pokoju wyglądały na nowe. Był tam całkiem spory telewizor z magnetowidem, komputer, czajnik, mikrofalówka i nieduża lodówka. Na podwójnym łóżku leżała gruba kołdra, a na niej sterta uprasowanych mundurków CHERUBA.

– Zostawię cię, żebyś mógł w spokoju zrobić sobie bałagan – powiedział Kyle. – Zawołam cię na kolację.

James rozsunął zasłony i ujrzał dzieci grające w piłkę na sztucznej trawie. Dziewczęta i chłopcy w różnym wieku. Nikt nie traktował gry zbyt poważnie. Większe dzieci nosiły mniejsze na plecach. James przez moment pomyślał o przyłączeniu się, ale bardziej zainteresował go nowy pokój. Obok łóżka stał telefon. Podniósł słuchawkę, zastanawiając się, do kogo by zadzwonić, ale zamiast sygnału usłyszał nagraną wiadomość: „Połączenia wychodzące zostały czasowo zablokowane".

Komputer wyglądał na nowy. Miał ciekłokrystaliczny monitor i dostęp do Internetu, ale Jamesa najbardziej ucieszyło coś innego. Oto po raz pierwszy w życiu miał własną łazienkę. Znalazł w niej gruby, mięciutki szlafrok i stertę ręczników w rozmaitych rozmiarach. Wanna była tak duża, że mógł się w niej położyć. Z jakiegoś powodu – sam nie wiedział dlaczego – postanowił wejść do niej w ubraniu i wypróbować prysznic, co skończyło się przemoknięciem do suchej nitki.

Wreszcie wyszedł z wanny i spojrzał na zafoliowane butelki i pudełka: mydło, szampon, elektryczna szczoteczka do zębów, dezodorant, a nawet paczka czekoladowych kulek do kąpieli.

James leżał na łóżku, kołysząc się lekko na miękkim materacu i uśmiechając się do siebie. Nie mógł sobie wyobrazić, by jego nowy dom mógł być jeszcze fajniejszy.

*

Kolacja zapowiadała się przyjemnie. Jedzenie było pierwsza klasa: steki, ryby, kuchnia wschodnia, orientalna i obłędne desery. James usiadł z Bruce'em, Kyle'em i całą masą innych dzieciaków. Wszyscy wydawali mu się sympatyczni, a jak szybko zauważył, dziewczynom było bardzo do twarzy w uniformach CHERUBA. Kłopot w tym, że na widok jego jasnoniebieskiej koszulki rekruta wszyscy jak na komendę zaczęli snuć straszne opowieści o szkoleniu podstawowym – historie o mrozie, błocie, głodzie, pękających kościach, zszywaniu ran, ćwiczeniach aż do omdlenia i wymiotowaniu z wyczerpania. Nie brzmiało to zachęcająco.

*

James stał przy bufecie. Na półkach piętrzyły się przekąski i napoje.

– Weź zapas do lodówki – poradził Kyle. – Wszystko za darmo.

James patrzył żałośnie na smakołyki. Nic odezwał się.

– Nastraszyli cię, co?

James pokiwał głową.

– Jest tak źle, jak mówią?

– Nie będę ściemniał – powiedział Kyle. – Szkolenie podstawowe to sto najbardziej parszywych dni życia. I o to chodzi. Jeśli przeżyjesz, nie będziesz się bał już niczego. Ciesz się, że to dopiero za trzy tygodnie.

James wrócił do pokoju. Kiedy był na kolacji, ktoś wsunął mu pod drzwi rozkład zajęć. Jutro czekały go badania lekarskie, dentysta i dwie lekcje pływania.

13. IGŁA

Budzik zadzwonił o szóstej. Wzrok Jamesa padł na mapkę i kąpielówki, które ktoś położył na biurku. O tej porze budynek był pusty. James powlókł się do stołówki, gdzie kilkoro nauczycieli jadło śniadanie. Wziął sobie gazetę, by jedząc płatki, przejrzeć dział sportowy.

Wskazówki na mapce były oczywiste, ale James zawahał się na widok napisu nad wejściem na basen: „Basen szkolny. Tylko dla dzieci poniżej 10 lat".

James wsunął głowę za drzwi. Basen był pusty, jeśli nie liczyć dziewczyny, na oko piętnastoletniej, pływającej tam i z powrotem. Ujrzawszy Jamesa, podpłynęła do brzegu i oparła mokre łokcie na krawędzi basenu.

– Ty jesteś James? – spytała.

– Tak.

– Amy Collins. Będę uczyła cię pływania. Idź do szatni i przebierz się.

James rozebrał się. Jego wzrok padł na czarną koszulkę Amy leżącą na ławce, a potem na stanik i majtki na haku. Wcześniej bał się, że jego nauczycielem będzie jakiś muskularny byczek, zachrypnięty od wrzeszczenia na podopiecznych. Widok bielizny Amy uświadomił mu, że robienie z siebie ofermy przed dziewczyną będzie jeszcze gorsze. Wyszedł z szatni i stanął nad schodkami po płytkiej stronie basenu.

– Chodź na tę stronę! – zawołała Amy.

James ruszył wzdłuż dwudziestopięciometrowego basenu, nerwowo odczytując oznaczenia głębokości. Dno przestało opadać przy trzech i pół metra.

– Stań z palcami zawiniętymi wokół krawędzi – poleciła Amy.

James ostrożnie poczłapał do krawędzi. Do dna było bardzo daleko, a woda pachniała chlorem tak samo jak w dniu, w którym omal nie utonął.

– Weź głęboki wdech, skocz i nie wypuszczaj powietrza, dopóki nie wypłyniesz na powierzchnię.

– Nie utopię się? – spytał James.

– Ludzie unoszą się na wodzie, James, zwłaszcza kiedy mają płuca pełne powietrza.

James przykucnął, szykując się do skoku. Niemal czuł wodę zalewającą mu usta.

– Nie mogę – poskarżył się.

– Złapię cię. Nie masz się czego bać.

James nie chciał wyjść na mięczaka przed dziewczyną. Zebrał się na odwagę i skoczył. Ogarnęła go dziwna, trochę niesamowita cisza. Dotknął stopami dna i z całej siły odepchnął się w górę. Kiedy tylko jego twarz przebiła powierzchnię, wypuścił gwałtownie powietrze i w panice zamachał rękami. Nigdzie nie mógł dostrzec Amy. Poczuł taki sam strach jak wtedy, gdy koledzy zostawili go na głębokiej wodzie.

Amy złapała go i dwoma silnymi pchnięciami ramion dobiła do ściany basenu. James wygramolił się na brzeg i rozkaszlał, zgięty wpół.

– Bardzo dobrze, James. Zdobyłeś najważniejszą umiejętność: po skoku do wody wypływasz na powierzchnię.

– Mówiłaś, że mnie złapiesz! – James chciał, żeby to zabrzmiało gniewnie, ale w połowie zdania wyrwało mu się żałosne chlipnięcie.

– Czemu się denerwujesz? Poszło ci bardzo dobrze.

– Nigdy się tego nie nauczę. Wiem, że to głupie, ale boję się wody. Nawet moja dziewięcioletnia siostra umie pływać, a ja po prostu umieram ze strachu.

– Uspokój się, James. To moja wina. Nie kazałabym ci skakać, gdybym wiedziała, że tak bardzo się boisz.

Amy zaprowadziła Jamesa na płytki koniec basenu. Usiedli na brzegu i opuścili stopy do wody.

– Pewnie uważasz, że jestem cienias – powiedział James z goryczą.

– Każdy się czegoś boi – odparła Amy. – Nauczyłam pływać całe mnóstwo dzieciaków. Z tobą pewnie potrwa to dłużej niż z kimś bardziej pewnym siebie, ale poradzimy sobie.

– Trzeba było zostać w Nebraska House. Jestem za słaby, żeby być tutaj – narzekał James, wpatrując się w wodę.

Nagle zesztywniał, czując, że Amy obejmuje go ramieniem. Uważał, że jest za stary na przytulanki, ale to było całkiem miłe...

*

– Zejdź z bieżni – polecił lekarz. Przez swój niemiecki akcent kojarzył się Jamesowi ze statystą z filmu o drugiej wojnie światowej.

James był w samych szortach i adidasach. Pot zlepiał mu włosy i ściekał strużkami po twarzy. Pielęgniarka zaczęła zrywać mu z piersi plastry z elektrodami podłączonymi do wielkiej maszyny. Lekarz nacisnął guzik i maszyna wypluła półmetrową wstęgę papieru. Doktor podniósł ją do oczu i pokręcił głową.

– Oglądasz dużo telewizji, James? – zapytał, unosząc brwi.

– Dosyć.

– Przebiegłeś zaledwie kilometr, a jesteś wycieńczony. Uprawiasz jakieś sporty?

– Raczej nie.

Lekarz uszczypnął Jamesa w brzuch.

– Patrz, ile sadła. Jak u urzędnika w średnim wieku. – Podwinął koszulkę i klepnął się w kaloryfer z mięśni. – Jak stal – powiedział z dumą. – A mam sześćdziesiąt lat.

James nigdy dotąd nie myślał o sobie jak o kimś tłustym. Przyjrzał się swojej sylwetce. Faktycznie był trochę napęczniały w okolicach pasa.

– Kiedy zaczynasz szkolenie? – spytał lekarz.

– Za trzy tygodnie. Jeśli nauczę się pływać.

– Nie umiesz też pływać? Żałosne! No, ale do oglądania telewizji nie jest to potrzebne, co, James? Poślemy cię na bieżnię, mój drogi. Pobiegasz sobie. Do tego dieta: żadnych budyniów, żadnej czekolady. Dobra wiadomość jest taka, że poza nadmiarem szczenięcego sadełka nic ci raczej nie dolega. A teraz zastrzyki.

Pielęgniarka wyjęła z chłodziarki plastikową tacę z setkami strzykawek.

– Co to jest? – spytał James zaniepokojony.

– CHERUB może cię w każdej chwili posłać w dowolne miejsce na Ziemi. Musimy cię zaszczepić. Grypa, cholera, dur brzuszny, zapalenie wątroby typu A i C, różyczka, żółta febra, gorączka Lassa, tężec, japońskie zapalenie mózgu, gruźlica, zapalenie opon mózgowych...

– Dostanę to wszystko teraz?!

– Nie, to by przeciążyło twój układ odpornościowy. Dziś tylko siedem zastrzyków. Kolejne pięć za dwa dni i jeszcze cztery za tydzień.

– Szesnaście zastrzyków?

– Właściwie dwadzieścia trzy. Za pół roku niektóre trzeba będzie powtórzyć.

Nim James zdążył uświadomić sobie w pełni grozę sytuacji, pielęgniarka przetarła mu ramię wilgotnym wacikiem. Doktor zerwał opakowanie ze strzykawki i wbił igłę w ramię Jamesa. Nie bolało.

– Grypa – oznajmił doktor. – Pomyślałem, że zaczniemy
od czegoś łatwego. Następny jest domięśniowy, więc możesz poczuć delikatniutkie ukłucie...
    Doktor zdjął plastikowy kapturek z pięciocentymetro-
wej igły.
    – AAAAAUUUU!

                                *

    James w kąpielówkach siedział na ławce, czekając na po-
południową lekcję. Do szatni wpadła Amy. Cisnęła torbę
z książkami na podłogę i zaczęła rozwiązywać buty.
    – Sorka za spóźnienie, James. Trochę się zagadałam. Jak
minął dzień?
    – Paskudnie – poskarżył się James.
    – Co z twoim głosem?
    – Dentysta założył mi cztery plomby. Nie czuję języka.
    – Boli? – spytała Amy, wyskakując ze spodni.
    – Nie tak bardzo jak tyłek, gdzie doktor wbił mi dwie
igły. Usłyszałem też, że jestem gruby i nie mam formy.
Mam biegać: pięć razy w tygodniu po piętnaście okrążeń.
I nie wolno mi brać deserów.
    Amy uśmiechnęła się ze współczuciem.
    – To nie był twój szczęśliwy dzień.

14. POT

Piętnaście okrążeń na czterystumetrowym torze to razem sześć kilometrów. Limitu czasu nie było. James mógł pokonać ten dystans spacerkiem w ciągu godziny, ale to byłoby nudne. Chciał to mieć jak najszybciej z głowy. Pierwszego dnia wystartował z kopyta i po trzech okrążeniach uszło z niego powietrze. Resztę drogi pokonał, ledwie powłócząc obolałymi nogami i tracąc na to godzinę i piętnaście minut. Następnego ranka miał spuchnięte kostki i prawie nie mógł chodzić.

Meryl Spencer pokazała mu ćwiczenia rozgrzewające i rozluźniające. Poradziła też, żeby na początek pokonywał biegiem tylko jedno na trzy okrążenia, a w miarę nabierania formy stopniowo wydłużał czas biegu aż do momentu, gdy będzie w stanie przebiec sześć kilometrów bez odpoczynku.

Trzeciego dnia padało. James prawie nic nie widział przez mokre włosy lepiące mu się do twarzy. Meryl i wszyscy inni schronili się w budynku. James uznał, że nikt go nie pilnuje, i po trzynastu okrążeniach skręcił do szatni, gdzie inne zmokłe kury czekały w kolejce do pryszniców.

– To było piętnaście okrążeń? – spytała Meryl.

James domyślił się po jej głosie, że ma przechlapane.

– Ale psze pani, w taki deszcz? – jęknął.

– Oszukujesz, James, zaczynaj od nowa. Piętnaście okrążeń. Już!

– Serio?

– Słyszałeś, James. Jeszcze jedno słowo, a będzie trzydzieści.

Pod koniec treningu James miał wrażenie, że zaraz wypluje płuca. Kyle i Bruce byli zachwyceni, kiedy opowiedział im, co się wydarzyło. Amy stwierdziła, że lepiej, by jak najwcześniej zrozumiał, iż dyscyplina w CHERUBIE jest surowsza niż ta, do jakiej przywykł, bo będzie miał kłopoty.

*

Dwa tygodnie później James był już w znacznie lepszej kondycji. Na każde trzy okrążenia dwa pokonywał szybkim biegiem, a jedno truchtem. Był piątek, piętnaste okrążenie. Szyja pulsowała mu tak, jakby za chwilę miała eksplodować. Całe ciało błagało go, by przestał, ale James po raz pierwszy był bliski ukończenia biegu w czasie krótszym niż pół godziny i nie zamierzał zrezygnować przed samym finiszem. Na ostatnim zakręcie wyprzedził parę identycznych bliźniaków i ruszył sprintem do mety. Przeskakując linię, zerknął na stoper: 29:47. Poprawił swój rekord o dwadzieścia sekund. Patrząc na zegarek, niechcący krzywo postawił stopę i runął na bieżnię, tłukąc kolano, drąc koszulkę i ocierając sobie ramię. Do rwania w płucach dołączył ból ran, ale James czuł tylko radość. Najważniejsze, że zmieścił się w półgodzinie. Podniósł się i pomacał skaleczone kolano. Obok zatrzymali się bliźniacy.

– W porządku? – zapytał jeden.

– W porządku – skłamał James.

Nie widział tych chłopców przedtem. Zauważył, że obaj noszą jasnoniebieskie koszulki tak jak on.

– Wy też za tydzień idziecie na szkolenie?

– No. Przyjechaliśmy wczoraj. Jestem Callum, a to Connor. Pomóc ci przejść do szatni?

– Poradzę sobie – zapewnił James.

– Dziś są moje urodziny – oznajmiła Amy.

Byli w basenie. Skaleczenia Jamesa piekły od chloru.

– Które?

– Szesnaste.

– Przysłałbym ci kartkę czy coś... – powiedział James. – Nic nie mówiłaś.

– Urządzam imprezkę dla paru znajomych. W moim pokoju dziś wieczorem. Chciałbyś przyjść?

– Pewnie.

James był bardziej podniecony zaproszeniem, niż zgodziłby się przyznać. Lubił tę dziewczynę, i to bardzo. Była zabawna i piękna. Wiedział, że ona też go lubi, ale raczej jak młodszego brata, nie jak chłopaka.

– Ale najpierw musisz coś zrobić.

– Dokąd? – spytał domyślnie James.

– Od drabinki na środku do przeciwległego rogu.

– To prawie długość basenu!

– Prawie. Dasz radę, James. Masz coraz silniejszy wymach. Pamiętaj, że szkolenie zaczyna się za dziewięć dni, a jeśli nie dostaniesz się teraz, będziesz musiał czekać trzy miesiące.

James wzruszył ramionami.

– Będę miał trzy miesiące, żeby nauczyć się pływać. Nie jest źle.

– I dadzą ci czerwoną koszulkę – dodała Amy.

– Mam dwanaście lat. Czerwone są dla maluchów.

– Nie, James. W czerwonych koszulkach chodzą ci, którzy nie kwalifikują się do szkolenia. Zwykle przyczyną jest zbyt młody wiek, ale w twoim wypadku będzie to brak umiejętności pływania.

– Będę o dwa lata starszy od każdego z czerwonych. Nie będę miał życia!

– James, nie, żebym naciskała, ale trzy miesiące w czerwonej koszulce mogą zniechęcić cię do życia.

– A jednak naciskasz – mruknął ponuro James.

– Z drugiej strony, James, jako czerwony będziesz mógł trzymać w pokoju jakieś zwierzątko: chomika albo myszoskoczka...

– Bardzo śmieszne, Amy.

James wiedział, że sprawa jest poważna. Kyle, Bruce i wszyscy inni posikają się ze śmiechu, gdy zobaczą go w czerwonej koszulce. James ruszył w stronę drabinki z wyrazem determinacji na twarzy. Tym razem przepłynie dalej niż kiedykolwiek. Udało się. Amy uściskała go serdecznie.

– Będzie dobrze, James.

Nie był tego pewien.

*

Drzwi Amy były otwarte na oścież i James usłyszał muzykę, kiedy tylko wyszedł z windy. Pokój zapełniał tłum ludzi. Rozgadane grupki gości rozprzestrzeniły się też po korytarzu. Wszyscy byli ubrani w cywilne ciuchy. Po dwóch tygodniach patrzenia na ludzi w oliwkowych spodniach James prawie zapomniał o istnieniu spódnic.

Amy użyła jaskraworóżowej szminki pasującej do minispódniczki. James czuł się nieswojo, bo nie znał tu nikogo i wszyscy byli od niego starsi. Na jego widok Amy okręciła się na pięcie. W jednej ręce trzymała papierosa, w drugiej puszkę piwa. Musnęła ustami policzek Jamesa, zostawiając na nim różową smugę.

– Cześć, James – powiedziała. – Myślę, że jutro nie będę w stanie udzielić ci porannej lekcji.

– To ten dzieciak, co nie umie pływać? – zainteresował się siedzący na podłodze chłopak.

Wszyscy usłyszeli. James prawie czuł na sobie szydercze spojrzenia.

– Chcesz piwo, młody? – zapytał chłopak siedzący obok lodówki.

James nie wiedział, co odpowiedzieć. Mówiąc „tak", narażał się na śmieszność. Był jeszcze za młody na piwo. Ale gdyby odmówił, wyszedłby na mięczaka.

– Tak.

Nikt się nie roześmiał. Ktoś wsunął mu w dłoń puszkę. Amy natychmiast mu ją wyrwała.

– Uspokój się, Charles. On ma dopiero dwanaście lat.

– No co ty, Amy – powiedział Charles lekceważącym tonem. – Niech się dzieciak zabawi. Śmiesznie będzie.

Amy uśmiechnęła się niepewnie i oddała Jamesowi puszkę.

– Tylko jedno, James, nie więcej – ostrzegła. – I nie mów nikomu, że daliśmy ci piwo.

*

Kiedyś James zwędził Ronowi dwa piwa i trochę się podchmielił, ale tym razem zapędził się o wiele dalej. Koleżanki Amy mówiły, że jest słodki, i skwapliwie podsuwały mu kolejne puszki. Zaczerwienił się, kiedy jedna z nich pocałowała go w policzek. Wtedy dosłownie zasypały go pocałunkami, pokrywając jego twarz plamami szminki. Kiedy wszystkie były już porządnie wstawione, jedna z dziewcząt uznała, że będzie śmiesznie zrobić Jamesowi malinkę. Łaskotały go tak długo, aż wreszcie się poddał. Wiedział, że jest dla nich zaledwie pijaną zabaweczką, ale fajnie było raz w życiu być w centrum uwagi.

Jacyś ludzie z piętra Amy skarżyli się na hałasy, więc imprezę przeniesiono na zewnątrz. Była północ i panowała kompletna ciemność. James szedł za dźwiękiem z przenośnego odtwarzacza CD Amy.

– Zaczekajcie! – zawołał. – Muszę się odlać!

James skręcił i zatoczył się pomiędzy drzewa. Nagle zabrakło mu gruntu pod stopami. Serce skoczyło mu do gardła, kiedy poczuł, że traci równowagę. Zsunął się po dwumetrowej skarpie i wylądował w błotnistym rowie.

Zaczął gramolić się po skarpie, plując wodą o paskudnym smaku. Bluzę miał całą w strzępach. Zawołał pomocy, ale bez wielkiej nadziei, że ktoś usłyszy go przez muzykę. Gdy wreszcie wydostał się na górę, wokół nie było żywej duszy.

Kampus okazał się większy, niż się wydawał. Próbując odnaleźć główny budynek, James kompletnie się zgubił. Było mu niedobrze od alkoholu i zaczął wpadać w histerię. Kiedy wreszcie natknął się na szatnię przy boisku lekkoatletycznym, chciało mu się krzyczeć z radości. Zajrzał przez okno. Ciemno. Nacisnął klamkę. Drzwi były otwarte, więc wśliznął się do środka. Ogrzewanie nie działało, ale i tak było tu cieplej niż na zewnątrz. James zatarł dłonie, próbując odzyskać w nich czucie. Kręciło mu się w głowie. Ręką wymacał przełączniki na ścianie i włączył światło w przebieralni dla chłopców. Resztę pomieszczeń pozostawił w mroku. Blask sączący się przez oszronione okienka mógł zwrócić czyjąś uwagę.

James przyjrzał się sobie w świetle żarówek i jęknął. Na imprezkę wybrał się w swoich najlepszych ciuchach: prawie nowych nike'ach air i dżinsach Diesla. Teraz nogawki były na wylot przesiąknięte mułem, a buty wyglądały jak dwie mokre szmaty pokryte błotną skorupą.

James znał drogę z szatni do głównego budynku, ale pokazując się w tym stanie, skazałby się na lawinę kłopotliwych pytań. Strach przed wpadką trochę go otrzeźwił. Musiał jakoś doprowadzić się do porządku.

Zrzucił buty, żeby nie zostawiać śladów na podłodze, i wszedł do męskiej szatni. Wyglądała jak pobojowisko. W powietrzu wisiał zapach potu i wszędzie walały się porzucone byle jak części garderoby. James wypatrzył wciśniętą pod ławkę szarą koszulkę z napisem CHERUB. Cuchnęła, ale na pewno wyglądała mniej podejrzanie od postrzępionej bluzy. Włożył ją i rozejrzał się za spodniami od dresu, którymi mógłby zastąpić brudne dżinsy. Nie znalazłszy niczego, poprzestał na opuszczeniu spodni na biodra i podwinięciu nogawek, by zabłocone części jak najmniej rzucały się w oczy. Teraz potrzebował już tylko butów, które nie strzykałyby błotem przy każdym kroku. Na podłodze leżało kilka par kolców do biegania, które jednak nie nadawały się do chodzenia po podłodze. James przeszedł na drugą stronę korytarza i zajrzał do przebieralni dziewcząt. Był tutaj pierwszy raz. Kontrast z szatnią męską wprawił go w zdumienie. Pachniało świeżością. Była też lada zawalona kosmetykami, a najlepsze, że na szafkach stały dwie pary sportowych butów. Niestety, te, które miały odpowiedni rozmiar, były różowe. Druga para była o numer mniejsza, ale James uznał, że jakoś wytrzyma w nich kilkaset metrów, które miał do przejścia.

Kątem oka dostrzegł swoje odbicie w lustrze i uprzytomnił sobie, że ma brudną twarz. Żałował, że Kyle nie zobaczy wszystkich tych śladów szminki.

Zwilżonym ręcznikiem przetarł twarz i ręce, trysnął dezodorantem na przepoconą koszulkę i przepłukał gardło płynem do ust, żeby choć trochę zamaskować piwny oddech.

Dokonał końcowego przeglądu: nieźle. Gdyby ktoś spytał, skąd się wziął na dworze o tej godzinie, powie, że nie mógł zasnąć, wyszedł na spacer i zabłądził. Kłopot mógł mieć jedynie z wyjaśnieniem, dlaczego nosi koszulkę o niewłaściwej barwie.

Wyszedł na korytarz. Nagle poczuł, że ktoś łapie go za kostkę. Ze strachu podskoczył na metr w górę.

– Mamy cię, zboczeńcu!

James nie rozpoznał głosu. Dwie latarki świeciły mu prosto w oczy. Amy i dziewczyna, która zrobiła mu malinkę, parsknęły śmiechem. Zamiast imprezowych ubrań miały na sobie przepisowe uniformy.

– Czemu myszkujesz w damskiej szatni, James? – spytała Amy.

James wpadł panikę. Co za wstyd!

– Ja tylko chciałem się trochę doczyścić. Nie mogłem wrócić cały w błocie i...

– Nie bój się, tylko żartujemy – powiedziała Amy. – Zobaczyłyśmy światło. Obserwujemy cię od jakichś pięciu minut. Kiedy zorientowałam się, że nie wróciłeś, poszłyśmy cię szukać.

James uśmiechnął się z wdzięcznością.

– Uff, naprawdę myślałem, że powiecie wszystkim, że jestem zboczeńcem.

– Wciąż możemy to zrobić – zachichotała malinkowa dziewczyna.

– Kiedy następnym razem powiesz: „Tylko jedno piwo", Amy, będzie tylko jedno. Przysięgam.

– Skąd ta pewność, że następnym razem cię zaproszę? Znam dyskretną drogę do głównego budynku. Nie siedźmy tutaj.

– Ocaliłaś mi życie, Amy. Dzięki.

Amy zaśmiała się.

– Gdybyś wrócił pijany po tym, jak pół szkoły widziało cię na mojej imprezie, miałabym tak samo przechlapane jak ty.

15. WYCIECZKA

James obiecał sobie, że już nigdy więcej nie będzie pił. To była ciężka noc. Kręciło mu się w głowie i co chwila wymiotował, wskutek czego jego gardło przypominało papier ścierny. Dopiero o trzeciej nad ranem udało mu się wreszcie zapaść w płytki sen, z którego raz po raz wyrywały go koszmary.

– James! – wrzasnął Kyle.

Była siódma rano. Sobota.

– Obudź się wreszcie!

James usiadł na łóżku i przetarł oczy.

– Spiłeś się, co? – wyszczerzył się Kyle.

– Mmghm...

– Cuchnie piwskiem.

– Chyba umieram – wymamrotał James, trąc skronie. – Jak tu wszedłeś?

– Normalnie, z wytrychem. Pukałem, ale nie odpowiadałeś.

– Zostaw mnie i daj mi umrzeć w spokoju.

– Zamknij się i słuchaj. Wieczorem robimy akcję w Londynie. W dziewięciu. Na miejsce jedziemy wcześniej, więc będziemy mieli cały dzień dla siebie. Ciebie oczywiście nie ma na liście, ale ponieważ zmontowali to w ostatniej chwili i jest to produkcja Dennisa Kinga, możemy przemycić cię do pociągu.

– Co to jest produkcja Dennisa Kinga?

– Dennis to jeden z naszych koordynatorów misji – wyjaśnił Kyle. – Miły z niego staruszek, ale już trochę rozkojarzony. Nie zauważy, że ktoś doczepił się do grupy.

– Mam kaca – oświadczył James. – I nie chcę znów wpakować się w kłopoty.

– Czyli nie chcesz odwiedzić siostry.

– Jak chcesz to zrobić? – ożywił się James, skopując kołdrę i wyślizgując się z łóżka. – Ron nie wpuści mnie do mieszkania.

– Jeśli Laura jest w domu, znajdziemy sposób. Chciałem pomóc ci ją odwiedzić, kiedy byliśmy w Nebraska House, ale nie mogłem się zdemaskować. To twoja jedyna szansa. Po rozpoczęciu szkolenia będziesz przez trzy miesiące odcięty od świata.

– Kiedy wyjeżdżamy?

– Za dwadzieścia minut. Weź szybki prysznic, włóż cywilne ciuchy i gnaj na dół.

*

Dziwnie było znów znaleźć się w Londynie. Miasto wydało się Jamesowi brudne i hałaśliwe, choć kilka tygodni wcześniej wcale tego nie zauważał. Po przybyciu na dworzec King's Cross grupa rozdzieliła się. Dziewczęta poszły na zakupy na Oxford Street. Większość chłopców wybierała się do Namco Station, dużej galerii rozrywkowej naprzeciw Big Bena. Przed akcją wszyscy mieli się spotkać przy stacji metra Edgware o osiemnastej. Bruce chciał iść do Namco, ale kiedy poznał plany Kyle'a i Jamesa, postanowił pójść z nimi.

– Będziesz się nudził – ostrzegł go Kyle. – Idziemy tylko na stare osiedle Jamesa odwiedzić jego młodszą siostrę.

– Możecie potrzebować ochrony – upierał się Bruce.

Kyle roześmiał się.

– Ochrony przed czym, Bruce? Jeśli chcesz, to chodź, tylko żebyś mi potem nie marudził, że ci się nudzi.

Bruce jechał metrem pierwszy raz w życiu. Gapił się na plan i liczył przystanki jak pięciolatek. Ron mieszkał za stacją Kentish Town, kilka przecznic od byłego domu Jamesa i jego mamy.

– Co robimy? – spytał James, kiedy dotarli do mieszkania.

– Dzwonimy – powiedział Bruce.

– Ron mnie nie wpuści, ciołku. Nie potrzebowałbym was, gdybym mógł po prostu zadzwonić i wejść.

– No tak – zafrasował się Bruce. – To może wyważę drzwi?

Kyle przewrócił oczami.

– Jego ojczym na pewno nie zauważy, że ktoś wyłamuje drzwi – rzucił z przekąsem. – James, co twoja siostra może teraz robić, jeżeli w ogóle tam jest?

– Pewnie rysuje w swoim pokoju albo ogląda telewizję.

– A Ron?

– Wczoraj na pewno imprezował. Prawdopodobnie nie wyjdzie z łóżka jeszcze co najmniej przez godzinę.

Kyle wetknął wytrych w dziurkę od klucza i obrócił bębenek zamka. Nacisnął klamkę, ale drzwi nawet nie drgnęły.

– Dodatkowy rygiel w środku – wyjaśnił.

– Mówię ci, zadzwoń – powiedział Bruce.

– A ja ci mówiłem, że to bez sensu.

– No to ja zadzwonię – zakończył spór karateka. – Ty i Kyle schowajcie się. Mówiłeś, że ojczym na pewno śpi, czyli drzwi otworzy twoja siostra. Jeśli tak, powiem jej, o co chodzi. Jeśli otworzy Ron, powiem, że się pomyliłem.

Kyle i James odsunęli się. Bruce nacisnął dzwonek. Kilka sekund później w szparze na listy pojawiły się oczy Laury.

– Ile kartonów? – spytała.

– Jestem kolegą Jamesa. Twój tata śpi?

– Nie chcesz papierosów? – zdziwiła się Laura, wciąż nie rozumiejąc.

Bruce skinął na chłopców, żeby podeszli do drzwi. James kucnął przy szczelinie na listy.

– Wpuść nas.

– James! – ucieszyła się Laura. – Lepiej, żeby tata cię nie zobaczył. Zawsze, kiedy o tobie mówię, wygląda, jakby miał dostać apopleksji.

Laura odsunęła rygiel.

– Ron śpi? – spytał James.

– Nie wstanie aż do wyścigów konnych – powiedziała Laura, uchylając drzwi.

– Ukryj nas w swoim pokoju.

Laura zaprowadziła chłopców do sypialni. Pokój był przedzielony zakrzywionym murem zbudowanym z tysięcy kartonów papierosów.

– Co to jest? – zdziwił się James. – Zaczęłaś palić?

– Tata kupuje je tanio we Francji, a potem przemyca i sprzedaje tutaj. Zarabia krocie.

Bruce przyglądał się ścianie z kartonów.

– Ty to zbudowałaś?

– Ja. Nudziło mi się, więc zaczęłam się bawić kartonami.

Bruce roześmiał się.

– To genialne.

– Zawsze się tak bawi – wtrącił James. – Kiedy miała ospę, wyciągnęła wszystkie płyty i kasety wideo, jakie były w domu, i zrobiła z nich piramidę.

Laura usiadła na swoim łóżku.

– Jak sobie radzisz? – zagadnął James.

– Zwykle siedzę u rodzeństwa na dole. Ron płaci ich mamie, żeby odbierała mnie ze szkoły i robiła kolację.

– Czyli nieźle?

– Mogło być gorzej. A co u ciebie? Nabroiłeś coś jeszcze? Przyznaj się.

– Nie.

Kyle i Bruce uśmiechnęli się do siebie.

– Łgarz – mruknął Kyle.

– To jak, wybierzemy się gdzieś? – zaproponował James.

– Możesz się urwać?

– Bez trudu – powiedziała Laura. – Tata nie lubi, kiedy go budzę. Napiszę kartkę, że jestem u koleżanki.

*

James zabrał Laurę na zakupy i kupił jej dżinsy, które wypatrzyła w Gap Kids. Potem zjedli pizzę i poszli grać w kręgle – James i Laura kontra Bruce i Kyle. Zaczęło się ściemniać, ale do spotkania w Edgware mieli jeszcze godzinę. W końcu trafili na plac zabaw na osiedlu Jamesa. James nie był tutaj, odkąd ukrył się w tunelu w dniu, w którym umarła jego mama. Kyle i Bruce poszli wygłupiać się na karuzeli. Laura i James usiedli obok siebie na huśtawkach. Bujali się leniwie, szurając stopami po żwirze. Świadomość, że ich wspólny dzień się kończy, wprawiała ich w melancholijny nastrój.

– Mama przyprowadzała nas tu, kiedy byliśmy mali – powiedział James.

Laura skinęła głową.

– Fajna była, kiedy się nie złościła.

– A pamiętasz, jak wspinałaś się na zjeżdżalnię, ale na górze nie wiedziałaś, jak się odepchnąć? Zawsze musiałem wchodzić za tobą i ci pomagać.

– Nie. – Laura zmarszczyła brwi. – Ile miałam lat?

– Dwa albo trzy... Wiesz co? Teraz nie będzie mnie trochę dłużej. Wrócę do Londynu dopiero po świętach.

– Och... – Wbili wzrok w ziemię, żeby nie patrzeć sobie w oczy. – To cię nie zwalnia z obowiązku kupienia mi prezentu – powiedziała Laura.

James uśmiechnął się.

– A ty mi kupisz?

– Jak chcesz, to dostaniesz karton fajek.

– Proszę, proszę, a kogo my tu mamy?! – rozległ się obcy głos. – Nie widuję cię tutaj ostatnio, James. Ukrywasz się przede mną? – To był Greg Jennings i jego dwaj przyboczni. – Wszędzie cię szukałem – mówił dalej Greg. – Wiedziałem, że nie możesz wiecznie ukrywać tej swojej szpetnej buźki. – Trzej chłopcy otoczyli Jamesa. Każdy był dwa razy większy od niego. Greg oparł stopę na siedzisku huśtawki pomiędzy jego nogami. – Przez ciebie moja siostra ma szramę na twarzy. Jedyne, co trochę ją pocieszyło, to wiadomość, że twoja świńska matka kopnęła w kalendarz.

– Wara od niej, bo... – warknął ostrzegawczo James, zaciskając pięść.

– O nie! – zawołał Greg piskliwym głosem. – Mały gnojek zaraz mnie uderzy! Tak się boję!

Kamyk odbił się od głowy Grega.

– Hej, śmieciu! – zawołał Bruce. – Czemu nie przyczepisz się do kogoś swojego rozmiaru? Na przykład do mnie.

Greg odwrócił się i nie mógł uwierzyć, że taki mały i chudy dzieciak poczyna sobie tak odważnie.

– Zjeżdżaj, bo połamię ci nogi – zagroził, wyciągając palec w stronę Bruce'a.

Bruce cisnął kolejny kamyk w głowę Grega. James roześmiał się. Greg prasnął go w twarz i odezwał się do swoich pomagierów:

– Wciśnijcie tego kretyna w glebę.

James wiedział, że Bruce świetnie walczy, ale chłopak miał dopiero jedenaście lat, a dwaj kroczący ku niemu drągale byli wielcy. Kyle gdzieś się zapodział.

Bruce cofnął się do karuzeli, udając wystraszonego i bojaźliwie osłaniając twarz dłońmi. Nagle chwycił poręcz, odbił się jak sprężyna i posłał cały ciężar swojego ciała za dwunożnym kopniakiem. Jeden z osiłków zgiął się wpół. W tej samej chwili zza karuzeli wyskoczył Kyle, który staranował go, powalając na ziemię, po czym wbił mu łokieć w twarz, miażdżąc nos i pozbawiając chłopaka przytomności.

Tymczasem Bruce zajął się drugim drabem. Pozwolił złapać się za koszulkę i unieść, ale jednocześnie kopnął przeciwnika w jądra i wymierzył błyskawiczny cios w szyję. Tak jak uczono go na szkoleniach, celował w tętnicę szyjną, by spowodować nagłe uderzenie krwi do mózgu i utratę przytomności. Udało się. Dryblas runął niczym ścięte drzewo. Karateka wygramolił się spod swojej ofiary i puścił biegiem w stronę Grega Jenningsa.

Greg wciąż wciskał podeszwę buta w krocze Jamesa. Jego twarz miała dziwny wyraz, jakby mózg nie mógł uwierzyć w to, co widzą oczy. Dłoń powędrowała za pazuchę. James zrozumiał, że Greg sięga po nóż. Niewiele myśląc, rzucił się w tył, zsunął z huśtawki i odciągnął Laurę na bok. Greg wyjął nóż. Bruce zatrzymał się naprzeciw niego.

– Wbiję ten nóż w ciebie, jeżeli go nie odłożysz – powiedział spokojnie.

Greg machnął ostrzem. Bruce zrobił krok w tył. Greg skoczył naprzód. Bruce zgrabnie przesunął się w bok, jednocześnie sięgając do kieszeni i wyjmując monetę. Przy następnym ruchu przeciwnika, cisnął mu ją w twarz. Greg nie wiedział, co to jest, i odruchowo zasłonił się wolną ręką. Karateka wykorzystał tę chwilę nieuwagi, by złapać go za nadgarstek, wykręcić kciuk i wyłuskać mu broń z dłoni. Po chwili znów stali naprzeciw siebie, tyle że teraz to Bruce trzymał nóż.

– Podziurawię cię, jeśli natychmiast nie zaczniesz biec – oznajmił.

Greg był zbyt dumny, żeby biec, ale odmaszerował bardzo szybkim krokiem. Laura podbiegła do Bruce'a.

– Walczyłeś jak Jackie Chan! – zawołała. – Jesteś najlepszym karateką na świecie.

– To możliwe – przyznał Bruce niedbałym tonem, schylając się po swoją monetę. – Przynajmniej w mojej grupie wiekowej.

James był zachwycony. Najpierw Kyle zorganizował mu spotkanie z siostrą, a teraz Bruce ocalił przed rzezią.

– Jesteście świetni, chłopaki – powiedział z entuzjazmem. – Jak mam się wam odwdzięczyć?

– Wyrównasz koszty i nie ma o czym mówić – podsumował Kyle, spoglądając na błoto na swoich spodniach. – To billabongi za całe sześć dych. Patrz, jakie uświnione.

– Wiesz, co by mi się przydało? – zapytał Bruce. – Trochę wizytówek z napisem „Dokopał ci Bruce Norris". Wtykałbym je w gęby ludziom, których załatwiłem, na wypadek gdyby mnie nie pamiętali, kiedy odzyskają przytomność.

Kyle roześmiał się.

– Wiesz, co by ci się przydało, Bruce? Wizyta u dobrego psychiatry.

*

Grupa zebrała się w cichym zakątku parkingu przy stacji Edgware. Dennis King rozdał kopie planu misji.

– Znacie zasady – powiedział. – Przeczytajcie plan i kto chce iść, ten niech się podpisze pod spodem.

Kyle nachylił się do ucha Jamesa.

– Nie podpisuj – wyszeptał. – Pamiętaj, ciebie tu nie ma.

TAJNE
PLAN ZADANIA

CEL:
Bishops Avenue, Londyn. Dom Solomona Golda, właściciela Armaments Exchange plc. Solomon Gold jest podejrzany o nielegalną sprzedaż amerykańskich rakiet przeciwczołgowych grupom terrorystycznym w Palestynie i Angoli.

119

ZADANIE:

Solomon Gold opuści dom na czas weekendu. Jego dom jest strzeżony przez dwóch wartowników i sieć kamer telewizyjnych. Do wnętrza wartowni zostanie wpuszczony gaz, który uśpi strażników na mniej więcej trzy godziny. Zadaniem zajmie się agent MI5 udający kontrolera z agencji ochrony.

Gold jest bardzo podejrzliwy. Otoczenie jego domu obserwuje trzydzieści sześć kamer. Dorośli intruzi zostaliby wzięci za agentów MI5 albo policjantów. Podjęto decyzję o wykorzystaniu funkcjonariuszy CHERUBA, którzy muszą zachowywać się jak wandale w celu zminimalizowania podejrzeń.

Funkcjonariusze CHERUBA wejdą do domu przez główną bramę. Troje agentów przeszuka biuro na pierwszym piętrze i na przenośnych fotokopiarkach wykona kopie znalezionych dokumentów. Sześcioro pozostałych otrzyma farbę w aerozolu, pałki i młotki. Ich zadaniem jest zniszczenie wyposażenia domu dla stworzenia wrażenia, że jedyną intencją intruzów był bezmyślny wandalizm.

Po zakończeniu działań funkcjonariusze powinni opuścić miejsce akcji i spotkać się w umówionym miejscu, dwa kilometry od domu.

Miejscowa policja nie została poinformowana o planowanej akcji. W razie aresztowania funkcjonariusz powinien podać fałszywe dane identyfikacyjne i oczekiwać zwolnienia.

Bishops Avenue przez okolicznych mieszkańców była też nazywana aleją milionerów, choć słówko miliarderów pasowałoby tu znacznie lepiej. Domy były ogromne, w większości schowane za sześciometrowymi ogrodzeniami. Kamery gapiły się we wszystkie strony.

Dzieci wysiadły z autobusu kilka ulic dalej, o kwadrans drogi od domu Solomona Golda. James, Bruce i Kyle maszerowali szybkim krokiem na końcu grupy. Było ciemno i padał deszcz.

– Podniecony? – zapytał Kyle.

– Trochę się boję – przyznał James. – W planie było coś o aresztowaniu. Jeśli dam się złapać, dowiedzą się, że wziąłem udział w akcji.

– No to się nie daj. Bruce cię przypilnuje – uspokoił go Kyle.

– A co z tobą?

– Będę kopiował dokumenty na górze.

– Nudy – wtrącił Bruce. – My zrobimy sobie demolkę. Będzie super.

Od potyczki z Gregiem Bruce był w wyśmienitym nastroju.

– Myślałem, że szpiedzy raczej przekradają się po cichu, omijają alarmy i tak dalej, a nie wykopują frontowe drzwi i demolują lokal – zauważył James.

– Pogięło cię? – Kyle wytrzeszczył oczy. – Banda dwunastolatków w kominiarkach i rękawiczkach, rozbrajających alarmy i wycinających dziury w oknach? Znasz lepszy sposób na zwrócenie na siebie uwagi? Pierwsza zasada, jakiej uczą podczas szkolenia podstawowego, brzmi: agent CHERUBA musi w każdej sytuacji zachowywać się jak normalny dzieciak.

Bruce roześmiał się.

– CHERUB ma za sobą pięćdziesięcioletnią tradycję wandalizmu.

– Nie wiedziałem – powiedział James. – Fajnie.

Dziewczyna o imieniu Jennie, prowadząca grupę, zatrzymała się i otworzyła metalowe wrota. Miała piętnaście lat i była dowódcą operacji.

– Wszyscy do środka – powiedziała.

James przekroczył bramę ostatni. Spojrzał za siebie na szklaną budkę wartowni i śpiących w niej strażników. Dwoje dzieci właśnie odbierało im klucze do domu.

– Mamy dwadzieścia minut – wyszeptała Jennie. – Zachowujcie się cicho i zaciągajcie zasłony, zanim włączycie światło. Stąd można wyjść tylko przez główną bramę, więc jeśli pojawi się policja, spędzimy noc w areszcie.

Do budynku prowadziła stumetrowa alejka okolona fantazyjnie wystrzyżonymi żywopłotami. Hol był gigantyczny. Kyle wyciągnął z plecaka miniaturową fotokopiarkę i pobiegł na górę w poszukiwaniu biura. James i Bruce odszukali kuchnię. Bruce otworzył lodówkę, która okazała się pusta, jeśli nie liczyć paczki ciastek z kremem i kartonu mleka.

– Wielkie dzięki, umieram z głodu – powiedział, po czym wepchnął sobie ciastko do ust i popił mlekiem.

James potrząsnął farbą w sprayu i na kuchennych szafkach zaczął wypisywać wyraz ARSENAL wysokimi na metr literami. Bruce zwalił na podłogę kredens wypełniony naczyniami. James zdeptał kilka ocalałych talerzy. Do kuchni weszła jedna z dziewcząt.

– Bruce, James, chodźcie i pomóżcie nam.

Pobiegli za dziewczyną na basen. W wodzie pływało już kilka plastikowych krzeseł. Dwaj chłopcy mocowali się z fortepianem.

– Hej, pomóżcie!

Pięcioro agentów, w tym Bruce i James, naparło na instrument, pchając go w stronę basenu. Potężna fala chlusnęła na brzeg. Fortepian wyrżnął w dno, tłukąc kilka płytek, po czym majestatycznie wypłynął na powierzchnię. Bruce wskoczył na klapę, odciągnął w dół przód spodni od dresu i zaczął sikać do basenu. Nim skończył, spod klapy wyprysnął olbrzymi bąbel powietrza. Fortepian przechylił się i zaczął tonąć. Bruce runął do wody. Kiedy podpływał do brzegu, James i pozostali płakali ze śmiechu.

Cała piątka pobiegła do salonu. James wetknął do kieszeni kilka płyt DVD, po czym złapał stolik do kawy i rozbił nim plazmowy telewizor wiszący na ścianie. Śmierdziało farbą, którą agenci pracowicie pokrywali ściany i meble. James zajął się masakrowaniem ozdób, nareszcie dając się ponieść szałowi bezmyślnej destrukcji, kiedy rozległo się ogłuszające wycie alarmu, a pokój zaczął wypełniać fioletowy dym.

Z holu dobiegło wołanie Jennie.

– Zmywamy się stąd, i to już!

– Trzymaj się blisko mnie, James! – krzyknął Bruce.

Wybiegli na zewnątrz. Jennie czekała na nich przy głównej bramie.

– Uciekajcie! – zawołała. – Rozdzielamy się!

James i Bruce puścili się biegiem wzdłuż Bishops Avenue. Zza zakrętu wypadły dwie policyjne furgonetki pędzące prosto na nich.

– Spacerkiem – powiedział Bruce, zwalniając kroku. – Tak będzie mniej podejrzane.

Samochody przemknęły obok. James zauważył, że jego skóra i ubranie są fioletowe od dymu.

– Co to jest? – zdziwił się.

– Pierwszy raz widzę. – Bruce wzruszył ramionami. – Pewnie nic szkodliwego. Barwnik spożywczy albo coś... Ktokolwiek robił rozpoznanie systemów alarmowych, zawalił sprawę.

– Ty jesteś czysty – zauważył James.

– Pewnie się nie przykleiło, bo jestem mokry.

– Co z Kyle'em? Widziałeś go?

– Był na górze, więc raczej nie zdążył uciec przed nami. Pewnie go zgarnęli. Lepiej znów zacznijmy biec. Gliniarze nas widzieli. Niedługo skojarzą fakty, a wtedy wrócą.

16. KARA

– To było więcej niż głupie. Przekroczyliście wszelkie granice. A wy trzej... Aż brak mi słów... Jesteście największymi idiotami ze wszystkich.

Mac maszerował od ściany do ściany, gestykulując zamaszyście. Nie był zadowolony. Kyle, Bruce i James coraz bardziej kurczyli się na swych krzesłach. Kyle miał podbite oko i rękę na temblaku. Podczas próby ucieczki uderzył policjantkę i kiedy wylądował w furgonetce, skuty kajdankami, jej trzej koledzy zemścili się na nim.

– To nie my zawaliliśmy rozpoznanie – wyrzucił z siebie Kyle. – To wina MI5.

– Rozpoznanie było bezbłędne – powiedział zimno Mac.

– Alarm został wyłączony. Niestety, jacyś idioci rozwalili dno basenu fortepianem i wyciekająca woda spowodowała zwarcie w obwodach układu przeciwwłamaniowego. Właśnie to uruchomiło alarm i wytwornice dymu.

James i Bruce skurczyli się jeszcze bardziej.

– A zatem kary... – ciągnął Mac. – Co ja mam z wami zrobić? Kyle, zawaliłeś sprawę na Karaibach, zawaliłeś w Nebraska House, a teraz jeszcze to.

– Przecież, kiedy wróciłem z Nebraski, mówiliście, że dobrze się spisałem – zaskomlał Kyle.

– Owszem, kiedy wróciłeś, Kyle. Ale dwa dni później słyszę od Jennifer Mitchum, że byli wychowawcy chcą się z tobą skontaktować i domagają się kary. Chodziło, zdaje się, o zasypanie czyjegoś pokoju piaskiem i zalanie colą.

– Ach, to... – przypomniał sobie Kyle. – Ten koleś to palant.

– Ty i James mieliście zniknąć po cichu. Nie lubię odpowiadać na kłopotliwe pytania ludzi, którzy nie mogą o was zapomnieć. Posyłam cię na kolejną akcję rekrutacyjną, Kyle.

– O nie – jęknął chłopak.

– Cudowny dom dziecka w ubogiej dzielnicy Glasgow. Zdaje się, że dzieci z angielskim akcentem są tam szczególnie niepopularne.

– Nie jadę – oświadczył Kyle.

– Pojedziesz albo wrócisz do domu zastępczego.

Kyle wyglądał na wstrząśniętego.

– Nie możesz mnie wywalić – powiedział cicho.

– Mogę i zrobię to, Kyle. Pakuj się. Jutro rano masz być w pociągu do Glasgow albo wylatujesz stąd na zawsze. A teraz... Bruce.

Winowajca wyprostował się na krześle.

– Dlaczego przystałeś na idiotyczny pomysł Kyle'a, żeby zabrać Jamesa na akcję?

– Bo jestem totalnym kretynem – złożył samokrytykę Bruce.

Mac zaśmiał się.

– Dobra odpowiedź. Zdaje się, że spędzasz w *dojo* sporo czasu, prawda?

Bruce przytaknął.

– Na następne trzy miesiące wyłączam cię z wszelkich akcji. Codziennie wieczorem będziesz zostawał w *dojo*, żeby umyć podłogi, wypolerować lustra, posprzątać szatnie, zapakować ręczniki i przepocone ciuchy do pralek. Co rano będziesz wyjmował pranie, pakował do suszarek, a potem składał i chował do szafek. Przy sprawnej pracy nie zajmie ci to więcej niż trzy godziny dziennie.

– W porządku – powiedział Bruce, choć nie wyglądał na szczęśliwego.

– A teraz James.

James był zdenerwowany. Nie wiedział, w którą stronę obrócić wzrok.

– Jesteś tu u nas od niedawna, szukasz nowych przyjaźni. Dwaj wykwalifikowani agenci namówili cię do czegoś głupiego. Szkolenie podstawowe zaczyna się za kilka dni i powinno cię wyprostować. Słowem, teraz ci się upiekło, James, ale następnym razem spadnę na ciebie jak młot. Zrozumiano?

– Tak, Mac.

– Mac to ja jestem w dobry dzień, James. Dziś mów do mnie doktorze McAfferty albo panie doktorze, jasne?

– Tak, panie doktorze.

James nie mógł powstrzymać lekkiego uśmiechu, ale na widok nieszczęśliwych min Kyle'a i Bruce'a natychmiast spoważniał.

– Bruce, Kyle, możecie odejść – powiedział Mac. Chłopcy wyszli.

– Słyszałem, że wybrałeś się do Londynu, żeby odwiedzić siostrę.

– Tak – odrzekł James. – Wiem, że nie powinienem, ale chciałem zobaczyć się z nią przed świętami.

– Nie wiedziałem, że masz trudności z kontaktowaniem się z Laurą. Spróbuję coś na to poradzić.

– Mój ojczym nie chce, żebym się do niej zbliżał.

– Potrafię być bardzo przekonujący – zauważył Mac. – Niczego nie obiecuję, ale zrobię, co w mojej mocy.

– Dzięki – powiedział James. – Wiem, że nie powinienem się wtrącać, ale chyba jesteś trochę zbyt surowy dla Kyle'a. Chciał mi tylko pomóc spotkać się z Laurą.

– Kyle ma już prawie czternaście lat. Powinien chodzić w granatowej koszulce i wykonywać najtrudniejsze zadania, zamiast wciąż popełniać głupie błędy w ocenie sytuacji. Gdybyś zwyczajnie mnie poprosił, puściłbym cię z nimi. Mogłeś spotkać się z siostrą i zaczekać na stacji na grupę wykonującą zadanie. Przepłynąłeś już swoje pięćdziesiąt metrów?

– Nie.

– Zostało ci tylko pięć dni, James. Będę bardzo rozczarowany, jeśli zawiedziesz.

17. WODA

Amy i James szli korytarzem na kolejną lekcję pływania.
– Rozmawiałam z głównym instruktorem – powiedziała Amy. – Zasugerował wypróbowanie innej metody. Jest nieco drastyczna, ale zostały ci tylko dwa dni. Masz dość siły, żeby przepłynąć pięćdziesiąt metrów. Jedyne, co cię hamuje, to twój lęk przed wodą.

Dotarli do wejścia na basen dla dzieci. James przystanął.

– Dziś pływamy gdzie indziej – powiedziała Amy i poprowadziła Jamesa do drzwi z napisem: „Niebezpieczeństwo! Basen nurkowy. Wstęp tylko z wykwalifikowanym instruktorem nurkowania".

James przestąpił próg. Basen miał pięćdziesiąt metrów długości. Po jednej stronie na hakach wisiały kombinezony i butle tlenowe. Woda była przejrzysta, oczyszczana solą, a nie chlorem. James spojrzał na oznaczenia głębokości: sześć metrów przy płytkim końcu, piętnaście przy głębokim.

– Nie będę tu pływał – wybełkotał, czując, że traci zmysły ze strachu.

– Przykro mi, James – powiedziała Amy. – Nie mamy już czasu na delikatne podejście.

W ich stronę szli Paul i Arif, ubrani w szorty pływackie i jaskrawoczerwone koszulki z napisem „instruktor nurkowania". James widywał ich od czasu do czasu, ale nie rozmawiał z nimi od chwili, gdy pomogli mu pokonać tor przeszkód.

– Chodź tutaj, James! Już! – krzyknął Paul.

James ruszył w ich stronę. Obejrzał się na Amy. Na jej twarzy malował się lęk. Paul i Arif przeprowadzili Jamesa na głęboką stronę basenu.

– Oto zasady – zaczął Arif. – Skaczesz albo cię wrzucamy. Jeśli przepłyniesz pięćdziesiąt metrów, kończymy. Jeśli wyjdziesz z wody wcześniej, dostajesz minutę na odpoczynek i zaczynamy od początku. Po półgodzinie robimy dziesięć minut przerwy i jedziemy dalej przez następne trzydzieści minut. Jeśli dzisiaj nie przepłyniesz pięćdziesięciu metrów, kolejne lekcje będą odbywać się według tych samych reguł. Nie próbuj uciekać, nie mocuj się z nami, nie płacz. Jesteśmy więksi i silniejsi od ciebie. Niczego nie zyskasz, a tylko niepotrzebnie się zmęczysz. Czy wszystko jest jasne?

– Nie mogę – pisnął James.

– Nie masz wyboru.

Stali na samym końcu basenu.

– Skacz – rozkazał Arif.

James stanął na krawędzi i zawahał się. Nim zdążył podjąć decyzję, Arif i Paul złapali go z dwóch stron za kończyny i bezceremonialnie wrzucili do wody. Była lodowata. Od soli zapiekły go oczy. James rzucił się do przodu, by zacząć płynąć, ale niechcący zanurzył głowę, połknął solidny haust słonej wody i wpadł w panikę. Do brzegu było tak blisko. Kilkoma rozpaczliwymi ruchami ramion dobił do krawędzi basenu, podciągnął się na rękach i dopiero wtedy wziął głęboki, długo wstrzymywany wdech.

– Masz minutę – powiedział Arif, zerkając na swój zegarek.

James ledwie widział na oczy.

– Proszę, nie każcie mi...

– Trzydzieści sekund.

– Błagam. Nie dam rady – prosił James.

Paul złapał go za ramię i pociągnął na koniec basenu.

– Jeśli skoczysz, będzie ci łatwiej, niż kiedy cię wrzucimy – podsunął życzliwym tonem.

– Czas – powiedział Arif.

James starał się nie myśleć o piętnastu metrach lodowatej głębi pod sobą. Gdyby tylko zdołał złapać rytm i przestać połykać wodę, nie byłoby tak źle. Tym razem zdołał przepłynąć dziesięć metrów, ale sól oślepiała go tak, że w końcu nie wytrzymał.

Do czwartej próby zdążył przywyknąć do soli i zimna. Tym razem pokonał połowę długości basenu – więcej, niż kiedykolwiek przepłynął bez odpoczynku.

– Rewelacja! – dopingowała go Amy. – Uda ci się, James!

Był zmęczony, ale Arif i Paul nie znali litości. Odczekali minutę i zmusili go do wskoczenia do wody. Tym razem zmęczone ramiona odmówiły mu posłuszeństwa po zaledwie kilku metrach. Wypełzł na brzeg.

– Słabo – podsumował Arif. – Nie zasłużyłeś na przerwę.

James z trudem go słyszał przez łomot swojego serca i świst łapczywych oddechów. Chłopcy zaprowadzili go na koniec basenu, gdzie wolał od razu wskoczyć do wody, niż znów pozwolić się upokorzyć. Ze zmęczenia kompletnie zapomniał o strachu. Przepłynął kilka metrów, ale był już bardzo osłabiony i nałykał się wody. Paul musiał wyciągnąć go z basenu. James rozkaszlał się, plując wodą i śluzem na posadzkę. Arif rzucił mu ścierkę.

– Wytrzyj to! Szybko!

James skwapliwie pochylił się i osuszył płytki. Zbierało mu się na płacz, ale nie chciał, żeby Paul i Arif to widzieli. Paul złapał go za ramię, żeby zaprowadzić na koniec basenu. James wyrwał się i dziko machnął pięścią, omal go nie trafiając.

– Zostawcie mnie w spokoju! – krzyknął.

Paul złapał go za rękę i wykręcił mu ją za plecami. James zaszlochał z bólu.

– Sądzisz, że dasz nam radę? – spytał Paul. – Jestem o dwadzieścia kilo cięższy od ciebie i mam czarny pas w dżudo i karate. Możesz się nas pozbyć tylko w jeden sposób: przepływając ten basen. – Puścił Jamesa i wepchnął go do wody. – Tym razem dwadzieścia metrów, chłopcze! – zawołał. – Chciałeś mnie uderzyć? Dwadzieścia metrów albo poznasz smak mojej pięści.

James zaczął płynąć. Był wycieńczony, ale panicznie bał się tego, co może go spotkać, kiedy wyjdzie z basenu. Pokonał dwadzieścia metrów, a potem jeszcze kilka. Skręcił do brzegu. Paul pochylił się, by pomóc mu wyjść z wody. James nerwowo wczepił się w jego rękę.

– Nieźle – powiedział Paul. – Minęło pół godziny. Masz dziesięć minut na odpoczynek.

James usiadł ciężko na brzegu basenu. Amy przyniosła mu karton soku z pomarańczy. Arif i Paul przycupnęli kilka metrów dalej.

– Dobrze się czujesz? – spytała Amy.

– Jak nigdy dotąd – wymamrotał James, tłumiąc szloch.

– Nie płacz – powiedziała Amy ze współczuciem. – Nie jest lekko, ale twardy z ciebie facet.

– Nie płaczę – skłamał James. – To przez tę sól w wodzie.

Dopijając sok, uświadomił sobie coś ważnego. Jeżeli miał przepłynąć te pięćdziesiąt metrów, to tylko po przerwie, kiedy był odświeżony i w miarę wypoczęty. Jeśli nie zdoła tego dokonać, czeka go kolejne pół godziny męczarni i wstydu. Perspektywa wleczenia go na koniec basenu i wrzucania do wody wydała mu się gorsza od utonięcia. Wszystko było lepsze od tego upokorzenia. Popłynie, choćby miał zemdleć z wysiłku.

– Czas – powiedział Arif.

James poszedł na koniec basenu. Powziął postanowienie, ale woda nie wyglądała od tego mniej przerażająco.

Stanął na brzegu, zawijając palce wokół krawędzi, i skoczył. Popłynął, odpychając się mocnymi pociągnięciami ramion. Kiedy do ust wlewała mu się woda, wypluwał ją. Po raz pierwszy nie napełniało go to przerażeniem. Dwadzieścia pięć metrów. Wciąż czuł się całkiem nieźle. Przynajmniej pobił własny rekord.

Dziesięć metrów dalej płynął już znacznie wolniej. Z trudem utrzymywał głowę nad wodą na tyle długo, by zdążyć zaczerpnąć tchu. Na czterdziestym metrze ramiona pulsowały mu paraliżującym bólem. Na brzegu Amy wrzeszczała jak opętana, ale James nie rozumiał ani słowa. Im więcej wysiłku wkładał w każdy ruch, tym wolniej zdawał się płynąć.

– Już prawie koniec, James! – krzyczała Amy. – Dawaj! Dawaj!

Na ostatnich metrach już tylko bezładnie młócił wodę rękami. Kompletnie stracił rytm, łykał całe galony wody i wstrzymywał oddech, ale jakoś dobrnął do końca. Udało się! James wynurzył twarz z wody i zaczerpnął najcudowniejszy oddech swego życia. Amy pomogła mu wyjść z basenu i mocno go przytuliła. Płakała, co sprawiło, że Jamesowi także stanęły łzy w oczach. Podszedł do Paula i Arifa.

– Sam nie wierzę, że to mówię – oświadczył – ale dziękuję wam.

– Musieliśmy sprawić, żebyś bał się nas bardziej niż wody – powiedział Paul. – To żadna frajda, ale działa.

18. SZKOLENIE

James miał zjawić się w ośrodku szkoleniowym o piątej rano. Nastawił budzik i postawił go na nocnym stoliku. Zdenerwowanie nie pozwalało mu zasnąć przez całe wieki. Kiedy się obudził, było jasno. W listopadzie o piątej rano nie powinno być jasno. To nie wróżyło najlepiej. Budzika nie było. Nie był źle ustawiony. Nie spadł też ze stolika, gubiąc bateryjkę. Ktoś musiał go ukraść. Kyle ostrzegał, że szkoleniowcy stosują brudne sztuczki, ale James nie przypuszczał, że zaczną jeszcze przed startem. Na podłodze leżała sterta ubrań i plecak. James zauważył dwie różnice w porównaniu ze standardowym zestawem CHERUB. Po pierwsze, na koszulkach i spodniach widniały białe siódemki. Po drugie, nie były to świeżo uprasowane rzeczy, pachnące płynem do płukania tkanin, ale właściwie szmaty. Wszędzie plamy, rozdarcia na spodniach, odrażająca bielizna i glany, które musiały wiele przejść na cudzych stopach, dosłownie i w przenośni. James przyciągnął plecak. W środku były tony sprzętu. Pomyślał, że powinien był wstać wcześniej i przejrzeć jego zawartość.

James musiał włożyć znoszone spodnie i koszulkę, bo były na nich numery. Ale miał przecież własną, świeżutką bieliznę, no i dopiero co rozchodzone buty, pachnące wyłącznie jego własnymi stopami. Czy grozi mu kara za niewłożenie przydzielonego uniformu? A może raczej zostanie wyśmiany jako jedyny dzieciak na tyle głupi, by włożyć używaną bieliznę. Stan bokserek pomógł mu podjąć decyzję. Włoży własne rzeczy.

Nie było czasu na mycie zębów, czesanie ani prysznic. James wybiegł z pokoju z plecakiem zarzuconym na ramię. Winda jechała całe stulecia, jak zawsze, kiedy człowiek się spieszył. W kabinie byli jeszcze dwaj chłopcy. Domyślili się, dokąd zmierza James, dzięki siódemkom na jego ubraniu. Jeden z nich spojrzał na zegarek.

– Zaczynasz dziś podstawówkę? – zapytał.

– Tak – powiedział James.

– Jest wpół do ósmej – zauważył chłopak.

– Wiem. Jestem spóźniony.

Chłopcy parsknęli śmiechem.

– Nie spóźniony. Jesteś martwy!

– Stary, masz przerąbane – dodał drugi, kręcąc głową.

*

Główny budynek ośrodka szkoleniowego był betonowym klockiem, pozbawionym okien i ogrzewania, stojącym na środku błotnistego placu. Od reszty kampusu oddzielał go metalowy płot prawie pięciometrowej wysokości. Jamesa przerażał sam wygląd tego miejsca.

Wpadł do środka zdyszany od biegu. W sali było dziesięć zardzewiałych łóżek polowych z parszywie wyglądającymi materacami. Przed łóżkami trzy dziewczyny i czterej chłopcy kucali na palcach stóp z rękami założonymi za głowę. Po dziesięciu minutach w tej pozycji kompletnie drętwieją łydki. Sześcioro z siódemki delikwentów czekało na Jamesa w kucki od dwóch i pół godziny. Tylko jeden ćwiczył przysiad zaledwie od godziny.

Główny instruktor pan Large i jego asystenci wstali i podeszli do Jamesa. Biała koszulka Large'a musiała być największego rozmiaru, jaki istniał, ale i tak wyglądała, jakby zaraz miała eksplodować pod naporem pęczniejących pod nią mięśni. Instruktor miał ostrzyżone na krótko włosy i gęsty wąs. Kiedy wyciągnął rękę, James najpierw skurczył się w sobie, a potem delikatnie uścisnął wyciągniętą dłoń.

– Cześć, James – powiedział Large miękkim głosem. – No bosko, że wpadłeś. Pycha śniadanko, nie? Nóżki na stole, poranna gazetka, te sprawy. Nie trzeba było się śpieszyć, James. W życiu nie zacząłbym bez ciebie, więc poprosiłem pozostałych, by poczekali na twoje przybycie w wysoce niekomfortowej pozycji. Czy mogę już pozwolić im wstać?

– Tak – pisnął James.

– No dobra, dzieciaczki, wstawać! – zagrzmiał Large, po czym znów zmienił ton na łagodny. – James, a może mały uścisk dłoni jako wyraz wdzięczności za cierpliwość?

Rekruci podnosili się, pojękując z bólu i próbując rozruszać zdrętwiałe mięśnie. James przeszedł wzdłuż szeregu, ściskając dłonie i dzielnie znosząc sztylety spojrzeń.

– Stań przy łóżku numer siedem, James – powiedział Large. – Piękne, świeżutkie buty, jak widzę. – Pochylił się, uniósł w dwóch palcach nogawkę Jamesa i przyjrzał się skarpetce. Jego nadgarstek był szerszy niż szyja dwunastolatka. – I czyste skarpetki – zauważył. – Czy ktoś jeszcze włożył własne buty i czyste skarpetki? – James odetchnął z ulgą na widok kilku uniesionych rąk. – Bardzo rozsądnie – pochwalił Large. – Przepraszam was za te brudne łachy i znoszone trepy. Musiało dojść do jakiejś okropnej pomyłki. Ale nie martwcie się. Będziecie je nosić tylko przez sto dni.

James pozwolił sobie na uśmiech, który natychmiast zgasł pod morderczym spojrzeniem rudowłosej dziewczyny w rozlatujących się glanach.

– A teraz, zanim wygłoszę powitalną mowę – ciągnął Large – pozwólcie, że przedstawię wam dwoje moich cudownych przyjaciół, którzy pomogą mi czuwać nad waszą ósemką. Oto pan Speaks i panna Smoke.

Gdyby ktoś potrzebował specjalistów od przemiany życia w koszmar, Speaks i Smoke byli nie do zastąpienia. Oboje musieli mieć po dwadzieścia kilka lat, a ich stan umięśnienia niemal dorównywał muskułom Large'a. Speaks był czarny, ogolony na łyso, w ciemnych okularach. Totalny bandzior. Smoke miała niebieskie oczy, długie blond włosy i akurat tyle kobiecości, ile śmieciarka.

– Panno Smoke – kontynuował Large – czy byłaby pani uprzejma podać mi wiadro? James, bądź tak dobry i stań na jednej nodze.

James podniósł nogę i zachwiał się, próbując utrzymać równowagę. Smoke wręczyła Large'owi blaszane wiadro.

– Mam nadzieję, że to nauczy cię punktualności.

Instruktor założył chłopcu wiadro na głowę.

Świat Jamesa pogrążył się w mroku. Smród środka dezynfekującego uderzył go w nozdrza. Słyszał chichot pozostałych dzieci. Large wyjął zza pasa pałkę i przyłożył nią w dno wiadra. Wewnątrz hałas był ogłuszający.

– Słyszysz, co mówię, numerze siedem? – spytał instruktor.

– Tak jest.

– To dobrze. Nie chciałbym, żeby ominęła cię przemowa. Zasada brzmi: za każdym razem, kiedy dotkniesz nogą ziemi, ja walę w wiadro, o tak.

Pałka znów grzmotnęła o blachę. James uczył się, że stanie na jednej nodze jest trudniejsze, kiedy się nic nie widzi.

– A zatem, dzieciaczki, należycie do mnie przez następne sto dni – oświadczył Large. – Każdy z tych dni będzie równie radosny jak poprzedni. Żadnych świąt, żadnych weekendów. Wstajecie o 05.45. Zimny prysznic, ubieracie się i jazda na tor przeszkód. Śniadanie o 07.00, potem zaprawa fizyczna, a o 09.00 szkoła. Program edukacyjny obejmuje szpiegostwo, języki, wiedzę o uzbrojeniu i szkołę przetrwania. O 14.00 jeszcze raz tor przeszkód. Lunch o 15.00, o 16.00 kolejne dwie godziny ćwiczeń fizycznych. O 18.00 wracacie tutaj. – Stopa Jamesa musnęła podłogę. Pałka spadła na wiadro. Dźwięk wyciskał łzy z oczu. – Noga do góry! Gdzie to ja... Aha, o 18.00 wracacie tutaj. Bierzecie kolejny prysznic – w ciepłej wodzie, jeśli mam dobry nastrój – pierzecie ciuchy w zlewach i rozwieszacie, żeby rano były suche. Potem czyścicie i pastujecie buty. O 19.00 posiłek wieczorny. Od 19.30 do 20.30 odrabianie lekcji, potem mycie zębów i o 20.45 gasicie światło. Będą także wycieczki poza kampus w ramach lekcji przetrwania, a ostatnia z nich zawiedzie nas do słonecznej Malezji. Jeżeli ktokolwiek z was oskarża mnie o okrucieństwo, przypominam, że płoty wokół nas wzniesiono nie po to, żeby odciąć wam drogę na zewnątrz, ale żeby zniechęcić waszych koleżków do wślizgiwania się tu z pomocną dłonią albo pożywną przekąską. Możecie opuścić ośrodek w każdej chwili, ale kto zechce wrócić, będzie musiał zacząć od samego początku. Jeśli ktoś dozna urazu, który wyłączy go z treningów na dłużej niż trzy dni, wylatuje z kursu i też zaczyna od początku. Opuść stopę, James, i zdejmij to wiadro.

James zdjął wiadro. Jego oczy potrzebowały kilku sekund na przystosowanie się do światła.

– Bardzo się dziś spóźniłeś, czyż nie, James? – spytał Large.

– Tak jest.

– Cóż, ponieważ James wciąż ma pełny brzuch po swoim późnym, ciepłym śniadanku, myślę, że możemy darować sobie lunch. Tym bardziej że do obiadu zostało zaledwie jedenaście i pół godziny.

*

Ośmioro rekrutów podzielono na pary. Pierwszą parę, z numerami jeden i dwa, tworzyli Shakeel i Mo. Urodzony w Egipcie Shakeel był tak duży jak James, choć miał dopiero dziesięć lat. W CHERUBIE był od trzech lat i w tym czasie nauczył się wielu rzeczy przydatnych podczas szkolenia podstawowego. James uświadomił sobie, że dzieci, które spędziły lata w czerwonych koszulkach, mają nad nim ogromną przewagę.

Mo był kolejnym weteranem; trafił tu trzy dni po swoich dziesiątych urodzinach. Policjant znalazł go porzuconego na lotnisku Heathrow. Miał wtedy cztery lata. Rodziców nigdy nie odnaleziono. Mo miał nawyk potrząsania kościstymi rękami, jakby co jakiś czas opędzał się od much.

Trójkę i czwórkę stanowili Connor i Callum, bliźniacy, których James poznał na bieżni kilka dni wcześniej. James miał okazję zamienić z nimi kilka słów i wydawali mu się w porządku.

Piątkę i szóstkę dostały Gabriela i Nicole. Gabriela pochodziła z Karaibów. Jej rodzice zginęli kilka miesięcy wcześniej w wypadku samochodowym. Jedenaście lat, twarda jak okute glany. Nicole była mniejsza. Dwanaście lat, rude włosy, nadwaga.

Numerem osiem, czyli partnerką Jamesa, była Kerry. Jedenaście lat, drobna, chłopięca, o płaskiej twarzy i ciemnych, skośnych oczach. Jej czarne włosy były zgolone niemal do skóry. Zaledwie kilka dni wcześniej James widział ją w czerwonej koszulce i z włosami do ramion. Teraz wyglądała zupełnie inaczej. Nie była też tak zdenerwowana jak pozostali.

*

Large poprowadził ich truchtem na tor przeszkód.

– Rób dokładnie to co ja – powiedziała Kerry poprzez miarowe plaskanie błota pod stopami.

– Odkąd to jesteś szefem? – spytał James.

– Jestem w agencji CHERUB, odkąd skończyłam sześć lat. W zeszłym roku przetrwałam sześćdziesiąt cztery dni tego kursu, zanim strzaskałam sobie kolano i odpadłam. Ty jesteś tu od kiedy, od dwóch tygodni?

– Około trzech – powiedział James. – Czemu ścięłaś włosy?

– Łatwiej umyć, szybciej schną, nie włażą w oczy przez cały dzień. Robiąc wszystko szybko i sprawnie, zyskujesz dodatkowy czas na odpoczynek. Postaram się ułatwić ci życie, James, jeżeli zrobisz dla mnie jedną rzecz.

– Jaką?

– Chroń moje kolano. Trzyma się na tytanowych kołkach. Kiedy będziemy walczyć, proszę, nie kop mnie w tę część nogi. Podczas biegu z ciężkimi plecakami weź ode mnie trochę ładunku. Pomożesz mi, James, jeśli ja pomogę tobie?

– Możesz na mnie liczyć – oświadczył James. – Zresztą jesteśmy partnerami. Ale jakim cudem dopuścili cię do kursu z chorym kolanem?

– Skłamałam. Powiedziałam im, że już mnie nie boli. Wszystkie dzieci, z którymi dorastałam, mieszkają teraz w głównym budynku i jeżdżą na wakacje. Ja spędzam wieczory, pilnując sześciolatków robiących wycinanki z kolorowego papieru. Tym razem przejdę kurs albo zginę, próbując.

*

Kerry znała wszystkie sztuczki ułatwiające pokonanie toru przeszkód. Wyjaśniła Jamesowi, jak przebyć błotnisty tunel, żeby za bardzo się nie ubrudzić, i jak chwycić linę, żeby sprawnie przefrunąć na drugą stronę stawu. Pokazała też jedną z ukrytych kamer (jeśli ktoś dał się przyłapać na oszukiwaniu, instruktorzy wyciągali go z łóżka o trzeciej nad ranem i przepędzali przez tor przeszkód jeszcze raz). A najlepsze, że wiedziała, gdzie w jeziorku jest płycizna, która skracała dystans do przepłynięcia o całe dziesięć metrów.

– Pływasz jak pięciolatek – zaśmiała się Kerry.

Po pięćdziesięciu minutach James był cały w błocie i przemarznięty na kość, ale zadowolony, że pokonali tor dużo wcześniej niż cała reszta.

Kerry podeszła do sterczącej z ziemi rury zakończonej kranem, odkręciła wodę i zdjęła koszulkę. Zaczęła zmywać z siebie błoto.

– James, zawsze po torze przeszkód płucz swoją koszulkę, wycieraj się nią, a potem dokładnie płucz znowu. To żadna frajda, zakładać ją zimną i mokrą, ale pamiętaj, że będziesz ją nosił przez cały dzień. Jeśli nie zmyjesz błota, zaschnie na tobie i będzie swędziało tak, że oszalejesz.

– A co ze spodniami? – spytał James.

– Nie ma czasu. Ale przy pierwszej okazji ściągnij buty i dokładnie wykręć skarpetki. Jesteś głodny?

– Wcale nie jadłem śniadania, Large ściemniał. Do wieczora umrę z głodu.

Kerry rozpięła kieszeń na nogawce spodni i wyciągnęła olbrzymiego marsa.

– Super – ucieszył się James. – A w ogóle to przepraszam. To moja wina, że do wieczora nie dostaniemy nic do jedzenia.

Kerry roześmiała się.

– Żadna tam twoja wina, James. Zawsze znajdą pretekst, żeby nie dać nam lunchu. Albo żeby wszyscy musieli zrobić dodatkową rundkę na torze przeszkód. Albo żeby kazać nam wyciągnąć łóżka na dwór i spać pod gołym niebem bez koców. Robią, co mogą, żebyśmy się znienawidzili. Nie daj się. Każdy kiedyś będzie miał swój dzień. – Kerry złamała baton na pół. – Chcesz kawałek, James? Najpierw musisz mi coś obiecać.

– Obiecuję, że będę uważał na twoje kolano.

– Otwórz paszczę.

Kerry wcisnęła Jamesowi do ust połówkę marsa.

Shakeel i Mo pokonywali już ostatnią przeszkodę, a Callum i Connor deptali im po piętach. Z oddali dobiegały krzyki Large'a wrzeszczącego na Nicole.

– Rusz ten tłusty zad, zanim ci go skopię!

James trochę jej żałował, ale dopóki Large wrzeszczał na Nicole, dopóty nie wrzeszczał na niego.

*

Ćwiczenia fizyczne wykonywali w błocie. Padnij, żabki, pompki, pajacyki – po godzinie James nie czuł już nic poza zimnem i obezwładniającym bólem mięśni. Ubranie miał ciężkie od błota.

Nicole leżała na ziemi zbyt wyczerpana, by wstać. Panna Smoke postawiła jej stopę na głowie i wepchnęła twarz w błoto.

– Wstawaj, tłuściochu! – wrzasnęła.

Nicole zerwała się i pobiegła w stronę bramy.

– Już tu nie wrócisz! Jeden krok za bramę i koniec! – krzyczała Smoke.

Nicole nie zwracała na nią uwagi. Wybiegła za bramę i znikła. Piętnaście minut później szła już z powrotem, wypłakując oczy i błagając o jeszcze jedną szansę.

– Wróć za trzy miesiące, słoneczko! – krzyknął Large. – I pozbądź się tego galaretowatego zadu albo nigdy ci się nie uda.

*

Odejście jednego z kursantów już pierwszego dnia szkolenia wzbudziło pewną sensację. Rekruci rozmawiali tylko o tym. Uważali, że Nicole okazała słabość, rezygnując tak szybko. Z drugiej strony z zawiścią wyobrażali ją sobie w ogrzanym pokoju przed telewizorem, tuż po gorącej kąpieli.

James rozgrzał się pod prysznicem na tyle, na ile się dało, i usiadł przy stole z sześcioma rekrutami, czekając na kolację. Świetnie było mieć Kerry za partnerkę, zwłaszcza kiedy widziało się, jak inni popełniali błędy, przed którymi go ostrzegała.

Kolacja wjechała do sali na podgrzewanym stoliku na kółkach. Smoke stawiała przed rekrutami talerze. Kiedy dotarła do Jamesa, ten niecierpliwie zerwał pokrywę. Podsmażany ryż był trochę wysuszony od trzymania w cieple, ale smakował nieźle. Nikt nie wybrzydzał.

Kerry dostała swoją porcję na końcu. James domyślił się, że coś jest nie tak, po dźwięku, jaki wydał talerz, uderzając o stół. Dziewczyna uniosła pokrywę. Zamiast jedzenia na środku talerza leżało puste opakowanie po marsie. Kerry wyglądała na zszokowaną. Large oparł na jej ramionach swe wielgachne dłonie.

– Kerry, słoneczko – powiedział słodkim głosem. – Nie jesteś pierwszym dzieciakiem, który powtarza kurs. Może i znasz wszystkie sztuczki, ale my także.

Large odszedł. Kerry wpatrywała się tępo w pusty talerz. James nie mógł jej tak zostawić po tym, jak mu pomogła. Przeciągnął krawędzią łyżki przez środek swojej porcji i połowę przesypał na talerz koleżanki.

– Dzięki, partnerze – powiedziała Kerry.

19. RADOŚĆ

Wyobraź sobie, że jesteś na pierwszym poziomie gry komputerowej. Jest trudny. Wszystko dzieje się za szybko, ale w końcu udaje Ci się go przejść. Stopniowo przechodzisz do coraz trudniejszych etapów. Pewnego dnia dla zabawy zaczynasz grę od początku. To, co kiedyś było za szybkie i za trudne, teraz wydaje się łatwe. Na tej samej zasadzie opiera się idea szkolenia podstawowego. Będziesz wykonywać trudne zadania w warunkach skrajnego obciążenia fizycznego i psychicznego. Będziesz dokonywać wyczynów, jakie niegdyś wydawały Ci się niewykonalne. Kiedy szkolenie dobiegnie końca, Twój umysł i ciało będą zdolne do działania na wyższym poziomie.

(Ze wstępu do podręcznika szkolenia wstępnego
CHERUB)

Callum odpadł dwudziestego szóstego dnia. Złamał nadgarstek na torze przeszkód. Tor nie był trudny, ale sprzyjał wypadkom, zwłaszcza gdy się miało za sobą trzy godziny zaprawy fizycznej i nieprzespaną noc po tym, jak Large spłukał wszystkich z łóżek wężem strażackim.

Connor został partnerem Gabrieli. Jeszcze nigdy nie był pozbawiony towarzystwa brata na dłużej niż kilka godzin. Poważnie myślał o zrezygnowaniu i wystartowaniu z Callumem za trzy miesiące.

Zaprawa fizyczna była najgorszą rzeczą, jaką James kiedykolwiek musiał robić. Kiedy za pierwszym razem zwymiotował z wyczerpania, był w ciężkim szoku. Kerry nalegała, żeby biegł dalej, ale on nie słuchał. Speaks pchnął go w plecy, a potem nadepnął mu na dłoń.

– Przestaniesz ćwiczyć, gdy będziesz martwy albo nieprzytomny! – wrzeszczał.

Wtedy James był najbliżej rezygnacji.

Ale powoli przywykał do życia w piekle. Doliczył się tuzina dużych strupów i dwudziestu sześciu sińców na swoim ciele, i to tylko w tych miejscach, które był w stanie zobaczyć. Brał prysznic dwa razy dziennie, ale nigdy nie miał czasu na dokładne oczyszczenie trudnych miejsc, takich jak paznokcie i uszy. Włosy miał jak siano, a kiedy przeciągał po nich dłonią, sypał się z nich piach, nawet tuż po kąpieli. Postanowił, że przy pierwszej okazji zetnie je na krótko.

Najgorsze nie było zmęczenie, ale wszechobecny chłód. James sypiał pod cienkim jak papier kocem w nieogrzewanym pomieszczeniu. Rano, po zimnej jak lód posadzce, instruktorzy pędzili rekrutów pod lodowaty prysznic. Na śniadanie zawsze były płatki i schłodzony sok. Ubrania nigdy nie wysychały. Kiedy się je wkładało, były wilgotne, sztywne i przejmująco zimne. Nie, żeby to miało jakieś znaczenie. Po pięciu minutach na torze przeszkód ubranie było na wylot przesiąknięte lodowatą wodą oraz błotem, które właziło pod nogawki i skutecznie trzymało wilgoć przez resztę dnia.

Ciepło wydzielano rekrutom bardzo skąpymi dawkami, z których każda była błogosławieństwem. Gorące napoje do lunchu, ciepły wieczorny prysznic i podgrzana kolacja. Za największy fart uznawano doznanie urazu, wymagającego wizyty w gabinecie lekarskim, ale nie na tyle poważnego, by spowodować wydalenie z kursu. Wtedy czekało się na pielęgniarkę w pokoju utrzymywanym w błogiej temperaturze dwudziestu dwóch stopni, w towarzystwie ekspresu i biszkoptów w czekoladzie, które można było maczać w ciepłej kawie i jeść nasiąknięte gorącem. Takie złote urazy trafiły się Shakeelowi i Connorowi. James mógł o nich tylko pomarzyć. Pięć godzin lekcji pomiędzy sesjami zaprawy fizycznej stanowiło najłatwiejszą część dnia. Najfajniejsze były zajęcia z uzbrojenia, które wcale nie składały się z samego strzelania. James wiedział już, jak rozbiera się i czyści pistolet, jak rozbroić nabój, żeby nie wypalił, oraz jak złożyć pistolet w taki sposób, by zaciął się przy próbie oddania strzału. Potrafił nawet tak spreparować nabój, by ten wybuchł w komorze, urywając palec naciskający na spust. Na następnej lekcji mieli zacząć noże.

Na szpiegostwie uczyli się o gadżetach: elektronicznych urządzeniach podsłuchowych, hakerstwie, otwieraniu zamków, aparatach fotograficznych, fotokopiarkach, ale o niczym tak wymyślnym jak na filmach. Nauczycielka, pani Flagg, była agentka KGB, przychodziła w podbitych futrem kozaczkach, futrzanym płaszczu, czapce i szaliku, podczas gdy rekruci trzęśli się w nieogrzewanej klasie, ubrani w wilgotne koszulki. Od czasu do czasu klaskała dla rozgrzewki dłońmi w grubych rękawicach, mamrocząc coś o tym, że ten mróz nie zrobi jej dobrze na żylaki.

Najlepsze w szpiegostwie były zajęcia z pirotechniki. Prowadził je pan Large, który na czas lekcji porzucał maskę psychopatycznego oprawcy, by z infantylnym zadowoleniem rozprawiać o dynamice i wybuchowej masie zwanej plastikiem. Wysadzał w powietrze, co się dało i przy każdej okazji. Raz nawet zdetonował ładunek kierunkowy na głowie Jamesa. Wybuch wyrwał w suficie dziurę wielkości piłki golfowej.

– Rzecz prosta, mały James byłby już martwy, gdybym położył ładunek odwrotnie. Albo gdybym źle umieścił spłonkę.

James miał nadzieję, że to żart, ale sądząc po rozmiarach dziury w suficie, Large mówił prawdę. Lekcje przetrwania, prowadzone przez troje instruktorów, odbywały się pod gołym niebem. Były całkiem ciekawe. Rekruci uczyli się, jak budować schronienie oraz które części różnych roślin i zwierząt nadają się do jedzenia. Najprzyjemniejsze były zajęcia z rozpalania ognia i gotowania. Miło było trochę się ogrzać i zjeść dodatkową porcję czegoś ciepłego, nawet jeżeli była to wiewiórka albo gołąb.

Dwóch przedmiotów James nienawidził. Przede wszystkim języka obcego. Dzieci takie jak Kerry, które były w CHERUBIE od kilku lat, miały już spore umiejętności językowe. Kerry mówiła płynnie po hiszpańsku i potrafiła się dogadać po francusku i arabsku. Podczas szkolenia podstawowego każdy uczył się nowego języka od podstaw i do końca kursu musiał opanować co najmniej tysiąc słów. CHERUB przydzielał języki pasujące do pochodzenia rekruta. Mo i Shakeel uczyli się arabskiego, Kerry japońskiego, Gabriela suahili, a James i Connor rosyjskiego. Języki były supertrudne, bo żaden z nich nie korzystał z alfabetu łacińskiego, i zanim zaczęło się poznawać słowa, należało nauczyć się rozpoznawać i wymawiać mnóstwo dziwacznych głosek.

Każdego dnia James i Connor spędzali dwie godziny, siedząc obok siebie w ławce, podczas gdy nauczyciel rosyjskiego miotał w nich polecenia i obelgi. Wytrącał im długopisy z rąk, okładał drewnianą linijką i spryskiwał śliną, kiedy mówił. Po skończonej lekcji pan Grwgoski znikał, zostawiając chłopców z piekącymi dłońmi i zamętem w głowach. James nie był pewien, czy nauczył się czegoś więcej ponad to, że od nauki rosyjskiego boli głowa. Wychodząc, pan Grwgoski często krzyczał do jednego z instruktorów, że James i Connor nie przykładają się do nauki i zasłużyli na karę. Przeważnie kosztowało to ich godzinę cennego snu, którą tracili, stojąc na zimnie w samych szortach. Large, kiedy mu się nudziło, lubił też wyjąć wąż strażacki i porządnie wysmagać ich strumieniem zimnej wody.

Kolejnym przedmiotem, którego James nie cierpiał, było karate.

*

– Dzień dwudziesty dziewiąty – oznajmił Large. Na głowie miał zieloną czapkę baseballową i po raz pierwszy od początku szkolenia przyszedł bez swoich asystentów. Była za dziesięć szósta. Sześcioro rekrutów stało na baczność przed swoimi łóżkami.

– Czy ktoś może mi powiedzieć, co takiego wyjątkowego jest w dniu dwudziestym dziewiątym?

Wszyscy znali odpowiedź, zastanawiali się tylko, czy jest to odpowiedź, jakiej chce Large. Poza tym odpowiadanie na jego pytania miewało paskudne konsekwencje. Najlepiej było skrzyżować palce i mieć nadzieję, że ktoś inny weźmie na siebie pocisk.

– Numer siedem, powiesz mi, czemu dzisiejszy dzień jest wyjątkowy?

James przeklął swojego pecha.

– Dziś jest Boże Narodzenie – powiedział.

– No właśnie, pączuszki wy moje. Boże Narodzenie. Dziś mijają dwa tysiące i trzy lata od urodzenia naszego Pana Jezusa Chrystusa. Jak możemy to uczcić, James?

To był najbardziej podstępny rodzaj pytania za względu na brak oczywistej odpowiedzi.

Dnicm wolnym? – powiedział James z nadzieją w głosie.

– To byłoby miłe – zgodził się Large. – Panna Smoke i pan Speaks dostali dziś wolne. Tak samo jak wszyscy wasi nauczyciele. Została tylko wasza szóstka, moje robaczki, no i ja. Myślę, że najpierw wspólnie uczcimy tę jakże ważną datę, a resztę dnia poświęcimy na trening karate i zaprawę fizyczną, nareszcie bez tych wstrętnych lekcji, które zwykle wchodzą nam w drogę.

Large wcisnął guzik na swojej czapce. Zapłonęły czerwone diody ułożone w kształt choinki, po czym czapka odegrała *Pada śnieg* w groteskowej aranżacji na metaliczne piski.

– To było tak piękne, że prawie się popłakałem – powiedział Large, ocierając palcem wyimaginowaną łzę. – A teraz, skoro świętowanie mamy już za sobą, możemy przystąpić do zajęć.

*

Rekrutom nie przysługiwał przywilej trenowania na sprężystych podłogach *dojo*. Uczyli się karate na placu przed betonowym barakiem, ugniatając marznące błoto bosymi stopami. Lekcje zawsze były takie same. Uczyli się ciosu lub dwóch, a potem ćwiczyli, póki nie opanowali go do perfekcji. Następnie powtarzali ciosy, jakich nauczyli się wcześniej. Każdą lekcję kończył pełnokontaktowy sparing.

Na początku James był zadowolony, że ma się uczyć karate. Zawsze chciał to robić, ale był zbyt leniwy, by kontynuować naukę. Teraz miał pięć lekcji tygodniowo, dzięki czemu uczył się szybko, i wszystko byłoby pięknie, gdyby nie jego partnerka. Kerry miała czarny pas. Kiedy James przewracał się i tracił oddech, ona wciąż poruszała się bez widocznego wysiłku. Pomagała mu i ratowała przed karą przynajmniej raz w ciągu każdej lekcji, ale James nienawidził zarozumiałego uśmieszku, jaki błąkał się na jej ustach, kiedy wytykała mu błędy i kiedy tradycyjnie zbierał od niej cięgi podczas sparingu.

Teoretycznie James miał przewidywać ataki i blokować większość z nich. Ale Kerry była szybka i znała chwyty, jakich on nigdy nie stosował. Zawsze kończył na ziemi, obolały, zwykle nie zaliczając żadnego ataku. Był zbyt dumny, by przyznać, że cierpi. Kerry była drobniejsza, młodsza i była dziewczyną. Miałby się skarżyć, że dostaje od niej wycisk?

*

Bez zwykłych lekcji świąteczny poranek przemienił się w sześć godzin bezlitosnej zaprawy fizycznej. Rekruci ledwie trzymali się na nogach. Large nie pozwolił im zjeść śniadania. Jamesa oślepiały strumienie wody lejące mu się na oczy, ale ręce miał tak zdrętwiałe z zimna, że nie był w stanie nawet wytrzeć twarzy. Do jego codziennych mąk i boleści tym razem doszedł przenikliwy ból w boku. Podczas sparingu Kerry kopnęła go trochę za mocno.

O trzynastej Large wyprowadził swoich podopiecznych z ośrodka szkolenia. Wszyscy aż kipieli z podniecenia. Nie wychodzili poza teren od pierwszego dnia. Może to rodzaj gwiazdkowego prezentu? Z drugiej strony znali sposoby Large'a na tyle dobrze, by nie robić sobie wielkich nadziei.

Large zatrzymał grupę, kiedy byli na tyle blisko głównego budynku, by móc zajrzeć do środka przez okna stołówki. Na środku pomieszczenia stała czterometrowa choinka ozdobiona tysiącami migocących lampek. Stoliki zestawiono w cztery długie ławy i przykryto złotymi obrusami. Przy każdym talerzu leżały eleganckie sztućce i świąteczne strzelające tuby z niespodziankami. James mógł myśleć tylko o tym, jak ciepło musi tam być.

– Kto zrezygnuje teraz – powiedział Large – może pobiec do swojego pokoju, wziąć prysznic i zdąży jeszcze na świąteczną kolację.

James wiedział, że Connor myślał o wycofaniu się, i był pewien, że tym razem nie wytrzyma. Large kazał im biec w miejscu, robić przysiady i pajacyki. W stołówce dzieci zajmowały miejsca przy stołach. Niektóre machały do rekrutów na zewnątrz. James szukał wzrokiem Kyle'a, Bruce'a i Amy, ale nigdzie nie mógł ich dostrzec.

– Możecie śmiało sobie odpuścić! – grzmiał Large. – I tak nie dotrwacie do końca. Idźcie tam. Ogrzejcie się. Najedzcie. Pogadajcie z przyjaciółmi. Przecież tego chcecie. Nie? Na pewno, cukiereczki? To może przemyślcie to sobie jeszcze raz, robiąc dwadzieścia pompek.

Kiedy wstali po zrobieniu pompek, w stołówce przy oknie stali Callum i Bruce. Callum miał rękę w gipsie. Drugą otworzył okno.

– Nie daj się, Connor! – zawołał. – Następnym razem, kiedy cię zobaczę, masz być w szarej koszulce!

Connor skinął głową bratu.

– Postaram się. Wesołych świąt!

Bruce odepchnął Calluma od okna.

– I nie przejmujcie się Large'em – zawołał. – To tylko stary, smutny zgred, który lubi powyżywać się na dzieciach.

James uśmiechnął się pod nosem, uważając, by Large tego nie zobaczył. Instruktor podbiegł do budynku.

– Zamknij to okno, ale już! – wrzasnął.

– Dobra, smutasie – powiedział Bruce, szybko cofając się o krok, by wypełnić polecenie.

Kiedy Large się odwrócił, twarz płonęła mu gniewem.

– A teraz wszyscy biegiem na tor przeszkód!

*

Kerry i James prowadzili na torze przeszkód. Nadal pokonywali go odrobinę szybciej niż pozostali. Large gdzieś znikł. Pewnie siedział w swoim ogrzewanym biurze, opychając się świątecznymi smakołykami i oglądając ich cierpienie na ekranie monitora.

Przy końcu toru był dwustumetrowy odcinek, gdzie biegło się po ostrych skałkach – łatwizna, jeśli unikało się potknięć, ale skrajne wyczerpanie nie sprzyja pewności kroku. Kerry poślizgnęła się. James ujrzał przed sobą jej dłoń na kamieniu i pomyślał o wszystkich upokorzeniach, jakich doznał od niej na lekcjach karate. W nagłym przypływie gniewu przygniótł jej dłoń butem. Kerry krzyknęła.

– Czemu to zrobiłeś, dupku?!

– Niechcący – odparł James.

– Widziałam, jak patrzysz na moją rękę. Świadomie musiałeś skręcić, żeby na nią nadepnąć.

– Odwaliło ci, Kerry.

Kerry popchnęła Jamesa w tył.

– Mieliśmy współpracować, James! Dlaczego mnie tak potraktowałeś?!

– Ty zawsze mnie tak traktujesz na karate! – odkrzyknął James.

– Dostajesz baty, bo jesteś cienki!

– A ty mogłabyś trochę odpuścić. Nie musisz za każdym razem się na mnie wyżywać!

– I tak cię oszczędzam, James.

James podwinął koszulkę, żeby zademonstrować Kerry ogromny siniec na żebrach.

– To ma być oszczędzanie?

Noga Kerry wystrzeliła w stronę Jamesa. Zwykle kopała go w żebra, ale teraz trafiła kilka centymetrów niżej, w okolice nerek. James zgiął się wpół we wprost niewyobrażalnym bólu.

– Teraz wiesz, jak potrafię kopać, kiedy chcę! – wykrzyczała Kerry. – Gdybym odpuszczała ci za bardzo, instruktorzy zauważyliby to i ukarali nas oboje.

James tak naprawdę wiedział, że dziewczyna ma rację i że zachował się jak idiota, ale w tej chwili nie panował już nad sobą. Skoczył na Kerry, przewracając ją na kamienie, i zaczął okładać na oślep pięściami. W następnej chwili pociemniało mu w oczach – Kerry trafiła go w nos. Poczuł, że ktoś ciągnie go do tyłu.

– Uspokójcie się! – krzyczała Gabriela, usiłując oderwać Jamesa od Kerry. Connor trzymał go z drugiej strony.

– Czy ktoś byłby łaskaw wyjaśnić mi, co się tu dzieje? – spytał Large, podbiegając do walczących.

Nikt nie wiedział, co powiedzieć.

– Connor, Gabriela, zjazd! Kerry, pokaż dłoń! – Large przyjrzał się rozcięciu. – Zgłoś się do pielęgniarki.

Large kucnął przed Jamesem i obejrzał jego nos.

– A ty lepiej idź z nią. Kiedy wrócicie, czeka was masa kłopotów.

*

James siedział w ciepłym pokoju, czekając na pielęgniarkę. Wpatrzony w kubek z kawą, który ogrzewał mu dłoń, pochłaniał jeden puszysty biszkopt za drugim. Kerry siedziała naprzeciw, zajęta tym samym. Oboje starannie unikali swojego wzroku.

20. CHŁÓD

– Witam z powrotem, króliczki wy moje – zaświergotał Large. – Miłe, ciepłe popołudnie, co? Pyszne czekoladowe ciasteczka? Na pewno czujecie się już o niebo lepiej. A ja mam dla was kolejną milusią niespodziankę, moje kochaneczki. Teraz ściągniecie buty i wszystko, co macie na sobie, z wyjątkiem bielizny, pójdziecie sobie na dwór, a jeśli jakimś niebywałym cudem przeżyjecie tę noc, rano pozwolę wam wrócić. I pamiętajcie: w głównym budynku jest ciepło i przyjemnie. W każdej chwili możecie zakończyć tę mękę.

James i Kerry rozebrali się i postąpili w ciemność.

– Wesołych świąt! – zawołał za nimi Large.

Trzasnęły drzwi, gasząc ostatni wątły promyk światła. Wiatr przejmował dreszczem. Lodowata ziemia parzyła stopy. Kerry stała zaledwie kilka metrów od Jamesa, ale on ledwie ją widział. Usłyszał ciche łkanie.

– Przepraszam, Kerry – powiedział. – To wszystko przeze mnie.

Kerry nie odpowiedziała.

– Proszę, powiedz coś, Kerry. Wiem, że byłem głupi. Są święta i jak zobaczyłem tamtych, siedzących w ciepłej stołówce, to mi normalnie odbiło. Rozumiesz?

Kerry rozpłakała się na dobre. James dotknął jej ramienia. Szarpnęła się.

– Nie dotykaj mnie, James!

To były pierwsze słowa, jakie wypowiedziała do niego od czasu bójki.

– Razem jakoś damy radę. Strasznie mi przykro, Kerry. Chcesz, żebym cię błagał? Uklęknę i będę całował twe stopy, jeśli tylko zaczniesz ze mną rozmawiać.

– James! – zawołała Kerry łamiącym się głosem. – Mamy przerąbane! Możesz mnie przeprosić jeszcze tysiąc razy, a i tak stąd wylecimy.

– Damy sobie radę – uspokajał James. – Znajdziemy ciepłe miejsce i pójdziemy spać.

Kerry zaśmiała się przez łzy.

– Ciepłe miejsce, James? Tu nie ma ciepłych miejsc. Jest wielki błotnisty plac i tor przeszkód. Nic więcej. Temperatura już spadła do zera. Za godzinę będziemy mieli poodmrażane palce. Do rana zostało czternaście godzin. Jeśli zaśniemy, zamarzniemy na śmierć.

– Nie zasłużyłaś na to, Kerry. Pójdę pogadać z Large'em. Powiem, że to nie twoja wina i że przerwę szkolenie, jeżeli daruje ci karę.

– Nie będzie się z tobą targował, James. Zaśmieje ci się w twarz.

– Możemy rozpalić ognisko.

– Jest ciemno i pada. Do rozpalenia ognia potrzebujemy suchej rozpałki i miejsca osłoniętego od wiatru. Jakieś sugestie?

– Kładka nad rzeką na torze przeszkód – powiedział James po chwili namysłu. – Brzeg pod spodem jest dość szeroki, zmieścimy się. Po bokach możemy ułożyć gałęzie i różne takie, żeby osłonić się przed wiatrem.

– To jest jakiś pomysł. – Kerry pokiwała głową. – Możemy spróbować. Poszukajmy w śmieciach.

– Co?

– Za budynkiem są dwa pojemniki na śmieci. Może znajdziemy w nich coś, co się nam przyda.

Kerry zaprowadziła Jamesa do śmietników. Oba były pełne śmieci w zawiązanych foliowych workach.

– Ale jedzie – poskarżył się James.

– Nie obchodzi mnie, czym to pachnie – powiedziała Kerry. – Zrobimy tak. Oba śmietniki, ze wszystkim, co jest w środku, zaciągniemy do kładki. Tam przeszukamy worki. Może znajdziemy coś, czym da się rozpalić ogień. Z samych worków zrobimy sobie potem okrycia.

Niełatwo było trafić do kładki przy słabym świetle księżyca przesłoniętego chmurami. Było za ciemno, by dało się odróżnić jakiekolwiek szczegóły terenu, a każdy krok groził uderzeniem w coś ostrego albo twardego. James i Kerry taszczyli po jednym śmietniku. Ważyły chyba z tonę. James, zamiast nieść swój, próbował go toczyć po ziemi, ale kółka wciąż grzęzły w błocie. Kerry było jeszcze trudniej, bo miała zabandażowaną rękę. Starali się iść ścieżką biegnącą obok toru przeszkód. James nie czuł już stóp. Przypomniał sobie ilustracje z podręcznika – upiorne fotografie czarnych, odmrożonych palców – i wzdrygnął się z odrazą.

Drewniana kładka łączyła brzegi rzeki na środku toru przeszkód. Mierzyła dwadzieścia metrów długości i około dwóch metrów szerokości. Gdy do niej dotarli, Kerry wysypała worki ze śmieciami i zaczęła je rozwiązywać. James wpełzł pod mostek.

– Całkiem tu sucho – powiedział. – To beton, nie błoto.

– W porządku – rzuciła Kerry. – Poszukam czegoś do rozpalenia ognia.

James biegał tam i z powrotem, znosząc gałęzie i układając z nich parawan wsparty o krawędź kładki. Kerry zanurzyła rękę w kolejnym worku i natrafiła na mieszaninę mokrych resztek jedzenia i lepkich szmat używanych do czyszczenia butów. Powąchała dłoń. Nie mogła uwierzyć, że dotyka takich paskudztw. Wszystko, co było palne i suche, wrzucała do pustego śmietnika.

Opatuliła sobie stopy szmatami do butów i owinęła folią z podartych worków na śmieci. W innych workach wydarła otwory, sporządzając foliowe spódnice i kamizelki dla siebie i Jamesa. Wyglądali teraz jak ubłocone strachy na wróble, ale najważniejsze, że było im cieplej. Tymczasem James skończył budowę szałasu. Wpełzli pod kładkę i usiedli, chuchając w ręce.

– Masz – powiedziała Kerry, wręczając coś Jamesowi.

Było zbyt ciemno, by mógł dojrzeć, co to jest. Dłonią namacał szeleszczącą torebkę i nieduże pudełko ze znajomym kształtem słomki przy boku.

– Śniadanie! – ucieszył się. – To było w śmieciach?

– Bogowie muszą być po naszej stronie – oznajmiła Kerry. – Sześć małych soków pomarańczowych i sześć małych paczek płatków. Nienapoczętych. Large pewnie wyrzucił je dziś rano, kiedy nie dał nam śniadania.

James wbił słomkę w karton i opróżnił go dwoma długimi łykami. Potem rozdarł paczkę z płatkami i wsypał sobie do ust solidną porcję.

– Mamy ciuchy, jedzenie, schronienie... – wybełkotał z pełnymi ustami. – Powinniśmy wytrzymać do rana.

– Szansa jest – zgodziła się Kerry. – Byłabym spokojniejsza, gdybyśmy mieli ogień.

James przez dłuższą chwilę milczał.

– Mamy tony rzeczy, które można podpalić.

– Ale żeby je podpalić, potrzebujemy dwóch suchych kawałków drewna, a tego akurat nie mamy.

Siedzieli w milczeniu przez kilka minut, przyciśnięci do siebie, rozcierając dla rozgrzewki ramiona i nogi.

– Chyba wiem, jak rozniecić ogień – oświadczył nagle James. – Pamiętasz te kamery na torze przeszkód?

– Co z nimi? – spytała Kerry.

– Muszą mieć zasilanie.

– No i co?

– To, że jeśli jakąś znajdziemy i wyciągniemy kabel zasilający, będziemy mogli zrobić iskrę.

– Jest ciemno.

– Wiem mniej więcej, gdzie jest kilka z nich.

– James, mówisz o igraniu z elektrycznością. Chcesz się zabić?

James wstał.

– Dokąd idziesz? – spytała Kerry.

– Więcej wiary, Kerry. Idę po ogień.

– Kretyn z ciebie, James! Usmażysz się.

James wyczołgał się spod mostka. Szmaciane łapcie, jakie zrobiła mu Kerry, były ciepłe, ale koszmarnie się ślizgały. W pojemniku, który Kerry napełniła paliwem, wyszperał szczęśliwie garść papierowych chusteczek i kilka kawałków tektury. Wetknął je sobie pod foliową kamizelkę, po czym złapał wieko śmietnika i ruszył na poszukiwania.

Kamerę znalazł zaledwie kilka metrów dalej. Dzięki czerwonej diodzie pod obiektywem łatwiej ją było wypatrzyć w nocy niż w dzień. James pomacał ręką tył obudowy i wyrwał sterczące z niej kable. Jeden wyglądał jak przewód wideo – ten odrzucił. Drugi był zakończony gumową wtyczką z dwoma otworami. To musiał być kabel zasilający. James kręcił wtyczką tak długo, aż się urwała, pozostawiając dwa obnażone przewody.

Wcześniej uważał pomysł za dobry. Teraz, kiedy przyszło co do czego, a James został z odrobiną paliwa na klapie od śmietnika i przewodem pod napięciem w garści, jego pewność siebie runęła w gruzy.

Kucnął nad blaszanym wiekiem i szarpnięciem rozszczepił końcówkę kabla na dwa przewody. Następnie, ująwszy koniec każdego przewodu w dwa palce, zbliżył jeden do drugiego nad pomiętym skrawkiem chusteczki higienicznej. Nagie miedziane końcówki powoli zbliżały się do siebie...

Niebieska iskra rozświetliła mu twarz. Róg chusteczki zapalił się. Wątły płomyk przepełzł z jednej strony na drugą i zgasł. James omal nie zemdlał. Wątpił, by miał jeszcze jedną szansę, bo zwarcie prawdopodobnie uruchomiło bezpieczniki, które odcięły prąd. Nagle pod zwęgloną warstwą bibuły rozjarzył się pomarańczowy blask. James szybko wetknął w płomień kawałek tektury. Zapaliła się. Musiał wrócić do kładki, zanim wyczerpie się całe paliwo. Stopy rozjeżdżały mu się na wszystkie strony, a wiatr robił wszystko, by zdmuchnąć ledwie pełgające płomyki.

– Kerry! – zawołał. – Szybko, daj coś palnego!

Kerry podbiegła i podłożyła do ognia więcej tektury. Blaszana klapa zaczynała już parzyć, a ostatni odcinek drogi był najtrudniejszy: zejście po śliskiej skarpie pod mostek. Kerry podtrzymywała Jamesa, żeby nie upadł.

James wsunął wieko śmietnika do schronu, uważając, by nie podpalić ścian z gałęzi. Kerry przyniosła resztę paliwa i wreszcie usiedli przytuleni do siebie, patrząc, jak szałas napełnia się migotliwym, pomarańczowym blaskiem. Dym szczypał w oczy, ale dla nich liczyło się tylko to, że jest ciepło. Kerry oparła głowę na ramieniu Jamesa.

– Wciąż nie mogę uwierzyć, że nadepnąłeś mi na rękę – powiedziała, patrząc na swój bandaż. – Myślałam, że zgrana z nas drużyna.

– Wiem, że to niczego nie zmienia, ale naprawdę mi przykro. Jeżeli mogę coś zrobić, żeby ci to jakoś wynagrodzić, powiedz tylko, co to ma być.

– Wiesz co? Na razie ci wybaczę, ale po szkoleniu spotkamy się w *dojo*. Dowalę ci tak, że będziesz błagał o litość, a potem... dowalę ci jeszcze trochę.

– Zgoda – powiedział James, modląc się w duchu, by to był tylko żart. – Należy mi się za wpakowanie nas w to bagno.

*

Pan Speaks wetknął głowę do szałasu. Robiło się jasno. Ognisko wypaliło się do szczętu. James i Kerry spali, obejmując się nawzajem ramionami.

– Wstawajcie! – zawołał Speaks.

James i Kerry zerwali się gwałtownie, szeleszcząc foliowymi wdziankami. Wprawdzie Kerry zaproponowała, żeby czuwali nad ogniem całą noc, co uchroniłoby ich przed odmrożeniami, ale w szałasie było ciepło i w końcu oboje odpłynęli w sen.

– Kocham was całym sercem – oświadczył Speaks, wyciągając z kieszeni dwa batony czekoladowo-bakaliowe.

James nie mógł zrozumieć, czemu trener jest dla nich taki miły.

– Nieźle sobie poradziliście. Jestem naprawdę pod wrażeniem. Pan Large sądzi, że zrezygnowaliście. Nie mógł was znaleźć. Wszystkie kamery z jakiegoś powodu przestały działać.

– Która godzina? – spytał James z ustami pełnymi czekolady i orzechów.

– Wpół do siódmej. Biegnijcie do budynku i ubierzcie się. Large wścieknie się, kiedy was zobaczy.

– Czy on nas nie lubi? – spytał James. – To znaczy wiem, że nienawidzi wszystkich, ale dlaczego tak usilnie próbuje się nas pozbyć?

– To nie tak. – Speaks pokręcił głową. – Założyliśmy się. Pięćdziesiąt funtów, że Large nie zdoła skłonić rekruta do zrezygnowania w Boże Narodzenie. Myślał, że na Connora podziała widok brata przy świątecznej kolacji, ale Callum wszystko zepsuł. Potem wy się pobiliście, co dało mu pretekst do wymierzenia wam kary. Jest pewien, że was złamał. Nie mogę doczekać się, kiedy zobaczę jego minę.

Kerry westchnęła.

– Teraz dopiero zacznie nam dawać w kość.

21. HOTEL

Sześcioro rekrutów i troje instruktorów leciało do Malezji, by spędzić tam ostatnie dni szkolenia podstawowego. James leciał samolotem drugi raz w życiu. Poprzednio był to ośmiogodzinny lot na wakacje do Orlando w tłumie rozbrykanych dzieciaków i pokrzykujących rodziców. Tym razem leciał klasą biznes. James nie sięgał stopami do fotela przed sobą. W szerokim podłokietniku krył się podnoszony ekran do gier i filmów oraz guzik, za którego naciśnięciem fotel rozkładał się, przemieniając w łóżko. Przed startem stewardesa serwowała kanapki i soki owocowe. To byłoby piękne w każdych okolicznościach. Po trzynastu tygodniach piekielnego szkolenia James był w raju.

Jumbo jet zakończył wznoszenie po starcie z Heathrow i znak pasów bezpieczeństwa zgasł. James założył słuchawki, zgarbił się przed ekranem i zaczął przeszukiwać bazę piosenek. Zatrzymał się na *Rocket Manie* Eltona Johna. Jego mama uwielbiała Eltona. James miał poczucie winy, że odkąd wstąpił do CHERUBA, tak rzadko o niej myślał. Coraz rzadziej.

Skarpetka Kerry przeleciała nad wyświetlaczem i wylądowała Jamesowi na kolanach. James wyprostował się. Kerry jedną dłonią obniżyła ekran, a drugą ściągnęła mu z głowy słuchawki.

– A to niby za co? – zdenerwował się James.

– Chciałeś wiedzieć, jak długo potrwa lot. Przełącz na program pięćdziesiąty.

James wcisnął odpowiednie guziki. Na ekranie pojawiła się błękitna mapa z Londynem po lewej stronie i Kuala Lumpur po prawej. Co kilka sekund mapa znikała, ustępując miejsca kolumnie liczb. Były to dane, takie jak pokonany dystans, aktualna prędkość, temperatura na zewnątrz oraz pozostały czas podróży.

– Trzynaście godzin i osiem minut – odczytał James. – Super. Myślę, że byłbym w stanie tyle przespać.

Kerry wyglądała na rozczarowaną.

– Nie pograsz ze mną w Mario Kart? – spytała.

– Kilka rundek nie zaszkodzi – zdecydował James. – Pójdę spać po obiedzie.

*

Napis nad automatycznymi drzwiami terminalu głosił: *Miłego pobytu w Malezji*. Drzwi rozsunęły się. James poprawił plecak na ramieniu i zaczerpnął swój pierwszy haust autentycznego, nieklimatyzowanego, malezyjskiego powietrza. Ekran w samolocie straszył czterdziestoma stopniami w cieniu. James dobrze wiedział, że będzie gorąco, ale skwar, jaki go otoczył, przekroczył jego najśmielsze wyobrażenia.

– Wyobraźcie sobie bieganie w takim upale – powiedziała Kerry do idących z tyłu Connora i Gabrieli.

– Założę się, że wkrótce nie będziemy musieli sobie tego wyobrażać – odrzekła Gabriela.

Large, ubrany w szorty i hawajską koszulę, poprowadził grupę pomiędzy rzędami samochodów do lotniskowego mikrobusu. Speaks odwijał banknoty ze zwitka i wręczał je kierowcy, podczas gdy pozostali wciskali się z bagażami do środka.

Mikrobus włączył się do ruchu i sunął przez pół godziny szerokimi, pustymi ulicami czekającymi na wieczorną godzinę szczytu. Rekruci przykleili się do okien. Jechali przez zwyczajne, nowoczesne miasto. Mogło być wszędzie. Tylko szerokie kratki burzowców i samotna palma, smutno stercząca z betonu, sugerowały, że znaleźli się w tropiku.

*

Przez minione trzy miesiące jedynymi ludźmi, z jakimi spotykał się James, byli pozostali rekruci. Nie rozmawiali zbyt wiele. Gdy trafiało im się wolne pół godziny, wykorzystywali ten czas na sen. Najdłuższe konwersacje miały miejsce przy kolacji i na ogół ograniczały się do utyskiwań na warunki szkolenia.

Za każdy błąd instruktorzy karali całą grupę, dlatego rekruci z czasem wypracowali metody współpracy przy ukrywaniu swoich słabości. James wiedział, że przy dłuższych przeprawach wpław Kerry i Shakeel będą trzymać się blisko i w razie potrzeby zaholują go do brzegu. Kiedy Kerry bolało kolano, pozostali nieśli jej rzeczy. Mo był wątły i wymagał pomocy przy wspinaczce i podnoszeniu ciężarów. Wszyscy potrzebowali siebie nawzajem.

Jamesa nie przerażała perspektywa czterodniowego kursu przetrwania w tropiku. Wiedział, że nie będzie łatwo, ale od trzech miesięcy nic nie było łatwe. Szkolenie działało: James nie bał się już zmęczenia ani niebezpieczeństwa. Bywał na skraju wytrzymałości tak często, że zdążyło mu to spowszednieć. Było to coś, co nie sprawiało frajdy, ale dawało się przeżyć, jak wizyta u dentysty albo lekcja fizyki.

*

Hotel był rewelacyjny. James i Kerry dostali pokój z dwoma prawdziwie królewskimi łożami i tarasem wychodzącym na basen. Zbliżała się dziewiąta wieczór, ale wszyscy wyspali się w samolocie i byli pełni energii. Instruktorzy poszli do baru i nie życzyli sobie, by zawracano im głowę. Rekrutom pozwolono poruszać się po całym hotelu i zamawiać do pokojów, co tylko zechcą, przykazując jedynie, by nie kładli się spać zbyt późno. Jutro czekała ich wczesna pobudka.

Sześcioro rekrutów spotkało się przy basenie. Po raz pierwszy mieli okazję rozerwać się w swoim towarzystwie. Niebo było już ciemne. Wiał lekki wiatr, ale temperatura wciąż przekraczała trzydzieści stopni. Znad moskitier rozpiętych nad basenem i wokół niego dobiegał szelest skrzydełek milionów owadów. Kelner z muchą pod szyją rozdał szlafroki i bawełniane kapcie.

Po raz pierwszy od wielu tygodni James czuł się najedzony i odprężony. Czuł się też niezręcznie. Wszyscy pozostali skakali na bombę do basenu, pływali i nurkowali. James wstydził się, że stać go jedynie na krótki, niezdarny kraul. Siedział na brzegu basenu, mocząc stopy i sącząc colę przez słomkę.

– Wskakuj do wody, James! – zawołała Kerry. – Ochłodzisz się.

– Chyba wrócę do pokoju – oznajmił James.

– Cienias.

James poczłapał na górę. W pokoju poszedł się załatwić, a kiedy wychodził z łazienki, po raz pierwszy od rozpoczęcia szkolenia zobaczył siebie w lustrze. Dziwnie było patrzeć na własne ciało i niemal go nie rozpoznawać. Miękki brzuszek, w którym niegdyś tonęła gumka od bokserek, zniknął bez śladu. Mięśnie piersiowe i bicepsy wyraźnie się powiększyły. James uznał, że krótko ostrzyżone włosy w połączeniu ze strupami i siniakami nadają mu wygląd rasowego twardziela. Uśmiechnął się szelmowsko i puścił do siebie oko. Był po prostu boski.

Położył się na łóżku i włączył telewizor. Tylko kilka programów nadawano po angielsku. Znalazł BBC World i uświadomił sobie, że pół świata mogło spłonąć w jakiejś totalnej wojnie, a on i tak nic by o tym nie wiedział. Nie widział gazety ani telewizora przez całe trzy miesiące, które spędził w ośrodku szkoleniowym. Ale nie wyglądało na to, że coś się w tym czasie zmieniło. Ludzie wciąż mordowali się bez sensownego powodu, a politycy nadal nosili nudne garnitury i udzielali pięciominutowych odpowiedzi niemających nic wspólnego z pytaniem. Przynajmniej w części sportowej pokazali kilka goli Arsenalu. Po sporcie James jeszcze raz przebiegł wszystkie kanały i pożałował, że nie został na basenie.

Nagle drzwi pokoju otworzyły się i zgasło światło.

– Zamknij oczy! – zawołała Kerry.

– Dlaczego?

– Niespodzianka.

Z korytarza dobiegały szepty pozostałych rekrutów.

– Nie ma mowy. Co wy knujecie? – dopytywał się James.

– Nie dowiesz się, jeśli nie zamkniesz oczu.

To raczej nie mogło być nic dobrego, skoro stawiali taki warunek, ale James nie chciał wyjść na nudziarza.

– Dobra, zamknąłem.

Słyszał, jak gromadzą się wokół niego. Nagle wzdrygnął się pod przejmująco lodowatym dotykiem – to Kerry wysypała mu na klatę lód z kubełka do szampana. Część kostek wśliznęła mu się pod szlafrok. Callum, Mo, Gabriela i Shakeel ruszyli do boju z własnymi kubełkami. James zeskoczył z łóżka, krusząc pod stopami kilka kostek.

– Szuje! – krzyczał, śmiejąc się i wytrząsając lód spod szlafroka.

Wszyscy pokładali się ze śmiechu. Kerry włączyła światło.

– Pomyśleliśmy, że przeniesiemy imprezę tutaj – wyjaśniła. – Jeśli już się nie dąsasz.

– W porządku – powiedział James.

Siedzieli na tarasie, rozmawiając o szkoleniu i częstując się nawzajem przekąskami. Potem chłopcy postanowili zaimponować dziewczętom, stając w rzędzie i sikając do doniczek dwa piętra niżej. Kerry i Gabriela wymknęły się do pokoju i zatrzasnęły wyjście na taras.

– Wpuśćcie nas! – wrzasnął Connor.

– Powiedzcie, że jesteśmy piękne – zażądała Kerry.

– Szpetne maciory – parsknął Shakeel. – Otwórzcie drzwi!

– Wygląda na to, że spędzicie tam sporo czasu – powiedziała Kerry z westchnieniem.

James zerknął w dół. Było zbyt wysoko na skok. Podszedł do przeszklonych drzwi i uśmiechnął się.

– Uważam, że obie jesteście prześliczne.

– Włazidupa – mruknął Connor.

James zgromił go wzrokiem.

– Chcesz tu tkwić całą noc? – wycedził przez zęby.

– No, bardzo piękne jesteście – powiedział Connor, przewracając oczami.

– Normalnie supermodelki – dodał Mo.

Dziewczęta spojrzały na Shakeela.

– Słuchamy.

Chłopak wzruszył ramionami.

– Jesteście jak dwa złote promienie słonecznego blasku. No już, wpuśćcie nas.

– Wpuścimy ich czy nie? – Kerry spytała Gabrielę, rozkoszując się poczuciem władzy.

Gabriela przytknęła palec do ust, jakby się namyślała.

– Jeśli pocałują szybę, żeby pokazać, jak bardzo nas kochają.

Kerry roześmiała się.

– No, słyszeliście, chłopcy. Po jednym mokrym całusku w szkło.

Chłopcy spojrzeli po sobie.

– Ożeż w mordę... – wymamrotał Connor.

Connor cmoknął szkło pierwszy. Pozostali bez słowa poszli w jego ślady.

Ktoś zapukał do drzwi. Otworzyła Kerry. To byli Large i Smoke. Gabriela odblokowała drzwi tarasu. Chłopcy pośpiesznie wtarabanili się do środka, mając nadzieję, że nie chodzi o akcję podlewania roślin.

Large był trochę podpity.

– Dobra... – czknął. – Jest po jedenastej. Za pięć minut wszyscy mają być w łóżkach.

Pokój opustoszał. James i Kerry położyli się spać.

22. PLAŻA

Wojskowy śmigłowiec zabrał ich z dachu hotelu jeszcze przed świtem. Rekruci siedzieli na plecakach w zakurzonej ładowni za kabiną pilotów. W skład ich tropikalnych uniformów wchodziły lekkie spodnie, niebieskie bluzki bez żadnych numerów ani oznaczeń, a także czapki z osłoną chroniącą kark i uszy przed słońcem. Large założył każdemu na nadgarstek plastikową opaskę z układem elektronicznym. Sprawiała wrażenie, jakby nie można jej było zdjąć inaczej, niż przecinając nożem. – Nie zdejmujcie tych bransolet pod żadnym pozorem! – Large starał się przekrzyczeć huk pracującego wirnika. – W razie jakiegoś wypadku należy odkręcić guzik z boku i mocno wcisnąć. Śmigłowiec dotrze do was w ciągu piętnastu minut. Jeśli kogoś ukąsi wąż, niech wciska natychmiast. – Large wyjrzał przez okienko w drzwiach ładowni. – Wkrótce dotrzemy na miejsce – podjął po chwili. – Wszystko, czego możecie potrzebować, macie w plecakach. Jest dziesiąta. Każda para musi dotrzeć do czterech punktów kontrolnych w ciągu następnych siedemdziesięciu dwóch godzin. Komu się nie uda, ten obleje szkolenie podstawowe i będzie musiał zacząć od początku. Pamiętajcie, to nie jest ośrodek szkoleniowy. Tutaj błędy nie grożą wam karą, ale mogą kosztować was życie. W tej dżungli są tysiące rzeczy, które mogą was zabić albo doprowadzić do takiego stanu, że odechce się wam żyć.

Śmigłowiec zawisł kilka metrów nad ziemią. Large odsunął drzwi ładowni, wpuszczając do środka słońce.

– Jedynka, dwójka, wynocha! – krzyknął.

Mo i Shakeel usiedli na brzegu ładowni, wywieszając nogi na zewnątrz. Large wyrzucił ich plecaki. Chłopcy zsunęli się w dół i znikli w kurzawie wzbijanej przez wirnik maszyny. James nie widział, czy wylądowali bezpiecznie. Large pokazał pilotowi uniesiony kciuk i śmigłowiec poderwał się w górę. Kerry miała nieszczęśliwą minę. Skoki bardzo obciążały jej uszkodzone kolano. Na kolejnym przystanku wyskoczyli Gabriela i Connor. Maszyna ruszyła nad ostatni punkt zrzutu.

James spojrzał w dół. Zobaczył piasek pokryty kilkucentymetrową warstwą morskiej wody. Patrzył, jak jego plecak ląduje z ciężkim plaśnięciem, po czym zebrał się na odwagę i skoczył.

Na szkoleniu uczono ich bezpiecznego skakania z wysokości. Sztuczka polegała na ustawieniu się pod odpowiednim kątem tak, by upadając na bok, rozłożyć impet uderzenia na całe ciało. Zbyt pionowe lądowanie groziło zgruchotaniem kostek i stawów biodrowych. Przybliżanie się do ziemi pod zbyt dużym kątem kończyło się grzmotnięciem bokiem o podłoże i najczęściej złamaniem barku lub ramienia.

James wylądował bezbłędnie. Zerwał się na równe nogi, oblepiony mokrym piaskiem, ale poza tym cały i zdrowy. Nieopodal gruchnęła Kerry, wydając krótki okrzyk bólu. James podbiegł do niej.

– Nic ci nie jest? Jak kolano? – spytał, przekrzykując łoskot wirnika.

Kerry dźwignęła się powoli i postawiła kilka ostrożnych kroków.

– Nie gorzej niż zwykle – odpowiedziała.

Oboje rozejrzeli się niepewnie wokół.

Śmigłowiec odleciał i wreszcie zapadła cisza. James i Kerry zaciągnęli plecaki na brzeg. Biały piasek błyszczał oślepiająco w promieniach słońca.

– Znajdźmy jakiś cień – zaproponował James.

Usiedli pod palmą. James wytarł zapiaszczone dłonie o spodnie. Kerry wyciągnęła z plecaka instrukcję.

– O kurde.

– Co znowu?

Kerry pokazała Jamesowi stronę z planu. Pokrywały ją japońskie krzaczki. James szybko poszukał własnej kopii. Zamarło mu serce.

– Ekstra. Wszystko po rosyjsku. Gdybym wiedział, że od tego będzie zależeć moje życie, trochę bardziej przyłożyłbym się do nauki.

Szybko ustalili, że oba plany są identyczne. James zrozumiał ze swojego mniej więcej połowę. Kerry znała japoński trochę lepiej. Porównując obie wersje i trochę zgadując, zdołali przetłumaczyć prawie wszystko. Do planów dołączono schematyczne mapy z zaznaczonym pierwszym punktem kontrolnym i niczym więcej. Nie mieli pojęcia, ani gdzie się znajdują, ani dokąd będą musieli pójść. Mieli dotrzeć do punktu kontrolnego przed osiemnastą i tam przenocować.

– Przypuszczam, że na miejscu znajdziemy dalsze instrukcje – powiedziała Kerry.

James przeszukał swój plecak. Dostali znacznie więcej sprzętu, niż mogli wziąć ze sobą. Co było warte zabrania? Niektóre rzeczy nie budziły wątpliwości: maczeta, kompas, plastikowy brodzik, w który można było zbierać deszczówkę, racje żywnościowe, pusta manierka, zestaw pierwszej pomocy i leki, tabletki do uzdatniania wody, krem z filtrem przeciwsłonecznym, moskitiera, zapałki, scyzoryk szwajcarski. Rolka foliowych worków ważyła tyle co nic i miała tuziny potencjalnych zastosowań. Był też namiot z metalowym stelażem.

– Zostaw – poradziła Kerry. – Waży tonę, a zawsze możemy zrobić szałas z palm.

Porzucili mnóstwo ciężkich przedmiotów, takich jak zapasowe buty, parasole, sztućce i grube kurtki. Niektóre rzeczy były dość osobliwe. Nie znaleźli zastosowania dla piłki do rugby i rakietki do ping-ponga. Broszurowe wydanie *Dzieł wszystkich* Szekspira mogło się przydać przy rozpalaniu ognia, ale ostatecznie uznali, że jest zbyt nieporęczne.

Po selekcji plecaki nie były już takie ciężkie. James roztrącał nogą rzeczy porzucone w piasku, mając nadzieję, że nie zostawia niczego, co później mogłoby się przydać.

– Co teraz? – spytał.

Kerry zajrzała do mapy i wskazała ręką górę wznoszącą się w oddali.

– Punkt kontrolny jest nad rzeką – powiedziała. – Z mapy wynika, że ta góra jest po drugiej stronie rzeki, a zatem musimy iść w tę stronę.

– Jak daleko?

– Tego nie wiem, na mapie nie ma skali. Ale lepiej się pośpieszmy. Po zmroku nigdy nie znajdziemy celu.

Ustalili, że pójdą wzdłuż wybrzeża aż do ujścia rzeki, a potem wzdłuż koryta do punktu kontrolnego. Idąc w głąb lądu, zapewne skróciliby drogę, ale wtedy po dotarciu do rzeki nie wiedzieliby, w którą stronę skręcić.

Wędrówka plażą była wykluczona ze względu na palące słońce. Dlatego szli skrajem dżungli, mniej więcej sto metrów od brzegu. Korony drzew tworzyły zielony baldachim rozbrzmiewający skrzeczeniem ptaków. Poniżej rósł tylko mech i grzyby. Jeśli nie liczyć gigantycznych korzeni drzew i jednego zwalonego pnia, teren był równy i pozwalał na szybki marsz.

Najgorsze były owady. Kerry omal nie udusiła się od wrzasku, kiedy dziesięciocentymetrowa skolopendra wbiegła jej pod nogawkę. Miejsce po ukąszeniu zmieniło się w czerwoną bulwę. Kerry stwierdziła, że boli bardziej niż użądlenie osy. Po tym wypadku zawsze wciskali końce nogawek w skarpety.

Raz na godzinę podchodzili do plaży, gdzie drzewa rosły rzadziej i były mniejsze. Strącali z palm kokosy, dziurawili i spijali słodkie mleczko. Wszędzie rosło mnóstwo owoców, ale w obawie przed zatruciem jedli tylko te, które rozpoznawali. Po zaspokojeniu pragnienia zrzucali plecaki i buty i wbiegali w ubraniu do morza, by się trochę ochłodzić.

W dżungli najgroźniejszym wrogiem człowieka nie są drapieżne bestie, lecz moskity – maleńkie, skrzydlate owady żywiące się krwią zwierząt i ludzi. Po ich ukąszeniach zostają tylko swędzące czerwone plamy, ale roznoszone przez te insekty mikroskopijne zarazki malarii mogą doprowadzić do ciężkiej choroby, a nawet zabić. Rekrutom nie dano tabletek antymalarycznych. Mogli najwyżej jak najdokładniej zakrywać skórę, zmywać pot i smarować się środkiem odstraszającym owady.

Moskity przyciąga zapach potu, dlatego po każdym moczeniu James i Kerry wkładali suche ubranie. Mokre rzeczy dokładnie wykręcali i układali na plecakach, wiedząc, że skwar wysuszy je przed następnym postojem. Potem smarowali się maścią przeciw komarom i wracali do cienistej dżungli.

Mleczko kokosowe i sok z owoców były zbyt zawiesiste, by móc je pić w dużych ilościach. Po kwaśnych owocach Jamesowi pozostało nieprzyjemne pieczenie w wysuszonym gardle. Wczesnym popołudniem zaczęło ich spowalniać pragnienie. Słona morska woda nie nadawała się do picia, a w dżungli znajdowali jedynie zatęchłe sadzawki rojące się od larw moskitów i prawdopodobnie skażone zwierzęcym moczem. Żeby mieć jakąkolwiek szansę natrafienia na źródło, musieliby skręcić w stronę pogórza w głębi lądu. Nie mieli wyboru, musieli czekać na deszcz. Na szczęście burza była gwarantowana. W tropikalnym skwarze z dżungli odparowało tyle wody, że do popołudnia niebo pociemniało od chmur. James i Kerry patrzyli na kłębiące się cumulusy. Kiedy po raz pierwszy zagrzmiało, pobiegli na plażę, rozłożyli brodzik i czekali.

Takiego deszczu jeszcze nie widzieli. Pierwsze ślady na piasku były wielkości piłeczek pingpongowych. James odchylił głowę, żeby łapać krople w usta. Kiedy chmura oberwała się na dobre, czuł się jak pod strażackim wężem Large'a. Deszcz wybijał dziury w gładkim piasku. James osłaniał oczy ramieniem, a drugą ręką odchylał brzeg brodzika, by łapał jak najwięcej wody. Kerry schowała plecaki pod drzewem. Potem wetknęli twarze do brodzika i pili łapczywymi łykami.

Kiedy deszcz ustał, w brodziku było dość wody, by napełnić obie manierki. Resztę przelali do plastikowego bukłaka i wzięli ze sobą, tak na wszelki wypadek.

Od ujścia rzeki szło im się znacznie łatwiej. Wzdłuż brzegu biegła zdewastowana gruntowa droga, zorana kołami samochodów. Kerry liczyła zakręty rzeki, by znaleźć punkt kontrolny. Dotarli do niego godzinę przed terminem. Stopy odpadały im z bólu po prawie siedmiogodzinnej wędrówce.

Punkt kontrolny był oznaczony flagą. Nieopodal czekała na nich wyciągnięta na brzeg trzymetrowa drewniana łódź przykryta brezentem. Na rufie tkwił silnik zaburtowy. James uniósł brzeg plandeki i uśmiechnął się na widok przekąsek, menażek i kanistrów z paliwem. Nagle coś się poruszyło. James pomyślał, że musiało mu się przywidzieć, ale wtedy to coś poruszyło się znowu, a do tego zasyczało. James puścił brezent i odskoczył do tyłu.

– Wąż! – krzyknął.

Kerry podbiegła do łodzi.

– Czego wrzeszczysz?

– W tej łodzi jest cholerny wąż. Taki wielki!

– Jesteś pewien? – zdziwiła się Kerry. – W instrukcji jest napisane, że węże są tutaj bardzo rzadkie.

– Pewnie podrzucili go trenerzy. Może jak ściągniemy plandekę, to sobie pójdzie?

– Mówiłeś, że jakiej jest wielkości?

– Gruby – powiedział James, składając dłonie w dwudziestocentymetrowe kółko.

– W Malezji nie ma takich wielkich węży – stwierdziła Kerry, marszcząc brwi.

– Jak mi nie wierzysz, to wsadź tam głowę i sama się przekonaj – obruszył się James.

– Wierzę ci, James, ale chyba nie powinniśmy go wypuszczać. Myślę, że to nasza kolacja.

– Co? On może być jadowity. Jak zamierzasz go zabić?

– James, spałeś na lekcjach przetrwania? Wąż tej wielkości może być tylko dusicielem. Kojarzysz? Takim, który owija się wokół ofiary i ściska. Nie jest jadowity, ale jeśli go wypuścimy, to jak go przekonasz, żeby w nocy nie wrócił zgruchotać nam kości?

– No dobra – westchnął James. – Chcesz węża na kolację, będzie wąż. To jak go zabijemy?

– Odciągniemy plandekę, zaczniemy dźgać patykami, a kiedy wystawi łeb, ciachniemy go maczetą.

– Ubaw po pachy – stwierdził ponuro James. – To twój pomysł, więc ja dźgam, a ty ciachasz.

– W porządku, ale jak go zabiję, ty go patroszysz i gotujesz.

*

Przed zmrokiem musieli jeszcze sporo zrobić. Kerry wycięła małą polankę przy rzece. James rozpalił ognisko i oprawił węża. Niejadalne resztki wrzucił do wody, żeby

173

nie zwabiły padlinożerców. Niebo było już prawie czarne, kiedy Kerry kończyła budowę szałasu z wielkich palmowych liści. Rozłożyła brezent na ziemi i rozwiesiła moskitiery. Na kolację zjedli mięso węża z kokosem i makaronem błyskawicznym. James skonstruował prymitywne więcierze. Przy świetle latarki wcisnął je w dno rzeki, a do środka włożył resztki mięsa jako przynętę. Mieli nadzieję, że rano znajdą w nich ryby. Najedzeni, choć trochę zmęczeni, wpełzli do szałasu, gdzie zajęli się przekłuwaniem bąbli na stopach sterylną igłą oraz tłumaczeniem dalszego ciągu instrukcji.

Dotarcie do następnego punktu kontrolnego wymagało przepłynięcia dwudziestu pięciu kilometrów w górę rzeki oraz przedarcia się przez zawiły labirynt kanałów i dopływów, aż do wielkiego jeziora. Celem podróży był stary kuter rybacki porzucony tuż przy brzegu. Musieli dostać się tam przed czternastą, a to oznaczało wczesną pobudkę.

*

W nocy temperatura spadła bardzo nieznacznie. Duchota w szałasie utrudniała zaśnięcie. Kwilące ptaki były nieszkodliwe, ale ich upiorne głosy nie pozwalały zapomnieć, że cywilizacja jest bardzo daleko stąd. Przed szałasem płonęło niewielkie ognisko mające odstraszyć nieproszone zwierzęta i owady.

James ocknął się tuż przed wschodem słońca. Nad rzeką rozbłysło światło i po kilku minutach wysuszona ziemia parzyła w stopy. James sprawdził, czy w butach nie zamieszkało jakieś paskudztwo, po czym wsunął je na obolałe stopy i poszedł nad rzekę sprawdzić pułapki. W dwie z czterech złapało się po jednej rybie, ale jedną rozszarpał na strzępy jakiś większy drapieżnik. James wyjął z wody swoją zdobycz i trzymał na powietrzu, aż przestała się rzucać. Była dość duża, by najedli się nią we dwoje.

Kerry rozpaliła ognisko i wzięła się do uzdatniania wody zaczerpniętej z rzeki. Gotowała ją przez dziesięć minut, po czym wrzuciła do menażki chlorowe tabletki. James postawił rybę na ogniu i przyniósł naręcze mango. Po jednym owocu zostawił na śniadanie, a resztę wsypał do łodzi. Kiedy się z tym uporał, ryba była już miękka. James rozciął mango na pół i zawołał Kerry.

– Podano do stołu!

Kerry nie było ani przy szałasie, ani nad rzeką.

– Kerry? – zawołał jeszcze raz lekko zaniepokojony.

Zdjął parującą rybę z patyka, podzielił na dwie porcje i wyłożył na plastikowe talerze. Z zarośli wyłoniła się Kerry.

– Musiałam walnąć kupę – oświadczyła. – Te wszystkie owoce nieźle mnie przeczyściły.

– Dzięki za szczegóły, Kerry, właśnie zaczynam jeść.

– Coś mi przyszło do głowy – powiedziała Kerry, siadając obok Jamesa.

– Co?

– Pamiętasz tego Szekspira, którego zostawiliśmy na plaży zaraz po wylądowaniu?

– Tak. Co z nim?

– To chyba miał być nasz papier toaletowy.

23. REJS

James i Kerry stanęli za rufą i zaparli się rękami o pawęż. Kilkoma wytężonymi pchnięciami zdołali przesunąć łódź na tyle, by dziób zawisł nad wodą.

– Powinniśmy wszystko z niej wyjąć – powiedziała Kerry, ocierając pot z twarzy.

– Teraz już nie warto – wydyszał James. – Jeszcze jedno pchnięcie i będziemy w domu. Gotowa? Naparli z całej siły. Kadłub powoli wysuwał się poza krawędź niewysokiego nawisu, jaki brzeg tworzył w tym miejscu. Wreszcie dziób przeważył i plasnął w wodę. Łódź zaczęła ześlizgiwać się z nawisu, wbijając dziób pod wodę. Przez chwilę wydawało się pewne, że pójdzie na dno. Kiedy przestała się kołysać, burty wystawały zaledwie na kilka centymetrów nad powierzchnię. Co większe fale przelewały się przez nie, powoli napełniając kadłub wodą. Wprawdzie rzeka nie była głęboka, ale zatonięcie łodzi oznaczałoby utratę silnika, a wraz z nim jakiejkolwiek szansy na dotarcie do punktu kontrolnego.

Brodząc po pas w wodzie, Kerry ruszyła do łodzi. Sięgnęła po kanister z paliwem, uważając, by nie naciskać na burtę. James ustawił się bliżej brzegu. Przejął kanister od Kerry i z rozmachem cisnął na suchy ląd.

Kiedy przemoczone plecaki, zapas wody i kanistry z paliwem znalazły się na brzegu, łódź nie zanurzała się już tak głęboko.

– Uff! – James westchnął z ulgą. – Mało brakowało.

– Genialny pomysł na oszczędność czasu! – zawołała gniewnie Kerry. – Mówiłam ci, że trzeba wszystko wyjąć.

– Wcale nie.

James prawie miał rację. Pozostawienie rzeczy w środku było jego pomysłem, ale Kerry chciała je wyjąć, żeby łatwiej było zepchnąć łódź do wody, a nie z obawy, że przeciążona łajba może zatonąć.

James przyniósł z brzegu dwie menażki i razem wybrali wodę z łodzi. Osuszywszy wnętrze kadłuba, zajęli się sprzętem porozrzucanym na brzegu.

– No to mamy to samo co wczoraj – powiedziała Kerry.

– Zgadywanka: co się przyda, co można zostawić.

*

Jamesa aż zemdliło, gdy uświadomił sobie, jak niewiele brakowało, by odpadli z gry dziewięćdziesiątego ósmego dnia ze stu. Chybaby zwariował, gdyby polegli tak blisko końca szkolenia.

Łódź sunęła w górę rzeki, burząc ciszę monotonnym terkotem silnika. Przemoczone plecaki i sprzęt suszyły się w porannym słońcu. Rzeka nieustannie się zmieniała. Gdzieniegdzie trafiali na płycizny mierzące ponad trzydzieści metrów szerokości. Tam zwalniali, a James kładł się na dziobie i wykrzykiwał komendy do Kerry przy sterze, prowadząc łódź między mieliznami i czającymi się pod wodą kamieniami. W krytycznych momentach łapał drewniany pagaj i odsuwał nim niebezpieczeństwa. W węższych miejscach rzeka była głębsza, a nurt bardziej wartki. Drzewa i zarośla zwieszały się nad wodą i od czasu do czasu musieli schylać się pod gałęziami.

Tam gdzie było można, Kerry otwierała przepustnicę i leniwe pykanie silnika przemieniało się w skowyt. Łódź unosiła dziób i pruła wodę, zostawiając za sobą gruby warkocz błękitnych spalin nad spienionym kilwaterem.

Kerry siedziała na ławeczce przy silniku, pilnując kursu i wykreślając przebytą drogę na mapie. Zajęcie Jamesa było bardziej wymagające fizycznie, ale choć słońce paliło niemiłosiernie, a od pracy wiosłem rozbolały go ręce, wolał to niż odpowiedzialność za bezpieczne doprowadzenie łodzi do jeziora przez labirynt przesmyków i ślepych zaułków.

*

Trwała już najgorętsza pora dnia, kiedy nareszcie wypadli na otwartą przestrzeń. Jezioro ciągnęło się dalej, niż mogli dojrzeć przez oślepiający blask słońca. James odłożył wiosło i usiadł na kanistrze na środku łodzi. Od czasu do czasu sięgał po menażkę, by wylać wodę gromadzącą się na dnie kadłuba.

– Widzisz gdzieś kuter? – spytała Kerry. – Jeśli dobrze zrozumiałam japońską instrukcję, powinien stać na mieliźnie na północnym końcu jeziora, oznaczony trzema czerwonymi bojami.

James wstał, mrużąc oczy w daremnej próbie przebicia się wzrokiem przez refleksy na wodzie. Przydałyby się ciemne okulary.

– Nic nie widzę – oznajmił wreszcie. – Będziemy pływać wzdłuż brzegu, aż na niego trafimy.

Kerry zerknęła na zegarek.

– Mamy jeszcze dwie godziny, ale im wcześniej znajdziemy punkt kontrolny, tym więcej będziemy mieli czasu na dotarcie do następnego.

Na jeziorze nie było żadnej innej łodzi ani statku. Przystanie rybackie, chaty i sklepy na brzegu wyglądały na opuszczone. Widać było dobrze utrzymane drogi, a nawet kilka budek telefonicznych, ale żadnych ludzi.

Co kilkaset metrów sterczały z błota czerwone słupy z tablicami ostrzegawczymi. Napisy były po malajsku i James nie rozumiał ani słowa, ale żółto-czarne pasy i błyskawice zawierały przekaz zrozumiały dla każdego: trzymaj się jak najdalej stąd.

– Strasznie tu jakoś – odezwał się James. – Ciekawe, co się tu dzieje.

– Z mapy wynika, że na rzece budują wielką zaporę – powiedziała Kerry. – Podejrzewam, że cały ten teren ma wkrótce zostać zatopiony. Ludność wysiedlono, dzięki czemu możemy tu ćwiczyć bez obawy, że ktoś zacznie się nami interesować.

Nagle Kerry gwałtownie odchyliła ster i dała pełny gaz. Siła odśrodkowa rzuciła Jamesa na burtę. Przez kilka nerwowych chwil był pewien, że wpadnie do wody.

– Na miłość boską! – krzyknął ze złością. – Uprzedź mnie następnym razem.

Podskakując na falach, łódź sunęła w stronę sylwetki, którą Kerry dostrzegła w oddali. Rdzewiejący kuter miał około piętnastu metrów długości i stał niedaleko od brzegu, lekko pochylony, wciśnięty w muliste dno. Tuż obok kołysała się łódka, taka sama jak Jamesa i Kerry, przycumowana do metalowego relingu.

Łódź zawadziła dnem o muł, gwałtownie wytracając prędkość. James zręcznie wskoczył na kuter i szybko przywiązał cumę.

– Jest tu kto?! – zawołał.

Connor wytknął głowę przez iluminator.

– Co tak długo?

Pokład kutra pokrywała gruba warstwa ptasich odchodów. Starali się ich nie dotykać, przełażąc przez przekrzywione drzwi na mostek. Po wyposażeniu zostały tylko dziury i pęki zwisających kabli. Z mostku znikło wszystko, co mogło mieć jakąkolwiek wartość, w tym sprzęt nawigacyjny, szyby okienne, a nawet obicie kapitańskiego fotela. Connor i Gabriela byli cali w błocie i wyraźnie zmęczeni. Ich mapy i instrukcje leżały rozpostarte na podłodze.

– Dawno przypłynęliście? – spytała Kerry.

– Jakieś dwadzieścia minut temu – powiedziała Gabriela.

– Co z Shakeelem i Mo?

– Byli tu przed nami. Zostawili na podłodze kopertę po swoich instrukcjach. Wasze też tu są.

Kerry wzięła kopertę, oddarła brzeg i wręczyła Jamesowi połowę zapisaną cyrylicą.

– Czyli biegniemy ostatni – zauważył James nieco zaniepokojony.

– Nasze już prawie rozpracowaliśmy – powiedział Connor. – Możemy wam jakoś pomóc?

James uznał to za życzliwą ofertę, ale Kerry opacznie pojęła intencje kolegi.

– Bez problemu rozpracujemy instrukcje sami – powiedziała urażonym tonem. – Wszyscy przypłynęliśmy z różnych miejsc i pewnie do różnych miejsc popłyniemy. Może mieliśmy dłuższy pierwszy limit czasu, a krótszy drugi, nie wiem. Nie wydaje mi się, by ktokolwiek mógł przepłynąć tę trasę szybciej niż my.

– Zmarnowaliśmy dobre pół godziny, kiedy omal nie utopiliśmy łódki – przypomniał James.

Connor roześmiał się.

– Jak to zrobiliście?

– Zepchnęliśmy ją do wody załadowaną całym dobytkiem.

– Jezu! – Gabrielę zatkało z przerażenia. – Gdybyście zalali silnik, nigdy byście tu nie dopłynęli.

Connor postanowił wrócić do tematu.

– Wiem, że płyniecie inną drogą, ale zadanie wszyscy mamy z grubsza takie samo: popłynąć inną drogą w stronę morza i dotrzeć do punktu kontrolnego, piętnaście kilometrów stąd, przed dwudziestą drugą.

Kerry zajrzała do swojego planu i pokiwała głową.

– Inna trasa... piętnaście kilometrów... godzina dwudziesta druga. Mniej więcej się zgadza.

James wyszczerzył zęby w radosnym uśmiechu.

– Piętnaście kilometrów w dziewięć godzin? Łatwizna.

Connor, Gabriela i Kerry spojrzeli na niego jak na totalnego idiotę.

– Och... – zająknął się James, kiedy dotarła do niego głupota tego, co powiedział. – Znaczy musi być w tym jakiś haczyk, no nie?

24. BŁYSK

Łódka mknęła z prądem.

– Możemy sobie pograć w „Moje oczy widzą". – James uśmiechnął się, próbując choć trochę rozluźnić napiętą atmosferę.

Kerry nie była w nastroju do żartów.

– Zamknij dziób i obserwuj.

– Żeby to tylko nie były bystrza – westchnął James. – Tego bym nie przeżył.

– Mówię ci po raz setny, James, nie posłaliby nas na bystrza. Ta łódź się do tego nie nadaje. Roztrzaskałaby się w dwie sekundy.

James radził sobie z pływaniem w basenie, a nawet na powolnym odcinku rzeki, ale perspektywa przeprawy przez rwący nurt bez kamizelki ratunkowej napełniała go obłąkańczym strachem. Kerry było łatwiej. Miała mapę rozpostartą na kolanach i łódkę do sterowania. James mógł tylko nerwowo stukać palcami i myśleć o przerażających rzeczach, jakie go czekają.

– A może nic się nie stanie – powiedział nagle. – Może haczyk polega na tym, żebyśmy myśleli, że zdarzy się coś strasznego, choć tak naprawdę nic się nie zdarzy.

– Grunt, żeby się zorientować odpowiednio wcześnie – powiedziała ostro Kerry. – Bądź cicho i skup się.

Kiedy niebo pociemniało przed popołudniową burzą, James rozpostarł brezent nad bagażami, a na wierzch rzucił brodzik, żeby nałapać świeżej deszczówki. Kiedy ulewa uniemożliwiła bezpieczne nawigowanie, Kerry przybiła do brzegu. James przywiązał łódź do gałęzi i oboje przeczekali deszcz pod plandeką.

Przed wyruszeniem w dalszą drogę szybko przebrali się w suche ubranie i posmarowali maścią odstraszającą owady. Ciało Jamesa było jedną masą wściekle czerwonych ukąszeń.

– To się wymyka spod kontroli – narzekał James. – Moje bąble mają już własne bąble. Myślisz, że dostaniemy malarii?

– Może... – Kerry wzruszyła ramionami. – Nawet jeśli, nic na to nie poradzimy, więc po co się zamartwiać.

*

Godzinę po ustaniu deszczu zauważyli błysk wśród drzew na brzegu.

– Czy ktoś zrobił nam zdjęcie? – zdziwił się James.

Nim skończył mówić, pod obudową silnika rozległ się elektroniczny pisk. Kerry zamknęła gaz i sięgnęła do kieszeni po scyzoryk.

– Czy to mógł być jakiś sygnał ostrzegawczy? – dopytywał się James.

Kerry wzruszyła ramionami.

– Zajrzę do silnika, ale nie jestem mechanikiem.

Ostrzem noża odchyliła dwa zatrzaski i uniosła plastikową pokrywę.

– Jezu... – zachłysnęła się z przerażenia. – Chyba mamy tu bombę.

Nie wierząc własnym uszom, James dopadł silnika, by ujrzeć metalowy walec przymocowany taśmą samoprzylepną do bloku silnika. Rozpoznał w nim włącznik czasowy, jaki Large demonstrował im kiedyś na pirotechnice. W przeciwieństwie do tych, jakie widuje się na filmach, ten nie miał zegarka pokazującego, ile czasu zostało do wybuchu.

Z włącznika wychodził kabel, który biegł dalej wzdłuż gumowego przewodu łączącego silnik ze zbiornikiem paliwa. James zauważył go wcześniej, ale nie zwrócił nań uwagi.

– Czyżby ten błysk uruchomił zegar?

– Musi mieć czujnik fotoelektryczny – powiedziała Kerry. – Pamiętasz, jak Large pokazywał nam, jak zrobić detonator z czujnika ruchu i lampy błyskowej? Idealny, jeśli chcesz, żeby cel wyleciał w powietrze po dotarciu w określone miejsce.

– Możemy zginąć – zauważył James.

– Nie bądź głupi! – Kerry machnęła ręką. – Przecież by nas nie uśmiercili. To pewnie tylko mały ładunek, który wybije dziurę gdzieś w...

Środek łodzi eksplodował fontanną odłamków. James poczuł uderzenie żaru i podmuch wyrzucił go za burtę. Na kilka sekund go zamroczyło. Ocknął się, unosząc się na rzece wśród dymu i kawałków drewna. Dzwoniło mu w uszach, a rozlana na wodzie benzyna piekła w oczy.

– Kerry! – wrzasnął rozpaczliwie, krztusząc się i młócąc rękami wodę. – Błagam! Kerry! – Benzyna paliła mu gardło. Miał wrażenie, że się dusi. – Kerry, nic nie widzę!

– Wstawaj! – rozległ się głos tuż za nim. Kerry wsunęła mu ręce pod pachy. – Opuść nogi i stój.

James poczuł falę ulgi, kiedy jego stopy dotknęły piaszczystego dna, trochę ponad metr pod lustrem wody.

– Myślałem, że się utopię – zachłystywał się słowami, wisząc Kerry na ramieniu. – Myślałem, że jest głęboko.

Kerry wzięła go za rękę i zaprowadziła do głazu, który sterczał z wody nieopodal. Oczy piekły go, jakby stały w ogniu. Widział tylko niewyraźne przebłyski światła.

– Posiedź tu minutkę – poleciła Kerry. – I mrugaj oczami, ile tylko możesz.

– A jak twoje oczy?

– W porządku. Zdążyłam skoczyć i odpłynąć od szczątków.

Kerry wypatrzyła swój plecak zaplątany w zarośla na brzegu, i poszła go odzyskać. Do jej powrotu oczy przestały piec Jamesa na tyle, że mógł otwierać je co jakiś czas na kilka sekund.

– Daj wody – zażądał.

Kerry poszperała w przemoczonym plecaku.

– Nie mam – oznajmiła. – Moja manierka była w łodzi.

– Jak daleko jest stąd do mety?

– Trzy kilometry. Musimy płynąć.

– Nigdy nie przepłynąłem więcej niż sto metrów – powiedział James ostrożnie.

– Zrobię ci pływak z plecaka.

– To kawał drogi – zauważył James. – Nie możemy pójść brzegiem?

Kerry wskazała ręką na gęstwę gałęzi i liści zwieszającą się nad brzegiem rzeki.

– Nie pokonasz trzech kilometrów przez tę plątaninę nawet za milion lat.

– Chyba masz rację – zgodził się James.

– Pójdzie ci lepiej bez butów. Daj mi je, przywiążę sobie do pasa.

– Serio, Kerry, ja nie dam rady.

Podczas gdy James ściągał mokre buty, Kerry wyjęła rolkę foliowych worków na śmieci. Następnie opróżniła plecak ze wszystkiego, z wyjątkiem najpotrzebniejszych rzeczy: noża, maści na owady i kompasu. Do środka włożyła jeden z worków i nadmuchała go, przemieniając plecak w balon z kieszeniami.

– Złapiemy za paski i spłyniemy z prądem – powiedziała uspokajającym tonem. – Musimy tylko sterować. Nurt wykona za nas całą pracę.

*

Szkolenie podstawowe było sprawdzianem granic wytrzymałości. Trenerzy mogli głodzić, poniżać i zamęczać rekrutów, aż ci błagali o zmiłowanie, ale z całą pewnością nie chcieli ich pozabijać. Trasa w dół rzeki została starannie wybrana tak, by zagrożenie dla płynącego było minimalne. Dno było wolne od zatopionych drzew, prądy umiarkowanie silne, a brzegi rzadko oddalone od siebie o więcej niż dwadzieścia metrów.

Pozostawały jeszcze węże i drapieżne ryby – nie były co prawda duże, ale wyglądały na zdolne do odgryzienia palców, no i nie było to przyjemne, kiedy podpływały blisko, błyskając rzędami ostrych ząbków. James wpadł w panikę dwa razy, raz, kiedy stracił Kerry z oczu, i drugi, kiedy rozorał sobie udo o podwodną skałkę, ale do punktu kontrolnego dotarli jeszcze przed zmrokiem, mając całe trzy godziny zapasu.

Wychodzili z wody wyczerpani, spragnieni, a James miał na grzbiecie kilka pijawek, ale poza tym czuli się całkiem nieźle. Punkt kontrolny mieścił się na wykarczowanej polanie. Stał tam blaszany barak, który niegdyś służył za kwaterę dla pół tuzina drwali. Jak zawsze obawiając się pułapek, James ostrożnie uchylił metalowe drzwi i wetknął głowę do środka. Z niejakim zdziwieniem zobaczył pana Speaksa siedzącego w hamaku i rozwiązującego krzyżówkę.

– Jak wycieczka? – spytał Speaks, rzucając przybyszom badawcze spojrzenie znad ciemnych okularów.

– Nieźle – wydyszała Kerry, wbijając wzrok w olbrzymią butlę wody mineralnej połyskującej kusząco na parapecie.

– Nie krępujcie się – powiedział Speaks. – Są tu dla was nowe plecaki z wyposażeniem, mnóstwo jedzenia w chłodziarce, a na dachu zbiornik z deszczówką podłączony do prysznica, jeżeli macie ochotę z niego skorzystać. Sugeruję, żebyście przeczytali swoje instrukcje i spróbowali się przespać, zanim przyleci po was śmigłowiec. To cały odpoczynek, na jaki możecie liczyć przez następne 38 godzin.

– Nie nocujemy tutaj? – zdziwił się James.

– Jeżeli chcecie dotrzeć do mety, nie nocujecie nigdzie ani dziś, ani jutro. Śmigłowiec zabierze was o dwudziestej drugiej i wysadzi na ścieżce 188 kilometrów od czwartego punktu kontrolnego, tyle ile jest z Londynu do Birmingham. Macie tam dojść przed dziesiątą pojutrze. Jeśli zaśniecie, nie ma mowy, żebyście zdążyli.

25. MEDUZA

188 kilometrów w trzydzieści sześć godzin przekłada się na mniej więcej pięć kilometrów na godzinę. To wprawdzie prędkość nieśpiesznego marszu, ale James i Kerry musieli zatrzymywać się, żeby jeść i pić, żeby sprawdzić, czy nie zboczyli z zarośniętej ścieżki, a często ból stawał się tak nieznośny, że nie pozwalał im iść dalej. Dawały im się we znaki nie tylko stopy. Każda komórka ich ciał wprost płonęła zmęczeniem.

Ostrożność poszła spać. Spoceni i pokryci bąblami po ukąszeniach, nie mieli czasu na przebranie się w suche rzeczy ani smarowanie maścią odstraszającą owady. Ich manierki były puste. Nie mając kiedy nazbierać deszczówki, spijali wodę z palmowych liści. Większość rzeczy porzucili. Nieśli na zmianę tylko jeden lekki plecak z latarką, kompasem i mapami.

Do mety dotarli z zapasem poniżej pół godziny przed wyznaczonym terminem. Jeszcze zanim dowlekli się do drewnianego budynku, Gabriela i Shakeel wybiegli do nich z wodą.

– Już zaczęliśmy się o was martwić – wyznał Shakeel. – Niewiele brakowało.

Budynek był zamknięty, ale z zewnętrznej ściany sterczał kran. Kerry napełniła wodą zardzewiałe wiadro, połowę chlusnęła na Jamesa, a resztę wylała sobie na głowę. Rekruci byli zbyt zmęczeni, by robić cokolwiek poza leżeniem w cieniu i czekaniem na trenerów.

– Mam nadzieję, że nie dostaniemy malarii – powiedział James, drapiąc bąble na szyi.

– Akurat to nam nie grozi – rzuciła Gabriela mimochodem.

– Skąd wiesz? – zainteresowała się Kerry.

– Wiedziałam, że lecimy do dżungli, a nie dali nam tabletek przeciwmalarycznych – wyjaśniła Gabriela. – To mnie zastanowiło. Kiedy byliśmy w hotelu, zrobiłam słodkie oczy do kolesia za kontuarem i pozwolił mi skorzystać z Internetu. Żadnej malarii w tej części Malezji.

– Sprytnie – pochwaliła Kerry. – Ale mogłaś nam powiedzieć.

– Powiedziałam Jamesowi. W śmigłowcu, tuż przed skokiem. Jemu i Shakeelowi.

– Wcale nie – zaprotestował James.

– Powiedziała nam obu – potwierdził Shakeel. – Widziałem, jak kiwasz głową.

– Och... To przez ten hałas. Myślałem, że życzysz mi powodzenia, więc skinąłem głową, żeby podziękować.

Kerry zdzieliła Jamesa pięścią w ramię.

– Debilu! Wiesz, ile czasu mogliśmy zaoszczędzić, nie zmieniając tak często ubrań? A ja zamartwiałam się na śmierć, że się pochorujemy.

– Przepraszam – powiedział James. – Nie musisz mnie od razu bić.

– Idiota – zaśmiała się Kerry. – Nie mogę się doczekać naszego spotkania w *dojo*.

– Co? – zdziwił się James.

– Nic pamiętasz naszego układu? Za to, że nadepnąłeś mi na rękę, dzień po ukończeniu szkolenia walczysz ze mną w *dojo*.

– Myślałem, że żartujesz – przyznał James zdjęty nagłym lękiem.

Kerry pokręciła głową. Pozostali ryczeli ze śmiechu.

– Zmasakruje cię – zachwycał się Connor. – Możemy popatrzeć?

– Kto powiedział, że w ogóle ukończycie szkolenie? – zauważył Mo. – To czterodniowa wyprawa, a czwarty dzień dopiero się zaczyna. Założę się, że trenerzy jeszcze nas czymś zaskoczą.

*

Trenerzy wprowadzili ich do budynku. Wewnątrz stało w rzędzie sześć krzeseł, a przed każdym dwa wiadra. Pan Speaks zasłonił rekrutom oczy opaskami, a Smoke przywiązała im kostki do nóg krzeseł.

– Przygotujcie się do ostatniego, najcięższego sprawdzianu – powiedział Large. – Zanim mianujemy was agentami, moje wy wystraszone króliczki, musimy mieć pewność, że potraficie znieść najgorszą rzecz, jaka może się wam przytrafić. Numerze osiem, jaka jest najgorsza rzecz, jaka może się wam przytrafić podczas akcji?

– Możemy zginąć – odpowiedziała Kerry.

– Są rzeczy gorsze od śmierci – rzucił Large filozoficznie. – Miałem na myśli tortury. Załóżmy, że zostaliście schwytani podczas wykonywania zadania. Wiecie coś, a pewni ludzie zrobią wszystko, żeby wydobyć z was tę informację. Nie sądźcie, że ktoś się nad wami zlituje, bo jesteście dziećmi. Będą obcinać wam palce, wyrywać paznokcie i zęby. Podłączą was do prądnicy i przepuszczą tysiąc woltów przez wasze słodkie, małe ciałka. Rzecz jasna, mamy nadzieję, że to się nigdy nie zdarzy, ale musimy wiedzieć, czy w razie czego jesteście w stanie znieść ból. Ten sprawdzian pokaże, jak bardzo jesteście twardzi. Przed sobą macie dwa wiadra. Do wiadra po lewej stronie panna Smoke wkłada meduzę. Stworzenie to ma na ramionach setki parzydełek, czyli mikroskopijnych żądeł, a każde z nich wstrzykuje porcję jadu. Po kilku minutach od kontaktu skóra zaczyna piec. Po dziesięciu minutach ból jest wprost niewyobrażalny. Kilka lat temu jedna z naszych agentek przeskakiwała ogrodzenie, ale źle obliczyła skok i skończyła z metalowym prętem w plecach. Potem powiedziała, że nie było to nawet w połowie tak bolesne jak ta próba. Wiadro po prawej stronie zawiera antidotum na jad. Wystarczy kilkusekundowy kontakt z poparzoną skórą, by ból zaczął słabnąć, a po dwóch minutach znika niemal całkowicie.

James poczuł, że ktoś łapie go za głowę.

– Powiedz aaa – poleciła Smoke i wepchnęła mu do ust gumową kulkę. Trzymała się na elastycznym pasku, którym trenerka strzeliła mu w tył głowy.

– Wszyscy otrzymacie ochraniacze zębów – ciągnął dalej Large – ponieważ zdarzało się, że ludzie oszołomieni bólem odgryzali sobie własne języki. Na mój sygnał włożycie ręce do wiadra po lewej tak, by oprzeć pięści na dnie. Odczekacie trzydzieści sekund. Meduza zaatakuje, ale na początku niczego nie poczujecie. Musicie wytrzymać ból przez jedną godzinę. Kto włoży ręce do antidotum przed upływem godziny, oblewa całe szkolenie. Ze względu na toksyczność jadu próby nie można powtórzyć. Jakieś pytania?

Large udawał, że nie pamięta o zatyczkach w ustach rekrutów.

– Zatem zaczynamy. Ręce do wiader!

James pochylił się do przodu, szukając po omacku wiadra. Był przekonany, że szkolenie niczym go już nie zaskoczy, ale to spadło na niego jak cegła. Bał się. A jeśli ból okaże się ponad jego wytrzymałość? Dziewięćdziesiąt dziewięć dni tortur na marne.

Woda była letnia. James poczuł, że coś lekkiego i gumiastego owija mu się wokół nadgarstków.

– Wyjmijcie ręce – rozkazał Large. – Jeśli meduza się przyklei, delikatnie ją zsuńcie.

James uniósł ręce i ostrożnie strzepnął czepliwe macki. Usiadł wyprostowany i czekał na ból.

– Dwie minuty – powiedział Large. – Zaraz zacznie boleć.

James miał wrażenie, że skóra na jego rękach robi się gorąca. Na czoło wystąpiły mu krople potu, które spływały w dół i zbierały się nad krawędzią opaski. Nie ocierał twarzy, żeby nie przenieść na nią jadu.

– Pięć minut – oznajmił Large.

Uczucie gorąca znikło. James nie wiedział, czy było prawdziwe, czy tylko je sobie wyobraził. Na sąsiednim krześle Kerry wydawała odgłosy, jakby zmagała się ze swoim ochraniaczem zębów. Pewnie ból dopadł ją wcześniej.

– Dziesięć minut. Całkiem nieźle się trzymacie, ale widzę kilka wykręconych buziek – powiedział Large.

Nagle rozległ się głos Kerry.

– Co za sens żądlić kogokolwiek, jeżeli ofiara nie czuje tego od razu?

Large podbiegł do dziewczyny.

– Wkładaj to z powrotem, już!

James usłyszał stłumiony jęk Kerry, której wtłoczono ochraniacz w usta.

– Odtąd, kto wypluje ochraniacz, ma wytrzymać dwie godziny bez antidotum! – wykrzyczał Large.

James zaczął myśleć. Nadal nie czuł bólu, a to, co powiedziała Kerry, miało sens. Po co zwierzę miałoby używać jadu, który nie działa natychmiast, a zatem nie może uchronić go przed zjedzeniem lub zaatakowaniem przez wroga?

– Piętnaście minut – wycedził Large.

– Dwie godziny bez antidotum? – zawołała Gabriela. – Czemu nie dziesięć?! Coś wam powiem, chcecie, to wetknę tam głowę.

James nie zobaczył, co się stało, ale usłyszał plusk rozlanej wody i turkot plastikowego wiadra toczącego się po podłodze.

– Wkręcili nas – powiedziała spokojnie Kerry.

James był już pewien, że to sztuczka. Gwałtownym ruchem ściągnął opaskę. Kerry unosiła na dłoni niegroźnego kalmara i przyglądała mu się badawczo. James wyjął sobie z ust ochraniacz.

– No dobra, ludzie. – Large klasnął w dłonie. – Fajnie, że spodobał się wam mój mały żarcik. Nie zapomnijcie odwiązać sobie kostek, zanim wstaniecie.

Kerry patrzyła na Jamesa uśmiechnięta od ucha do ucha.

– Bałaś się? – spytał James.

– Wiedziałam, że coś jest nie tak. Gdyby to nie była blaga, to po co zakładaliby nam opaski?

– To mi nie przyszło do głowy – powiedział James z uznaniem. – Za bardzo się bałem, żeby logicznie myśleć.

– Spójrz pod swoje krzesło.

Podczas gdy mieli zasłonięte oczy, pod krzesła podrzucono małe pakunki. James odwiązał się i sięgnął po swój prezent. Był to szary zwój materiału. James rozpostarł go i popatrzył prosto na uskrzydlonego dzieciaka siedzącego na globie oraz napis: CHERUB.

– Piękna! – zawołał.

Kerry już miała koszulkę na sobie. James, nie zwlekając, ściągnął swoją niebieską bluzkę. Kiedy jego uśmiechnięta głowa przecisnęła się przez otwór na szyję, stał przed nim Large z wyciągniętą dłonią. James uścisnął ją.

– Gratuluję, James – powiedział instruktor. – Oboje dobrze się spisaliście.

Była to pierwsza miła rzecz, jaką James od niego usłyszał.

26. ZNÓW W DOMU

Ze względów bezpieczeństwa uniformu CHERUB nie wolno było nosić poza kampusem, ale James całą drogę do domu pokonał w swojej szarej koszulce ukrytej pod dresem. W samolocie obudził się i natychmiast zerknął pod bluzę, żeby upewnić się, że to nie sen. Kerry spała w sąsiednim fotelu. James widział szary skrawek koszulki wyłażący jej z dżinsów na plecach.

Wszyscy byli w wyśmienitym nastroju, nawet trenerzy, których czekały trzy tygodnie urlopu przed rozpoczęciem następnego szkolenia. Kerry przestała zgrywać twardzielkę i zaskoczyła Jamesa, przemieniając się w zupełnie normalną jedenastoletnią dziewczynę. Zwierzyła się mu, że nie może się doczekać, kiedy odrosną jej włosy i paznokcie. Na lotnisku kupiła długopis i pocztówki, po czym zmusiła wszystkich, by podpisali się na nich na pamiątkę dla instruktorów. James uznał to za głupotę. Przypomniał Kerry, że Large był gotów wywalić ich z kursu tylko po to, by wygrać zakład. Być może znęcanie się nad rekrutami należało do jego obowiązków, ale jemu najwyraźniej sprawiało frajdę.

*

Mikrobus zatrzymał się przed budynkiem ośrodka szkolenia. Był wczesny ranek. Świeżo upieczeni funkcjonariusze opróżnili swoje szafki z osobistych rzeczy i zmienili cywilne ubrania na przepisowe uniformy. James zachował na pamiątkę jedną z brudnych niebieskich koszulek z numerem siedem. Kerry wyjęła z szafki klucz.

– Pomóż mi przenieść moje rzeczy – poprosiła.

– Dokąd?

– Do głównego budynku. Czerwone koszulki mieszkają w bloku juniorów.

Trenerzy kazali im się uwijać, bo spieszyli się do domów. Callum czekał na brata za bramą ośrodka szkolenia. Temblak nie podtrzymywał już jego ręki. Za trzy tygodnie miał rozpocząć szkolenie od początku i Jamesowi było go trochę żal. Powitał go przyjacielskim klepnięciem.

– Dasz sobie radę – powiedział. – Żaden problem.

Connor objął brata ramieniem. Podekscytowana Kerry pobiegła przodem.

– No chodźże, James! – zawołała niecierpliwie.

James wszedł za nią do bloku juniorów. Był tutaj pierwszy raz. W budynku panowała głucha cisza. O tej porze dzieci były na lekcjach. W pokoju Kerry stały dziecięce mebelki: plastikowe biurko, piętrowe łóżka i wielki drewniany kufer z wymalowanym na boku napisem „Moje zabawki". Drzwi szafy zdobił zielony miś.

– Boski pokoik – wykrztusił James, starając się nie roześmiać.

– Zamknij się i bierz rzeczy.

Kerry spakowała się jeszcze przed rozpoczęciem szkolenia. Teraz wszystko było gotowe.

– Musiałaś być pewna swego – zauważył James.

– Gdybym zawaliła, odeszłabym z CHERUBA. Nie trzeba zostawać agentem, jeżeli się nie chce.

– I gdzie się wtedy trafia?

– Do szkoły z internatem, a święta spędza się z rodziną zastępczą.

– Serio, odeszłabyś? – Jamesowi nie mieściło się to w głowie.

– Przyrzekłam to sobie – powiedziała Kerry. – Dlatego tak się zdenerwowałam w święta, kiedy wpakowałeś nas w to bagno.

James nie odpowiedział. Nie chciał, by ich rozmowa dryfowała dalej w stronę umówionej walki w *dojo*. W milczeniu załadowali torby na jeden z elektrycznych wózków, jakich personel używał do poruszania się po kampusie.

– Który masz pokój? – zapytał James po dłuższej chwili. Kerry pokazała mu numerek przy kluczu.

– Szóste piętro – ucieszył się James. – Tak samo jak ja. Jesteśmy prawie sąsiadami.

Weszli jeszcze raz do dawnego pokoju, by sprawdzić, czy niczego nie przeoczyli. Po twarzy Kerry płynęły łzy.

– Co znowu? – zdziwił się James.

– To był mój pokój, odkąd skończyłam siedem lat – załkała Kerry. – Będzie mi go brakowało.

James nie wiedział, gdzie podziać oczy.

– Kerry, pokoje w głównym są z pięćdziesiąt razy fajniejsze. Masz własną łazienkę, komputer i wszystko.

– Wiem, ale jednak... – szlochała Kerry.

– Oj, daj już spokój – żachnął się James. – Mogę poprowadzić wózek? Nigdy tego nie robiłem.

*

Przeładowany wózek kołysał się niebezpiecznie na wybojach. Rozległ się dzwonek na przerwę i po chwili teren między budynkami zaroił się od dzieci. Kilkoro znajomych Kerry zatrzymało ich, by pogratulować ukończenia szkolenia podstawowego.

Z głównego wejścia wypadła Amy.

– Hej! – zawołała radośnie.

James wdusił hamulec.

– Gratuluję – powiedziała Amy, nachylając się nad wózkiem, by uściskać pasażerów.

– To ty uczyłaś go pływać, tak, Amy? – spytała Kerry.

– Tak.

– Ale co to ma być, o to...? – powiedziała Kerry, rozpaczliwie wymachując rękami w udanej karykaturze Jamesowego kraula.

– Wcale tak nie pływam – nadąsał się chłopak.

Amy i Kerry roześmiały się.

– Miałam tylko trzy tygodnie – powiedziała Amy. – Będzie uczył się dalej.

Teraz Amy zaczęła udawać, że tonie, i dziewczyny gruchnęły jeszcze głośniejszym śmiechem. James rzuciłby się na nie z pięściami, gdyby nie to, że nawet każda z osobna wlałaby mu bez trudu.

– Tak czy owak, James – podjęła Amy, ocierając łezkę spod oka – dobrze, że cię znalazłam. Muszę ci coś pokazać.

– Niby co? – burknął nadąsany James.

– James, przepraszam cię – powiedziała, kładąc mu rękę na ramieniu. – Jestem twoją nauczycielką i nie powinnam się z ciebie śmiać. Obiecuję, że jeśli ze mną pójdziesz, poprawi ci się humor. No chodź.

James wygramolił się z wózka.

– Dokąd?

– Zmężniałeś, James – powiedziała Amy.

James nie był pewien, czy dziewczyna mówi poważnie, czy tylko chce sprawić mu przyjemność.

– Dasz sobie radę z tymi gratami? – tym razem Amy zwróciła się do Kerry.

Kerry skinęła głową.

– Ktoś mi pomoże.

Amy zaprowadziła Jamesa z powrotem do bloku juniorów.

– O co chodzi? – dopytywał się James.

– Wcale nie byłam pewna, czy ukończysz szkolenie za pierwszym podejściem – przyznała Amy. – Zaimponowałeś mi.

James wyszczerzył zęby w uśmiechu.

– Jeszcze trzy lub cztery komplementy, a zapomnę, co mówiłaś o moim pływaniu.

Weszli do szkolnej części budynku. Wyglądała jak każda normalna podstawówka, z dziecięcymi rysunkami na ścianach i plastelinowymi figurkami w gablotkach. Amy zatrzymała się przy drzwiach jednej z klas.

– Jesteśmy na miejscu – oznajmiła.

– O co chodzi? – zirytował się James. – Nie możesz mi po prostu powiedzieć?

Amy wskazała palcem drzwi.

– Zajrzyj tam.

James przytknął nos do szyby, zwijając dłonie w daszek nad czołem.

Zobaczył dziesięcioro dzieci siedzących na podłodze i recytujących chórem hiszpańskie słówka. Wszystkie były w czerwonych koszulkach CHERUBA, ale zamiast wojskowych glanów miały na nogach zwyczajne tenisówki.

– Widzisz? – spytała Amy.

– Ale co? – rzucił niecierpliwie. – Nawet nie wiem, na co mam patrzeć.

I wtedy to spadło na niego jak bomba.

– O, szit... – pisnął, uśmiechając się coraz szerzej. Zapukał w drzwi i nie czekając na zaproszenie, nacisnął klamkę. – O, szit! – powtórzył głośno, nie zwracając najmniejszej uwagi na nauczycielkę i dzieci.

Nauczycielka wyglądała na wściekłą.

– Moja siostra... – wybąkał oszołomiony James i zamarł z otwartymi ustami. Kompletnie zabrakło mu słów.

– Bardzo przepraszam za to wtargnięcie, pani profesor – powiedziała spokojnie Amy. – To jest James, brat Laury. Właśnie ukończył szkolenie podstawowe i zastanawiał się, czy mógłby na jakiś czas porwać swoją siostrę.

Nauczycielka machnęła dłonią.

– Niech będzie, idź. Ale tylko ten jeden raz.

Laura zerwała się z dywanu i zawisła Jamesowi na szyi. Była ciężka. James cofnął się o kilka kroków, nim odzyskał równowagę.

– *Hola, hermano grande!* – zawołała Laura, śmiejąc się.

– Co? – James nie zrozumiał.

– To po hiszpańsku – wyjaśniła Laura. – Powiedziałam cześć, duży bracie.

*

Amy musiała wrócić na lekcję. Laura zaprowadziła brata do swego pokoju.

– Po prostu nie mogę w to uwierzyć – powtarzał James, szczerząc się w obłędnym uśmiechu. Wszystko, na co liczył, to potajemne odwiedziny u siostry może ze dwa razy w miesiącu. To, że szedł teraz obok niej, ubranej w uniform CHERUBA, po prostu nie mieściło mu się w głowie.

Pokój Laury wyglądał tak samo jak ten, w którym mieszkała Kerry, tyle że wszystko w nim było nowsze.

– Nie do wiary – powiedział James po raz setny, opadając na wielki fotel-poduchę. – Autentycznie nie mogę uwierzyć.

Laura roześmiała się.

– Czyli cieszysz się, że mnie widzisz?

Wyciągnęła z lodówki dwie cole i zręcznie rzuciła jedną Jamesowi.

– Ale jak... To znaczy... – James nie mógł opanować chichotu. – Skąd się tu wzięłaś?

– Ron mnie pobił – rzuciła Laura.

James zamarł w szoku.

– Co zrobił?!

– Pobił mnie. Miałam gigantyczne śliwy pod oczami.

– Co za dupek! – krzyknął James, kopiąc w ścianę. – Co im odbiło, żeby powierzyć mu opiekę nad tobą? Wiedziałem, że w końcu zrobi coś takiego.

Laura wcisnęła się na fotel obok brata.

– Nienawidzę go – powiedziała cicho. – Następnego dnia w szkole pani Reed spytała, co mi się stało w oczy.

– Powiedziałaś prawdę?

– Tak. Ściągnęła policję. Kiedy przyszli go aresztować, znaleźli te szmuglowane papierosy, więc zamknęli go i za to. Doigrał się.

James uśmiechnął się złośliwie.

– I dobrze.

– Mnie zawieźli do Nebraska House – ciągnęła Laura. – Nikt nie wiedział, gdzie się podziałeś. Bardzo się martwiłam. Myślałam, że już nigdy cię nie zobaczę.

– Jak długo musiałaś tam siedzieć? – spytał James.

– W Nebraska House mieszkałam trzy dni. Czwartego obudziłam się tutaj.

James roześmiał się.

– Niezłe uczucie, co?

– Nie pozwolili mi na spotkanie, ale Mac pokazał mi ciebie. Patrzyłam, jak walczyłeś z tą Chinką. Lała cię, jak chciała. To było takie śmieszne...

– Musiałaś przejść próby, żeby cię przyjęli?

– Nie. One są tylko dla starszych. Tych, którzy idą od razu na szkolenie.

– Farciara – powiedział James. – Te próby omal mnie nie zabiły.

Laura klepnęła go w dłoń.

– Zostaw moje włosy w spokoju!

James bezwiednie okręcał je sobie wokół palców. Nienawidziła, kiedy to robił.

– Przepraszam – powiedział. – Nawet nie wiedziałem, że to robię.

– Jestem na programie specjalnym – oznajmiła Laura. – Mnóstwo biegania, pływania, karate i tak dalej. Mam być w formie, kiedy pójdę na szkolenie podstawowe.

– W tym roku kończysz dziesięć lat, prawda? – spytał James.

Laura skinęła głową.

– We wrześniu. Staram się nie myśleć o szkoleniu.

– Ale w ogóle podoba ci się tutaj, no nie? Jesteś zadowolona?

– Jest super. Robimy tyle fajnych rzeczy. Mówiłam ci już, że byliśmy na nartach? Na tyłku mam siniak wielkości płyty kompaktowej.

James parsknął śmiechem.

– Ty? Na nartach?

– A chcesz usłyszeć najlepsze?

– Dawaj.

– U Rona znaleźli narkotyki i masę kradzionych fantów. Zgadnij, na ile go wsadzili.

James wzruszył ramionami.

– Pięć lat?

Laura pokazała palcem sufit. James uniósł brwi.

– Siedem?

– Dziewięć!

– Tak! – Pięść Jamesa wystrzeliła w powietrze.

27. CODZIENNOŚĆ

Po zakończeniu szkolenia dostali tydzień wolnego. James dał Kerry dwa dni na urządzenie się, po czym wybrał się do niej w odwiedziny. Humor miał podły.

– Mój plan zajęć jest chory – poskarżył się. – Codziennie sześć godzin lekcji, dwie godziny pracy domowej, a do tego dwie godziny lekcji w sobotę! W sumie czterdzieści cztery godziny szkoły tygodniowo.

– No i...? – spytała Kerry. – A co robiłeś w starej szkole?

– Dwadzieścia pięć godzin szkoły i parę godzin pracy domowej, którą i tak zawsze olewałem. Nie ma mowy, żebym odrabiał taką masę lekcji.

– No to przyzwyczajaj się do szorowania podłóg – westchnęła Kerry.

– Za nieodrabianie lekcji?

– Zgadza się. To może być też mycie kuchni, koszenie trawników albo mycie okien. Recydywiści czyszczą kible i szatnie. Nauki jest tak dużo, James, bo jeżdżąc na akcje, dużo się traci i trzeba nadrabiać. Zresztą to nie tylko nauka. Są w tym zajęcia sportowe, lekcje dla młodszych...

– Właśnie, to kolejna rzecz – przerwał jej James. – Mam uczyć maluchy matmy.

– Wszystkie szare i ciemne koszulki muszą uczyć. To daje poczucie odpowiedzialności. Amy uczy pływania, Bruce sztuk walki. Ja poprowadzę lekcje hiszpańskiego dla pięcio- i sześciolatków. Nie mogę się już doczekać.

James usiadł na łóżku Kerry.

– Mówisz dokładnie jak Meryl Spencer, moja opiekunka. Nie do wiary, że cieszy cię, że masz tyle pracy.

– Niewiele mniej miałam, kiedy nosiłam czerwoną koszulkę.

– Żałuję, że w ogóle tu trafiłem.

– Przestań dramatyzować, James – zdenerwowała się Kerry. – CHERUB daje ci fajne mieszkanie i świetne wykształcenie. Kiedy stąd odejdziesz, będziesz mówił dwoma lub trzema językami, a kwalifikacje będą ci wyciekały uszami. Będziesz ustawiony na całe życie. Pomyśl, gdzie byłbyś teraz, gdybyś tutaj nie trafił.

– W porządku – zgodził się James. – Moje życie spływało do ścieku. Ale ja nienawidzę szkoły. Przeważnie jest tak nudna, że z rozpaczy chce mi się walić łbem w ścianę.

– Jesteś leniwy, James. Najchętniej siedziałbyś w pokoju ze swoją głupią Playstation i robił blip, blip przez cały dzień. Sam powiedziałeś, że skończyłbyś w więzieniu, gdybyś dalej żył tak, jak żyłeś. Nudzisz się w klasie? To co powiesz na osiemnaście godzin dziennie w celi? I zabieraj te brudne buciory z mojego łóżka, zanim rozwalę ci łeb!

James opuścił stopy na podłogę.

– Playstation nie jest głupia – powiedział cicho.

– Chcesz poznać powód, dla którego powinieneś pracować z całych sił?

– Wal.

– Laura. Ona cię kocha. Jeśli ty wyjdziesz na prostą, to ona też. Jeśli zawalisz sprawę i wylecisz stąd, będzie musiała wybierać pomiędzy byciem z tobą a zostaniem w CHERUBIE.

– Przestań mieć rację! – zawołał James. – Wszyscy tutaj są tacy mądrzy i rozsądni. A ja jestem głupi i nic na to nie poradzę. Nienawidzę was wszystkich.

Kerry parsknęła śmiechem.

– To nie jest śmieszne – mruknął James, ale sam zaczął się uśmiechać.

Kerry usiadła obok niego na łóżku.

– Przyzwyczaisz się.

– Miałaś rację co do Laury – powiedział James. – Muszę o niej myśleć.

Kerry przysunęła się bliżej i oparła głowę na jego ramieniu. James objął ją. Zrobił to w zupełnie naturalnym odruchu, ale dwie sekundy potem aż się spocił ze zdenerwowania. Głowa pękała mu od domysłów. Co też to mogło znaczyć? Czy chciał, żeby Kerry została jego dziewczyną? A może wszystko dlatego, że zżyli się ze sobą, bo spędzili tyle czasu razem? Wspólnie brali prysznic i sypiali obok siebie, ale dopiero po zakończeniu szkolenia James zaczął zauważać, że Kerry jest dziewczyną. Nie aniołem ze snów jak Amy, ale jednak niczego sobie. Pomyślał o pocałowaniu jej w policzek, ale stchórzył.

– Ładny masz pokój – zauważył, nie wiedząc, czym wypełnić niezręczną ciszę. – Obrazki i w ogóle. Muszę też jakieś zdobyć. U mnie ściany są całe białe.

– Tak sobie pomyślałam... Moglibyśmy renegocjować nasz układ – powiedziała Kerry.

James unikał Kerry przez dwa dni w nadziei, że zapomni.

– Co proponujesz?

– W piątek zabierzesz mnie do kina. Ja wybieram film, ty płacisz za autobus, bilety, hot dogi, popcorn, pepsi i co tam jeszcze zechcę.

– Wyjdzie ze dwadzieścia funtów – jęknął James.

– Ten koleś, z którym się przyjaźnisz, Bruce...

– Co z nim?

– Kiedyś złamał nogę – powiedziała Kerry. – Mieliśmy wtedy po osiem lat.

– Mówił mi. Podobno w dziewięciu miejscach.

– Przesadził. Złamałam mu ją tylko w siedmiu.

– Ty? – przeraził się James.

– Strzeliła jak gałązka.

– Dobra – powiedział James. – Kino, ja stawiam.

*

Kyle wrócił z misji w piątek rano z opalenizną i workiem podróbek markowych ciuchów. James poszedł za nim do jego pokoju. Był odstręczająco schludny. Nawet w szafie wszystkie ubrania trzymał w foliowych pokrowcach, a buty, stojące w równiutkich rzędach, miały powkładane prawidła.

– Filipiny – zaśpiewał Kyle. – Mac znowu mnie lubi.

– Co się stało?

– Ściśle tajne. Masz! – Kyle rzucił Jamesowi okulary przeciwsłoneczne, podróbkę Ray Bana. – Miały ci poprawić humor po tym, jak wylecisz ze szkolenia.

James założył okulary i stanął przed lustrem w pozie macho.

– Są super, dzięki – powiedział. – Wszyscy myśleli, że odpadnę.

– Odpadłbyś, gdyby nie Kerry – oświadczył Kyle. – Gdyby nie była twoją partnerką, Large przeżułby cię w tydzień.

– Ty znasz Kerry?

– Bruce zna. Kiedy dowiedział się, że jest z tobą w parze, stwierdził, że masz szansę. Kosztowała mnie dziesięć funtów.

– Założyłeś się, że nie przejdę szkolenia?

– Bez obrazy, James, ale jesteś zepsutym gnojkiem i totalnym cieniasem. Myślałem, że zarobię łatwą dyszkę.

– Dzięki – burknął James. – Dobrze wiedzieć, jakich się ma przyjaciół.

– Chcesz kupić podróbę roleksa? – ciągnął niezrażony Kyle. – Wygląda jak oryginał. Cztery funty sztuka.

*

W piątkowy wieczór do kina wybrał się cały tłum: Kyle, Bruce, Kerry, Callum, Connor, James, Laura i jeszcze kilkoro znajomych. James czuł się dobrze w dużej grupie przyjaciół. Przez całą drogę wydurniali się i żartowali. Film był dozwolony od dwunastu lat. Wszyscy wyglądali na tyle i tylko Laurę musieli przemycić wyjściem awaryjnym. James nie wiedział, jak się zachowywać wobec Kerry, zwłaszcza kiedy wszyscy patrzyli. Wybrał sobie miejsce i usiadł. Kiedy Kerry z przyjaciółką usiadła dwa fotele dalej, poczuł ulgę, ale też rozczarowanie. Im dłużej o tym myślał, tym bardziej uświadamiał sobie, jak bardzo ją lubi.

*

Po czterech dniach stosowania się do nowego rozkładu zajęć James uznał, że jakoś wytrzyma. W swoim poprzednim życiu zawsze wstawał późno, lekcje w zasadzie przeczekiwał, a po powrocie do domu grał na Playstation, oglądał telewizję albo włóczył się po osiedlu z kolegami. Innymi słowy, przez większość czasu nudził się jak mops. Codzienność w CHERUBIE bywała trudna, ale nigdy nudna.

Lekcji nie dało się przeczekiwać. W każdej klasie było najwyżej dziesięcioro uczniów i kiedy tylko przestawało się pracować, natychmiast miało się na karku nauczyciela dopytującego się, w czym problem. Uczniów dobierano pod kątem umiejętności, a nie wieku. Na niektóre zajęcia, na przykład matematykę, James chodził z piętnasto- i szesnastolatkami. Za to hiszpańskiego, rosyjskiego i samoobrony uczył się z dziećmi w wieku od sześciu do dziewięciu lat.

Za wszelkie przewinienia groziły chore kary. Gdy raz Jamesowi zdarzyło się przekląć na historii, potem przez dziesięć godzin odmalowywał linie i znaki na parkingu dla personelu. Następnego dnia na dłoniach i kolanach miał odciski od pełzania po asfalcie.

Lekcje WF-u odbywały się prawie codziennie. Po szkoleniu James był w doskonałej kondycji i dwie godziny biegania po boisku odbierał jak zwykłą rozgrzewkę. Lekcja rozpoczynała się zazwyczaj od ćwiczeń w sali gimnastycznej. Drugą połowę poświęcali grze w rugby albo piłkę nożną. James najbardziej lubił mecze, w których chłopcy grali przeciwko dziewczętom. Zawsze rozgrywały się one w atmosferze lekkiego obłędu, z dzikimi przepychankami czy nieustającymi kłótniami i mnóstwem fauli. Braki techniczne i kondycyjne dziewczęta nadrabiały sprytem i zmasowanymi atakami. Chłopcy lepiej strzelali gole, dziewczyny celowały w zadawaniu strat w ludziach.

Po lekcjach James miał godzinę odpoczynku przed obiadem, potem pośpiesznie odrabiał lekcje, by zdążyć na dodatkowe zajęcia ze sztuk walki. Zgłosił się na nie, bo było mu wstyd, że połowa dziewięcioletnich CHERUBÓW mogłaby pokonać go w bójce. Wieczory, w które nie miał treningów, spędzał w bloku juniorów z Laurą.

Pod koniec dnia James zwykle był wykończony. Po powrocie do siebie kąpał się, zerkając na telewizję przez uchylone drzwi, a potem wycierał i od razu kładł do łóżka.

28. ZADANIE

Minęły dwa miesiące od szkolenia podstawowego. Kerry Chang pojechała na akcję, wróciła i zaraz miała jechać na następną. Z tego powodu zaczęła tak zadzierać nosa, że James miał ochotę ją zabić. Gabriela była na Jamajce, Connor znikł gdzieś z Shakeelem, a Bruce regularnie wyjeżdżał na całe dnie. Kyle ulotnił się pewnego ranka, obiecując, że tym razem wróci w granatowej koszulce, i tylko James wciąż tkwił w kampusie, czując się jak ostatnia łamaga. Amy była jedyną znajomą Jamesa, która nie wyjechała. Spędzała długie godziny na ósmym piętrze w Centrum Planowania Misji. James nadal musiał z nią pływać cztery razy w tygodniu. Był już naprawdę dobry. Potrafił przepłynąć kraulem czterysta metrów, nie wynurzając głowy z wody dla nabrania powietrza, tylko odchylając ją w bok. Już się nie bał, Amy zaś powiedziała, że styl ma prawie bezbłędny.

*

James i Amy przebierali się z powrotem w swoje uniformy. Tym razem poprzestali na przepłynięciu kilku basenów. Większość lekcji zwyczajnie przegadali.

– To były nasze ostatnie zajęcia – powiedziała Amy.

James wiedział od wieków, że ta chwila musi nastąpić, ale to nie złagodziło ciosu ani trochę.

Bardzo lubił być z Amy. Była fajna i we wszystkim mu pomagała.

– Jedziesz na akcję? – spytał, wiążąc sznurowadła.

– Za dwa tygodnie. I tyle mi zajmą przygotowania.

– Będzie mi brakowało lekcji z tobą. Świetnie uczysz.

– Dzięki, James, jesteś słodki. Powinieneś zacząć pływać z Kerry, kiedy wróci. Jesteś teraz równie dobry jak ona, a może nawet lepszy.

– Będzie zbyt zajęta przechwalaniem się swoim doświadczeniem bojowym. Rozmawiałem wczoraj z Meryl Spencer. Wciąż nie ma nic dla mnie.

– Teraz mogę ci się przyznać – westchnęła Amy. – To ja poprosiłam, żeby wykreślili cię z listy dostępnych agentów.

– Przez moje pływanie?

Amy poszperała w swojej torbie i wyciągnęła plastikową kartę. James widywał czasem, jak ludzie przeciągali je w windzie przez czytnik, żeby dostać się do zamkniętej części głównego budynku, gdzie planowano misje.

– To dla ciebie – powiedziała Amy, wręczając mu kartę.

Na twarz Jamesa wypełzł radosny uśmiech.

– Mam misję z tobą – domyślił się.

– Tak – przytaknęła Amy. – Pracowałam nad tą sprawą, jeszcze zanim tu przyjechałeś. Kiedy się zjawiłeś, uświadomiłam sobie, że jesteśmy podobni. Ten sam kolor włosów, podobna budowa ciała, z powodzeniem możesz uchodzić za mojego młodszego brata. Na szkoleniu przydzieliliśmy ci Kerry, żebyś miał jak największą szansę. Nie byłam zachwycona, kiedy dowiedziałam się, że zacząłeś z nią bójkę i omal was nie wyrzucono.

– Nie przypominaj mi – mruknął James. – Byłem głupi.

– Masz szczęście, że Kerry nie próbowała ci oddać. Wystarczyłoby, że złamałaby ci rękę, a wyleciałbyś ze szkolenia. I nikt by jej za to nie winił.

– Przecież siedziałem na niej – zaprotestował James. – Nie mogła wstać.

Amy roześmiała się.

– Siedziałeś na Kerry, bo ci pozwoliła. Gdyby chciała, zmiażdżyłaby cię jak jajko pod glanem.

– Jest aż tak dobra? – spytał James z niedowierzaniem.

Amy skinęła głową.

– Musi cię bardzo lubić, skoro cię oszczędziła.

*

Ósme piętro wyglądało tak samo jak poziomy mieszkalne poniżej: długi korytarz z rzędami drzwi po obu stronach. Żeby wejść do Centrum Planowania Misji, należało przeciągnąć kartę magnetyczną przez czytnik, a potem wpatrywać się przez chwilę w czerwone światełko, czekając, aż skaner dokona identyfikacji na podstawie układu naczyń krwionośnych w siatkówce oka.

Urzeczony gadżetami przy wejściu James spodziewał się, że w środku zastanie co najmniej holograficzną mapę świata i ścianę błyskających światełkami superkomputerów. Dlatego był zawiedziony, widząc dosyć nędzny pokój z zupełnie zwyczajnymi komputerami, odrapanymi biurkami i krzesłami, z których wyłaziła gąbka. Były też metalowe szafki, a na nich sterty teczek i dokumentów. Jedyną przyjemną rzeczą był widok z okna na kampus.

Ewart Asker wyciągnął rękę do Jamesa i przedstawił się jako koordynator misji. Wyglądał na dwadzieścia kilka lat. Nosił uniform CHERUBA, miał tlenione włosy z czarnymi odrostami i kolczyk w języku.

– Twoje pierwsze zadanie, James – powiedział. – Denerwujesz się?

James wzruszył ramionami.

– A powinienem?

Ewart uśmiechnął się.

– A ja się denerwuję. Rzecz jest skomplikowana. Normalnie nie dostałbyś takiego zlecenia, dopóki nie sprawdziłbyś się w paru łatwiejszych zadaniach, ale potrzebujemy dwunastolatka, który może uchodzić za brata Amy, a ty pasujesz najlepiej. – Ewart wziął z biurka skoroszyt i wręczył Jamesowi. – Musisz nauczyć się mnóstwa rzeczy, dlatego skróciłem ci zajęcia szkolne. Amy napisała ci wprowadzenie. Nie bój się zadawać pytań. Wyruszacie za jakieś dziesięć dni.

James przysunął sobie krzesło i otworzył skoroszyt.

ŚCIŚLE TAJNE
Wprowadzenie do zadania dla Jamesa Adamsa.
Nie wynosić z pokoju 812.
Nie kopiować, nie sporządzać wypisów.

1) Fort Harmony
W 1612 r. król Jakub I zezwolił na powszechne użytkowanie pięćdziesięciu kilometrów kwadratowych ziemi w pobliżu walijskiej wioski Craddogh. Statut Craddogh Common dawał ludziom prawo do wypasania tam swoich zwierząt i wznoszenia małych zabudowań. W latach 70. XIX w. wszyscy użytkownicy Craddogh Common przenieśli się na stałe do wioski, by pracować w pobliskiej kopalni węgla. Teren pozostawał niezamieszkany przez następnych 97 lat.

W 1950 r. Craddogh Common przyłączono do Parku Narodowego West Monmouthshire. W 1967 r. osiedliła się tam grupka hippisów, której przewodziła niejaka Gladys Dunn. Gladys nadała osadzie nazwę Fort Harmony. Przybysze budowali drewniane szopy i hodowali kury, utrzymując, że daje im do tego prawo królewski statut z 1612 r.

Początkowo władze parku tolerowały hippisów, ale w ciągu trzech lat liczebność osady wzrosła do blisko 270 osób, zamieszkujących około stu prowizorycznych budynków. Park podjął kroki prawne zmierzające do eksmisji osadników. Po dwóch latach Sąd Najwyższy orzekł, że królewski statut stracił ważność z chwilą przyłączenia terenów publicznych do Parku Narodowego. Sąd dał hippisom tydzień na spakowanie się i wyjazd.

Hippisi nie wyjechali. Zimą 1972 r. policja przystąpiła do niszczenia zabudowań. Rozpoczęły się aresztowania. Liczebność Fort Harmony szybko spadła do pięćdziesięciu osób, ale ta grupka najtwardszych ideowców była zdecydowana walczyć do końca.

2) Bitwa

Przed każdym nalotem mieszkańcy Fort Harmony uciekali, pozwalając policji na niszczenie zabudowań, po czym wracali, by odbudować swoje schronienia. Kopali tunele, w których się ukrywali. Zastawiali też pułapki na napastników. Pewnego dnia doszło do poważnego incydentu. Pomiędzy zabudowaniami, pod warstwą opadłych liści, mieszkańcy ukryli sieci przywiązane do drzew. Kiedy oddział policji przystąpił do burzenia chat, hippisi uruchomili pułapki i uciekli. Trzej policjanci zawiśli w sieciach dwadzieścia metrów nad ziemią. Na pomoc ściągnięto wóz strażacki, ale ten ugrzązł w błocie. Minęło siedem godzin, nim strażacy znaleźli sposób na odcięcie sieci tak, by uwięzieni w nich ludzie nie roztrzaskali się o ziemię. Następnego dnia fotografie dyndających na drzewach policjantów trafiły do większości krajowych gazet. Rozgłos przyciągnął do Fort Harmony tuziny nowych osadników.

26 sierpnia 1973 r. policja przypuściła szturm generalny na Fort Harmony. Do udziału w akcji ściągnięto trzystu policjantów z różnych jednostek. Operację obserwowali dziennikarze telewizyjni i prasowi. Drogi zablokowano, by odciąć dojazd do Fort Harmony sympatykom hippisów.

Policja zniszczyła osadę i aresztowała większość jej mieszkańców. Do wieczora w Fort Harmony zostało zaledwie dwadzieścioro hippisów zabarykadowanych w pod-

ziemnych tunelach. Uznawszy, że wkraczanie do tuneli byłoby zbyt niebezpieczne, policjanci postanowili zaczekać, aż kolonistom zabraknie wody i żywności.

O godzinie siedemnastej jeden z tuneli zawalił się pod ciężarem przejeżdżającego nad nim radiowozu. Policjanci dostrzegli sterczącą z ziemi parę nóg. Z błota wydobyto dziewięcioletniego Joshuę Dunna, syna założycielki Fort Harmony. Podczas gdy dwaj funkcjonariusze przytrzymywali szamoczącego się chłopca, trzeci uderzył go w głowę pałką. Zdarzenie to zostało sfotografowane przez fotoreportera. Zdjęcia chłopca niesionego na noszach do karetki pokazano w wieczornych wiadomościach telewizyjnych. Incydent wywołał falę społecznego poparcia dla hippisów.

Tłum usiłujący przełamać blokady i przedostać się do Fort Harmony liczył już ponad tysiąc osób. O północy policjanci byli skrajnie wycieńczeni. Posiłki nie nadchodziły. O trzeciej nad ranem policyjny kordon został przerwany. Rankiem 27 sierpnia w błocie wokół Fort Harmony koczowało około siedmiuset sprzymierzeńców osadników. Nieprzerwany strumień samochodów dostarczał do obozu żywność, drewno i materiały do budowy nowych schronień. Hippisi wyszli z tuneli i przystąpili do odbudowy swoich domów.

Tego ranka fotografia policjanta bijącego pałką dziewięcioletniego Joshuę Dunna znalazła się na pierwszej stronie każdej gazety w kraju. Policja ogłosiła, że się wycofuje, obóz zaś zostanie zniszczony w późniejszym terminie. Opracowano nawet plan. Do zorganizowania skutecznej blokady oraz kompletnego zrównania z ziemią Fort Harmony potrzebnych było tysiąc funkcjonariuszy. Ani policja, ani władze Parku Narodowego nie miały pieniędzy na tak ogromną operację, więc ostatecznie nie zrobiono nic.

3) Fort Harmony dzisiaj

Trzydzieści sześć lat później Fort Harmony wciąż istnieje. Jego mieszkańcy wiodą surowe życie w domach pozbawionych wody i elektryczności. Założycielka kolonii Gladys Dunn ma dziś siedemdziesiąt sześć lat. W 1979 r. napisała autobiografię, która stała się bestsellerem. Jej trzej synowie – w tym Joshua, który w wyniku uderzenia pałką doznał urazu mózgu – wciąż mieszkają w osadzie, podobnie jak wielu z jej dziesięciorga wnucząt i dwadzieściorga ośmiorga prawnucząt. Kolonia liczy około sześćdziesięciu stałych mieszkańców. W cieplejszych miesiącach jej liczebność wzrasta niekiedy nawet do dwustu osób, głównie dzięki napływowi studentów i plecakowiczów uważających Gladys Dunn za bohaterkę.

4) Green Brooke

W 1996 r. wioska Craddogh popadła w kryzys. Kiedy zamknięto kopalnie, ponad połowa jej mieszkańców została bez pracy. Populacja spadła z dwóch tysięcy osób w roku 1970 do niespełna trzystu. Zrujnowane domy i czarne kopalniane hałdy zniechęcały turystów do zatrzymywania się w Craddogh w drodze do Fort Harmony lub Parku Narodowego.

Z powodu wysokiego lokalnego bezrobocia Park Narodowy zgodził się, by na części terenów Craddogh Common wybudowano Green Brooke, luksusowy ośrodek konferencyjny. Ośrodek otwarto w 2002 r. Odbywają się w nim rozmaite zjazdy i kursy. Jego teren jest otoczony wysokim na pięć metrów płotem z kamerami i zasiekami pod napięciem na szczycie. W skład ośrodka wchodzi hotel mający 765 pokoi, aula na 1200 osób, sala gimnastyczna, spa, dwa pola golfowe, jak również parking na 1000 samochodów i 30 śmigłowców. Wielu mieszkańców Craddogh i Fort Harmony pracuje w Green Brooke jako recepcjoniści, kucharze i sprzątacze.

5) *Petrocon 2004*
Pod koniec 2003 r. Green Brooke zapowiedziało najbardziej prestiżowe wydarzenie w swojej krótkiej historii. Szczyt naftowy Petrocon odbędzie się w maju 2004 r. Będzie to trzydniowe spotkanie dwustu szefów kompanii naftowych i polityków. Bez udziału mediów. Wśród delegatów znajdą się ministrowie do spraw ropy naftowej z Nigerii i Arabii Saudyjskiej oraz prezesi każdego liczącego się koncernu wydobywczego na świecie. Najważniejszymi gośćmi będą sekretarz do spraw energii ze Stanów Zjednoczonych oraz wicepremier Wielkiej Brytanii. Bezpieczeństwo zapewni policyjny Wydział Ochrony Placówek Dyplomatycznych przy pomocy MI5 i niewielkiego oddziału CHERUB.

6) *Help Earth!*
Pod koniec 2003 r. do amerykańskich kongresmenów i członków brytyjskiego parlamentu wspierających przemysł naftowy rozesłano paczki z bombami. Obrażenia odnieśli czterej pracownicy Kapitolu. Do zamachów przyznała się organizacja o nazwie Help Earth! Miesiąc później członek zarządu francuskiej kompanii naftowej zginął w Wenezueli w eksplozji samochodu pułapki. I tym razem odpowiedzialność wzięła na siebie Help Earth!

Na krótko przed pierwszymi zamachami Help Earth! rozesłała do wydawców kilku międzynarodowych gazet listy, w których oświadczała, że celem organizacji jest „położenie kresu ekologicznej rzezi naszej planety, dokonywanej przez międzynarodowe kompanie naftowe i wspierających je polityków". Dalej list głosił: „Help Earth! to rozpaczliwy krzyk konającej planety. Czas ucieka. Jesteśmy gotowi walczyć o ratunek dla środowiska nawet przy użyciu drastycznych środków".

Pokojowe organizacje obrońców środowiska zdecydowanie odcinają się od Help Earth! i pomogły nawet w sporządzeniu listy zielonych o terrorystycznych zapędach. Jak dotąd nikogo z nich nie udało się powiązać z organizacją, choć kilku aktywistów o burzliwej przeszłości wzięto pod obserwację. Wśród podejrzanych są czterej mieszkańcy Fort Harmony.

Z niewielkiego zasobu informacji, jakim dysponujemy, wynika, że Help Earth! może przygotowywać atak na Petrocon 2004. Skala i rodzaj zamachu są nieznane. To może być cokolwiek, od niedużej bomby mogącej zniszczyć samochód lub śmigłowiec po urządzenie zdolne uśmiercić setki osób.

Członkowie Help Earth! biorący udział w przygotowaniu zamachu na Petrocon 2004, prawdopodobnie spróbują nawiązać kontakt z mieszkańcami Fort Harmony z następujących powodów:

a) Wielu mieszkańców osady to doświadczeni działacze ruchu obrony środowiska.

b) Wszyscy mieszkańcy osady dobrze znają okoliczny teren.

c) Wielu mieszkańców Fort Harmony pracuje w Green Brooke i może dostarczyć terrorystom cennych informacji o procedurach i systemach zabezpieczeń ośrodka.

7) Rola CHERUBA
MI5 ma swoich tajnych funkcjonariuszy i informatorów wewnątrz ruchu zielonych, ale potrzebuje dodatkowych agentów w Fort Harmony w okresie poprzedzającym Petrocon 2004.

Każdy dorosły, który przybędzie do osady przed konferencją, będzie automatycznie podejrzany o to, że jest tajnym agentem policji lub MI5. Prawdopodobieństwo pozyskania użytecznych informacji tą drogą jest więc nikłe.

Uznano, że największą szansę na przeprowadzenie udanej akcji wywiadowczej będzie miała para funkcjonariuszy CHERUB podających się za krewnych Cathy Dunn, długoletniej mieszkanki Fort Harmony. Dzieci nie będą podejrzewane o współpracę ze służbami bezpieczeństwa wewnętrznego i powinny bez trudu wtopić się w lokalną społeczność.

29. CIOTUNIA

James podejrzewał, że wie o Fort Harmony więcej niż ktokolwiek, wliczając ludzi, którzy tam mieszkają. Przeczytał autobiografię Gladys Dunn i trzy inne książki oraz zapoznał się z toną wycinków prasowych, filmów i akt policyjnych. Wyrył sobie w pamięci nazwiska i twarze wszystkich mieszkańców osady i większości stałych gości. Przestudiował także rejestry kryminalne i akta MI5 każdego, kogo podejrzewano o współpracę z organizacją terrorystyczną Help Earth!

James nazywał się teraz Ross Leigh. Jego zadaniem było włóczenie się z dziećmi z Fort Harmony, zbieranie plotek, wtykanie nosa w nie swoje sprawy i informowanie koordynatorów misji o wszystkim, co podejrzane.

James dostał komórkę, żeby móc dzwonić do Ewarta Askera, który na czas misji zamieszkał w Green Brooke. W skład jego wyposażenia wszedł ponadto cyfrowy aparat fotograficzny, wytrych uniwersalny oraz pieprzowy spray – do użytku tylko w wyjątkowych wypadkach.

Amy udawała siostrę Rossa Courtney Leigh. Miała zaprzyjaźnić się ze Scargillem Dunnem, siedemnastoletnim wnukiem założycielki Fort Harmony Gladys Dunn. Scargill był samotnikiem, który rzucił szkołę i obecnie zmywał naczynia w kuchni Green Brooke.

Dwudziestodwuletni bracia Scargilla, bliźniacy Ogień i Świat, odsiedzieli krótkie wyroki za pobicie prezesa sieci fast foodów. Zdaniem MI5 Ogień, Świat oraz Brian Evans i jego żona Eleonora, także mieszkający w Fort Harmony, najprawdopodobniej należeli do Help Earth!.

*

Wiele lat przed narodzeniem Ognia, Świata i Scargilla Cathy Dunn była przez krótki czas żoną ich ojca. Od tamtej pory mieszkała sama w Fort Harmony. Jak większość mieszkańców uprawiała ogródek i hodowała kilka kur, ale to nie wystarczało, by przeżyć. Dorabiała sobie dorywczymi pracami, jeśli akurat coś się trafiło: sprzątaniem, zbieraniem owoców. Czasami sprzedawała informacje policji.

Po Fort Harmony często kręcili się różni podejrzani ludzie. Kiedy pojawiał się handlarz narkotykowy albo zbiegły z domu dzieciak, Cathy szła do Craddogh i dzwoniła z budki telefonicznej. Na ogół policjanci nie byli zainteresowani tym, co chciała im przekazać. Jeżeli jednak byli, dostawała dziesięć albo dwadzieścia funtów. Czasem pięćdziesiąt, jeżeli handlarza przyłapano akurat z większą ilością towaru.

Cathy nie czuła się dobrze z tym, że donosi, ale czasem ten jeden telefon stanowił o różnicy pomiędzy butlą gazu do piecyka a powolnym zamarzaniem w nieogrzewanej chatce.

Odkąd zapowiedziano Petrocon, policja słuchała uważniej, co Cathy miała im do powiedzenia. Wartość informacji poszła w górę. Za każdy telefon wypłacano jej teraz co najmniej trzydzieści funtów, a funkcjonariusze chcieli wiedzieć o wszystkim, co dzieje się w Fort Harmony: kto przyjechał, kto wyjechał, kto zrobił coś podejrzanego, kto się z kim pokłócił. Cathy nabrała smaku na pieniądze. Wkrótce dorobiła się pokaźnego zwitku banknotów, który trzymała w puszce po pieczonej fasoli.

MI5 złożyło jej ofertę: dwa tysiące funtów za pozwolenie, by para tajnych agentów zatrzymała się u niej przez jakiś czas, aż do Petroconu. Cathy nie spodobał się ten pomysł. Mieszkała sama od trzydziestu lat i nie miała ochoty tego zmieniać. MI5 podwyższało ofertę, dopóki się nie zgodziła.

*

James, Amy oraz Ewart weszli do Bristol Travelhouse, skromnego hoteliku działającego przy przydrożnym barze i stacji benzynowej. Cathy Dunn czekała w swoim pokoju, w kłębach papierosowego dymu.

– Nazywam się Ewart, a to są Ross i Courtney.

Cathy uniosła się na łóżku. Wyglądała na lekko podpitą i o wiele starszą niż na zdjęciach, które oglądał James.

– A wy w jakiej sprawie? – spytała wrogo.

– Rozmawialiśmy przez telefon – wyjaśnił Ewart. – Zaopiekuje się pani Rossem i Courtney do czasu konferencji.

– Najpierw każecie mi tkwić w tej dziurze przez trzy dni, a teraz przyprowadzacie cholerne dzieciaki? Jeżeli to ma być żart, to mnie nie rozśmieszył.

– Mamy umowę – przypomniał Ewart. – Zgodziła się pani na warunki.

– Zgodziłam się wziąć do siebie dwóch agentów, a nie robić za niańkę.

– Ross i Courtney są agentami. Wystarczy, że przez kilka tygodni będzie im pani robić śniadanie i wyprawiać do szkoły. To nie jest operacja mózgu.

– Rząd wykorzystuje dzieci do brudnej roboty? – spytała Cathy.

– Tak – potwierdził Ewart.

Cathy parsknęła śmiechem.

– Obrzydliwość! Nie zgadzam się.

– Pieniądze jednak wzięłaś – wycedził Ewart, coraz bardziej zirytowany. – Możesz je zwrócić?

– Eee... Byłam w Grecji i wydałam trochę na różne rzeczy do chaty.

– Zatem wygląda na to, że nie masz wyboru.

– A jak odmówię? – spytała Cathy. – A jak pójdę do gazet i powiem, że używacie dzieci do szpiegowania ludzi?

– Jeśli pójdziesz do gazet, wezmą cię za starą, zwariowaną hippiskę – powiedział Ewart. – Nikt nie uwierzy w ani jedno twoje słowo, a jeśli nawet, to przypominam, że obowiązuje ustawa o tajemnicy państwowej. Za ujawnienie tajnych informacji grozi dziesięć lat więzienia.

Cathy rozgniewała się.

– Zawsze pomagałam policji, a teraz traktujecie mnie jak śmiecia.

Ewart nie wytrzymał. Złapał Cathy za bezrękawnik, uniósł i przycisnął do ściany.

– Umów z nami się nie zrywa – warknął. – Włożyliśmy już w tę akcję pół roku pracy. Dostałaś przecież osiem tysięcy za przygarnięcie na parę dni dwójki dzieciaków. Jeżeli w związku z tym czujesz się jak śmieć, to ja też chcę być takim śmieciem.

Wybuch Ewarta zszokował Jamesa. Do tej pory traktował całą akcję jak część rywalizacji z Kyle'em, Bruce'em i Kerry. Nagle zrobiło się poważnie. Ludzie mogli skończyć rozszarpani przez bomby albo gnić za kratkami przez resztę życia. James poczuł, że to wszystko zaczyna go przerastać. Był tylko dwunastolatkiem, który powinien chodzić do szkoły i grać w piłkę z kolegami.

Amy dostrzegła strach na jego twarzy. Położyła mu dłoń na ramieniu.

– Jak chcesz, to zaczekaj na zewnątrz – szepnęła.

– Wszystko dobrze – skłamał James.

Amy pchnęła Ewarta w plecy.

– Wyluzuj! Daj jej spokój.

Ewart cofnął się, rzucając Amy dzikie spojrzenie.

Cathy opadła na łóżko. Amy usiadła obok niej i poczęstowała ją papierosem. Musiała przypalić go sama, bo Cathy za bardzo trzęsły się ręce.

– Przepraszam za niego – powiedziała Amy. – Ostatnio jest trochę spięty. Wszystko w porządku?

Kobieta kiwnęła głową.

– Posłuchaj, Cathy – zaczęła Amy miękkim głosem. – Wstajemy, idziemy do szkoły, kręcimy się trochę po Fort Harmony, a potem znowu znikamy. To najłatwiejsze pieniądze, jakie w życiu zarobiłaś.

Dunn znów potrząsnęła głową.

– Po prostu zaskoczyliście mnie. To wszystko.

Amy uśmiechnęła się.

– To zawsze jest szok. Ludzie dowiadują się, że jesteśmy dziećmi, dopiero w ostatniej chwili.

– Co ja powiem, kiedy o was spytają? – spytała Cathy, nerwowo zaciągając się papierosem.

– Siostrzeniec i siostrzenica – odparła Amy. – Pamiętasz swoją siostrę?

– Nie widziałam jej od dwudziestu lat. – Cathy wzruszyła ramionami. – Napisała kilka razy.

– Pamiętasz, jak miały na imię jej dzieci? – spytał Ewart już normalnym głosem.

Cathy zastanowiła się.

– Ross i Courtney – powiedziała.

– Odszukaliśmy ją – oznajmił Ewart. – Mieszka w Szkocji. Z mężem. Prawdziwi Ross i Courtney mają się znakomicie, ale twoja legenda wygląda tak: tydzień temu dostałaś list. Twoja siostra jest w trakcie paskudnego rozwodu. Popędziłaś do Londynu, żeby się z nią spotkać. Nie mogła sobie poradzić z dziećmi, zwłaszcza z Rossem, który wyleciał ze szkoły. Ciebie dzieciaki lubią, dlatego zaproponowałaś, że zaopiekujesz się nimi, póki twoja siostra nie ułoży sobie życia. – Ewart wręczył Cathy kluczyki do samochodu. – Land cruiser – powiedział. – Wielki. Napęd na cztery koła. Ma kilka lat i jest wart jakieś dziesięć tysięcy. Powiedz wszystkim, że to samochód twojej siostry. Jeżeli dobrze zaopiekujesz się dziećmi i nasza misja wypali, nie poprosimy o zwrot.

*

Wszyscy czworo zeszli do hotelowego lobby.

– Lepiej chodźmy do toalety – powiedział Ewart. – Do Walii jest kawał drogi.

– Dopiero co byłem – odrzekł James.

Ewart rzucił mu ciężkie spojrzenie. James zrozumiał, że chodziło o rozmowę na osobności. Łazienka była pusta.

– Dobrze się czujesz, James? – spytał Ewart, rozpinając rozporek. – Trochę zbladłeś, kiedy zacząłem ją szarpać.

– Co cię tak wkurzyło?

Ewart uśmiechnął się.

– Nigdy nie słyszałeś o złym i dobrym glinach?

– Widziałem w filmach. To właśnie zrobiliście z Amy?

– Gdyby Cathy nie miała pewności, po czyjej jest stronie, ty i Amy nie bylibyście bezpieczni. Kiedy zaczęła się stawiać, musiałem przemienić się w złego glinę i trochę ją postraszyć. Amy była dobrym gliną. Obroniła Cathy, kiedy jej zagroziłem, a potem pomogła się uspokoić.

James wyszczerzył zęby w uśmiechu.

– Czyli teraz Cathy boi się tego, co może się stać, jeśli nas nie posłucha, ale jednocześnie uważa Amy za swoją stronniczkę.

– Dokładnie, James.

– Mogłeś mi powiedzieć, że planujecie coś takiego.

– Niczego nie planowaliśmy. Amy domyśliła się, co ma robić, kiedy tylko zobaczyła, że zaczynam być agresywny. Jest genialna w podchwytywaniu takich gierek.

– A gdyby Cathy dalej sprawiała problemy? – spytał James. – Naprawdę byś ją skrzywdził?

– Tylko jeśli zależałoby od tego powodzenie misji. Nie miałbym innego wyjścia. Czasem musimy robić przykre rzeczy, żeby osiągnąć cel. Pamiętasz wycieczkę do Londynu przed szkoleniem?

– Pewnie – uśmiechnął się James. – Rozwaliliśmy wtedy wielką willę.

– Strażników przy bramie uśpił agent MI5. Jak myślisz, co się z nimi stało, kiedy się obudzili?

– Skąd mam wiedzieć?

– Wylecieli z pracy za spanie na służbie. Z czymś takim w papierach już nikt ich nie zatrudni w ochronie.

– Co teraz z nimi będzie?

Ewart wzruszył ramionami.

– Zrujnowaliśmy im życie. Mam nadzieję, że dostali jakąś inną pracę.

– Nie pomożemy im czy coś?

– Nie. To byłoby zbyt ryzykowne.

James opuścił wzrok.

– Okropne. Jak możemy robić takie rzeczy ludziom?

– Poszukiwaliśmy informacji o pewnym człowieku sprzedającym broń terrorystom. Broń, która mogła zabić setki ludzi. Dwie stracone posady to chyba niezbyt wygórowana cena.

– I to samo ze straszeniem Cathy, tak? Chodzi o życie wielu ludzi.

– Jak to się mówi, James, żeby zjeść jajko, trzeba rozbić skorupkę.

*

Za kierownicą land cruisera Cathy odzyskała dobry humor. Mknęła autostradą M4, rozkoszując się pędem i sprawdzając, do czego służą rozmaite guziki i pokrętła. Amy siedziała obok niej, a James położył się w poprzek na kanapie z tyłu. Amy i Cathy paplały jak stare kumpele.

Kiedy zatrzymali się po benzynę, Cathy za część pieniędzy za opiekę nad dziećmi kupiła płytę Jefferson Airplane. Puściła ją na cały regulator. Amy i Cathy kopciły jednego papierosa za drugim. James naciągnął kurtkę na głowę, próbując odciąć się od dymu i hałasu.

Podniósł się dopiero, gdy zjechali z autostrady. Podobały mu się zielone pola i wzgórza upstrzone szarymi cętkami owiec. Zatrzymali się w Craddogh po jedzenie i papierosy, a tuż po trzeciej zajechali do Fort Harmony. Na widok terenówki, wspinającej się mozolnie ku chacie Cathy, spomiędzy domów wypadło pół tuzina umorusanych dzieci. James znał imię i wiek każdego z nich.

Do samochodu podeszli były mąż Cathy Michael i jego brat Joshua. Michael gruchnął pięścią w maskę.

– Ładna fura, Cathy – powiedział z uznaniem. – Wygrałaś na loterii czy jak?

James wysiadł. Błoto połknęło mu jeden but. Osada wyglądała żałośnie: łuszcząca się farba i okna pooklejane taśmą. James postanowił, że będzie nienawidził życia w tej dziurze.

Amy przepełzła na tył samochodu i wyciągnęła dwie pary kaloszy.

– Moja siostrzenica i siostrzeniec – przedstawiła ich Cathy.

James usiadł w samochodzie i zmienił buty na kalosze. Joshua Dunn wyciągnął do niego dłoń w rękawiczce, a James ją uścisnął.

– Cho... chodź. Zupa – powiedział Joshua, jąkając się.

Amy i Cathy ruszyły w stronę dużego baraku. James i Joshua poszli za nimi. W środku było około piętnastu osób. Nad paleniskiem piekły się kurczaki i pyrkotał wielki gar zupy jarzynowej.

– Wegetarianin? – zapytał Joshua.

James pokręcił głową. Joshua podał mu miskę zupy i trochę kurczaka. Pod ścianami leżały poduchy, ale wszystkie dzieci usiadły po turecku blisko ognia. James przysiadł wśród nich. Zjadł kilka łyżek zupy. Całkiem smacznej. Potem spojrzał na swoje dłonie – nie były czyste, ale pozostałe dzieci, co najmniej dziesięć razy brudniejsze od niego, skubały kurczaka palcami.

Na ramieniu Jamesa spoczęła czyjaś ręka. Należała do Gladys Dunn.

– Odrobina brudu nie zrobi ci krzywdy – powiedziała z uśmiechem.

Gladys wyglądała na swoje siedemdziesiąt sześć lat, ale dzięki aktywnemu trybowi życia zachowała szczupłą sylwetkę i jak na dość już poważny wiek poruszała się nader żwawo.

Pięcioletnia dziewczynka, siedząca obok Jamesa, ostentacyjnie przeciągnęła językiem po swojej czarnej dłoni i podsunęła mu ją pod oczy. James wziął kawałek kurczaka i wbił w niego zęby. Dziewczynka uśmiechnęła się.

*

Grupa pod przewodnictwem Michaela Dunna dobudowała przybudówkę do chaty Cathy, by Amy i James mieli gdzie spać. Widok osadników pracujących jako zespół robił wrażenie.

Najpierw ułożyli prostokąt z płyt chodnikowych, by odizolować podłogę od ziemi. Podłogę zrobili z laminowanych płyt wiórowych, a szkielet ścian z drewnianych belek. Michael Dunn musiał zbudować już wiele chat. Każdy element ciął bez przymiarek i ani razu się nie pomylił.

W grunt wbito grube słupy narożne, do których umocowano płatwie i ukośne rozpórki. Ramy ścian obłożono z obu stron dyktą, a przestrzeń między płytami wypełniono papierowymi ścinkami pełniącymi funkcję izolacji cieplnej. W jednej ze ścian wycięto otwór, w który wprawiono okno z odzysku. Kiedy zrobiło się ciemno, Cathy włączyła światła land cruisera. Po ustawieniu i odeskowaniu krokwi podsadzono na nie dwóch chłopców, którzy przepełzli z jednej strony na drugą, obijając dach papą.

Wewnątrz James pomagał wypełnić szarym kitem szczelinę między ścianami a podłogą.

Kiedy przybudówka była już gotowa, Amy wyciągnęła z samochodu dywanik, śpiwory i poduszki. Cathy wyszperała gdzieś mały piecyk naftowy. Michael powiedział, że rano pomaluje ściany na zewnątrz, i wreszcie Amy i James zostali sami.

30. OSADA

W nowym domu było całkiem przytulnie, kiedy już przywykło się do wycia wiatru na zewnątrz. James leżał w śpiworze na cienkiej karimacie i nie mógł zasnąć. Amy chrapała. Dwukrotnie udało mu się ją uciszyć potrząsaniem za ramię, ale za trzecim razem zagroziła, że go zatłucze, jeżeli obudzi ją jeszcze raz. James przykrył sobie głowę poduszką.

*

O trzeciej nad ranem poderwało go nieznośne parcie na pęcherz. W kampusie do łazienki miał dwa kroki. Tutaj było trudniej. Nie mógł znaleźć latarki, więc musiał naciągnąć dżinsy po omacku, a potem odszukać drogę do starej części chaty tak, by nie nadepnąć na Amy. James namacał drzwi, a potem rząd kaloszy pod nimi. Nie był pewien, która para jest jego, więc wciągnął pierwsze z brzegu i wyszedł w mrok.

W osadzie były przenośne toalety, ale James nie znalazłby ich w ciemności. Poczłapał w stronę najbliższej kępy drzew. Wytarł ubłocone dłonie o spodnie, rozpiął rozporek i zaczął sikać. Coś zaskrzeczało i otarło mu się o nogę. James wzdrygnął się. Nasikał na jednego z kurczaków biegających swobodnie po osadzie. Odwrócił się, ale wtedy wiatr zdmuchnął strumień uryny na spodnie. James odskoczył w tył, potknął się o przerażonego kurczaka i runął w błoto. Zrezygnowany, pomyślał, że nawet nie ma jak się umyć. Zastanawiał się, dlaczego takie rzeczy nie zdarzają się szpiegom w filmach.

Amy już wstała. Nie spała dobrze. Obudziła Jamesa, opierając mu stopę na twarzy.

– Dzień prysznica, Ross – oznajmiła.

James ożywił się.

– Zabieraj tego smroda z mojej twarzy – powiedział, spychając jej stopę na bok. – Co za Ross?

– Ty, głupku – szepnęła Amy.

– O rany... – James złapał się za usta, przypomniawszy sobie, gdzie jest. – Muszę to wtłuc do głowy.

– Obowiązuje przydział ciepłej wody – wyjaśniła Amy. – Jeden prysznic na tydzień. Chłopcy kąpią się w piątek.

– Jeden prysznic na tydzień? – zawołał James. – Przy całym tym błocie?

– A myślisz, że jak ja się z tym czuję? Muszę czekać cztery dni, a już teraz nie pachnę zbyt ciekawie.

Cathy pokazała im, gdzie jest szopa z prysznicami – wąska, z dużym zbiornikiem na deszczówkę na dachu. Co rano gazowy bojler podgrzewał dość wody, by zasilać prysznice przez dziesięć minut. Kto się spóźnił, cuchnął przez następny tydzień.

James wszedł do szopy i rozebrał się. Pod prysznicami stało ośmiu chłopców dokazujących wesoło i podających sobie bryłkę rozmiękłego mydła. Mamy czekały na zewnątrz, nawołując swoje pociechy do pośpiechu. Ciepła woda, a właściwie letnia, skończyła się w chwili, gdy James skończył mydlić włosy. Pozostali mieli większe doświadczenie i zdążyli się już ulotnić. James musiał spłukać głowę wiadrem lodowatej deszczówki, po czym pognał z powrotem do chaty w samych kaloszach i dużym ręczniku.

Cathy smażyła jajka i bekon na turystycznej kuchence gazowej. Śniadanie pachniało smakowicie i było go mnóstwo.

– Pijecie kawę, dzieciaki? – spytała Cathy. – Nic innego nie mam.

Jamesowi było wszystko jedno, co pije, byle było gorące. Wyżłopał dwa kubki kawy, pożarł cztery plastry bekonu i dwa jajka sadzone, a na koniec wytarł talerz z resztek żółtka kromką białego chleba.

– Muszę zapisać Rossa do szkoły – powiedziała Cathy. – Potem jadę do Tesco. Coś wam przywieźć?

– Może trochę marsów – odrzekł James. – A co ze szkołą Courtney?

– Kiedy poszedłeś spać, spotkałam tego chłopaka Scargilla – powiedziała Amy. – Spróbuje załatwić mi pracę w Green Brooke.

Jamesowi zaimponowało, że Amy tak szybko zaprzyjaźniła się ze Scargillem. Wkurzało go tylko, że wymigała się od szkoły.

– Szkołę chyba zaczniesz w poniedziałek, Ross – oznajmiła Cathy. – A dziś, jak co piątek, będziemy tu mieli imprezkę. Po zmroku cała okolica zjeżdża się na ognisko. Muzyka, tańce i takie tam.

*

Amy została w chacie, by zadzwonić do Ewarta Askera i powiedzieć mu o zmianie planów. Musiał zdobyć dla niej dokumenty potrzebne przy ubieganiu się o pracę. James spędził ranek na rozglądaniu się po okolicy.

W Fort Harmony było około pięćdziesięciu rozmaitych budynków: od głównego baraku z miejscem dla trzydziestu osób i własnym źródłem elektryczności po szczurze nory, nadające się tylko do przechowywania rupieci. Przestrzeń między chatami zajmowały kurniki, jakieś grządki warzywne, sznurki z praniem i trochę samochodów o różnym stopniu dewastacji. Przeważały zardzewiałe furgonetki. Większość nie miała kół i stała na cegłach.

Wszyscy, których James spotykał, mieli mocno wyświechtane ubrania i długie, skołtunione włosy. Starsi mężczyźni nosili brody, a większość młodszych głupawe kozie bródki i mnóstwo kolczyków w różnych miejscach ciała. Wszyscy byli przyjaźni i wszyscy zadawali te same pytania o to, jak James trafił do osady i jak długo zostanie. Po pięciu pogawędkach James miał dość powtarzania w kółko tego samego.

Nie minęło wiele czasu, kiedy zorientował się, że jest śledzony. Rozpoznał Gregory'ego Evansa, trzyletniego syna Briana Partaniny Evansa i jego partnerki Eleonory. MI5 podejrzewało, że para ma związki z Help Earth!

Gregory trzymał się w pewnej odległości za Jamesem, a kiedy ten oglądał się za siebie, kucał i zakrywał twarz dłońmi. Wkrótce przemieniło się to w zabawę. Co kilka kroków James zatrzymywał się i gwałtownie odwracał. Gregory chichotał opętańczo. Po pewnym czasie zebrał się na odwagę i zrównał z Jamesem, by iść obok niego. James przypomniał sobie, że w kieszeni ma kilka malteserów. Dał je dzieciakowi. Gregory wepchnął drażetki do ust i odbiegł. Po chwili zatrzymał się, odwrócił i zawołał:

– Chodź do mnie do domu!

James czuł się dziwnie pod komendą trzylatka. Przebiegł za Gregorym jakieś sto metrów, przez cały czas pozwalając prowadzić się za rękę. Gregory usiadł na schodkach efektownie pomalowanego domku i ściągnął kalosze.

– Chodź – powiedział.

James wetknął głowę przez drzwi. W chacie było sześć miejsc do spania. Jaskrawopomarańczowa podłoga tworzyła szokujące połączenie z zielonymi ścianami i fioletowym sufitem. Wszędzie wisiały plastikowe lalki. James zauważył, że wszystkie były mutantami z namalowaną na twarzy krwią i obłędnymi, punkowymi fryzurami.

– Kto to? – spytał Partanina z amerykańskim nosowym akcentem.

James był zakłopotany, stojąc w progu tego dziwnego domostwa na polecenie trzylatka.

– Przepraszam – wybąkał. – Gregory mnie przyprowadził.

– Za co przepraszasz, chłopcze? Jesteśmy wielką rodziną – powiedział Partanina. – Właź, tylko zdejmij buty. Gregory ciągle ściąga tu dzieciaki. Chcesz gorącego mleka? James ściągnął kalosze i wszedł do izby. Było w niej cudownie ciepło, ale cuchnęło bąkami i potem. Eleonora leżała na materacu. Miała na sobie tylko bokserki i koszulkę z Nirvaną naciągniętą na pękaty brzuch. Była w zaawansowanej ciąży.

Gregory przytulił się do mamy. Partanina dokonał prezentacji, zadał serię standardowych pytań, po czym wręczył Jamesowi kubek parującego mleka.

– Rozepnij bluzę, Ross – poprosił nagle.

Zaskoczony James spełnił prośbę.

– Reebok! – zawołał triumfalnie Partanina.

– Co? – James był zdezorientowany.

– Nienawidzi ludzi, którzy noszą ubrania ze znakami firmowymi – wyjaśniła Eleonora.

– Co jest nie tak w moim ubraniu? – spytał James.

– To nie ludzi nienawidzę – oznajmił Partanina. – Nienawidzę znaków firmowych. Spójrz na siebie, Ross: kurtka Pumy, dres Nike'a, koszulka Reeboka, nawet na twoich skarpetkach jest logo.

– Nie zwracaj na niego uwagi. – Eleonora machnęła ręką. – Uważa, że logo na ubraniu to znak, że człowiek nie potrafi myśleć sam za siebie.

Partanina podszedł do regału i podał Jamesowi książkę zatytułowaną *No Logo*.

– Masz, poćwicz trochę mózg – powiedział. – Przeczytaj to, a kiedy oddasz, możemy przedyskutować tę kwestię.

James wziął książkę.

– Przejrzę – obiecał. – Wszystkie moje rzeczy są od Nike'a i takich tam. W mojej starej szkole, kto nie nosił markowych ciuchów, ten kończył z głową w klozecie.

Eleonora uniosła się na łokciu.

– Na miłość boską, Brian, to przecież dziecko. Nie interesują go wasze ideologie.

James miał gdzieś, co jakiś stary hippis myśli o jego ubraniach, ale książka dawała mu pretekst, żeby wrócić i pokręcić się w pobliżu głównego podejrzanego. Wsunął ją do kieszeni i podziękował.

– Ross, zapytaj go o lalki, zanim zanudzi cię na śmierć, rozprawiając o niegodziwościach nowoczesnego kapitalizmu – ciągnęła Eleonora.

– Rozdawałaś z nami ulotki, Nora – zirytował się Partanina.

Eleonora roześmiała się.

– Ross, zasadniczo to ja popieram ideę uczciwych wynagrodzeń dla ludzi w biednych krajach. Chcę też chronić środowisko naturalne. No i fajnie by było, gdyby Partanina i jego kumple ocalili świat. Ale jestem w ósmym miesiącu ciąży. Dziecko ciśnie mi na pęcherz, więc co pół godziny muszę brodzić przez dwieście metrów błota, żeby usiąść na zimnej desce śmierdzącego przenośnego kibla. Gregory doprowadza mnie do szału. Kostki spuchły mi do rozmiarów piłek plażowych i przeraża mnie myśl, że ten grat, który pożyczyliśmy, zepsuje się w drodze do szpitala, kiedy już zacznę rodzić. Chętnie oddałabym swoje ideały za wygodne łóżko w prywatnym szpitalu.

James siedział na podłodze, siorbiąc gorące mleko.

– Lalki są świetne – mruknął z uznaniem. – Sam je robisz?

– Z tego żyję – powiedział Partanina.

Hippis ściągnął jedną z lalek z sufitu i rzucił ją Jamesowi na kolana. Miała tułów i głowę Action Mana, ale odziana była w tutu, spod której wystawały szczupłe nogi baletnicy. Jej nastroszone włosy były purpurowe. Jedną rękę miała odciętą, a kikut pomazano czerwoną farbą imitującą krew.

– Super! – zachwycił się James.

– Kupuję lalki na kiermaszach i aukcjach dobroczynnych. Potem mieszam części i robię wykręcone ubranka z różnych śmieci.

– Ile bierzesz? – spytał James.

– Zależy gdzie – odrzekł Partanina. – Na rynek w Cardiff przychodzi sama biedota, nikt nie da więcej niż dychę. Jak dostaję stoisko w Camden w Londynie, schodzą po osiemnaście funtów. Latem, kiedy jest ruch, można spuścić sześćdziesiąt laleczek dziennie. Raz sprzedałem osiemdziesiąt cztery.

– Tysiąc pięćset dwanaście funtów w jeden dzień. Musisz być nadziany – stwierdził James.

– Jesteś jakimś żywym kalkulatorem czy co? – zdziwił się hippis.

James roześmiał się.

– Tak jakby.

– Zrobienie jednej zajmuje ponad godzinę, a przy malowaniu detali można stracić wzrok. Chcesz laleczkę, Ross?

– Są fajne, ale ja nie mam pieniędzy.

– Weź sobie – powiedział Partanina. – Może się kiedyś odwdzięczysz. Zajmiesz się Gregorym przez parę godzin czy coś.

W Fort Harmony panował niepisany zwyczaj, zgodnie z którym co wieczór w głównym baraku czekał na potrzebujących darmowy gorący posiłek. Za zarobione na książce pieniądze Gladys Dunn kupowała warzywa od miejscowych gospodarzy. Joshua spędzał popołudnia, obierając je i warząc gulasz albo curry. Spożywane wspólnie posiłki były tym, co czyniło Fort Harmony społecznością, a nie tylko zbiorowiskiem rodzin.

James zjadł z dziećmi, kiedy wróciły ze szkoły. Michael Dunn przywiózł z pobliskiego wysypiska całą furgonetkę śmieci. Po obiedzie wszystkie dzieci pomagały układać stos ze starych drzwi i kawałków mebli – ognisko na wieczorną zabawę. James podjął nieskuteczną próbę zaprzyjaźnienia się z braćmi Sebastianem i Clarkiem Dunnami, kuzynami Ognia, Świata i Scargilla. Dunnowie tworzyli zgraną rodzinę. Sebastian i Clark byliby dla Jamesa najlepszym źródłem plotek.

31. NOC

James zastał Amy i Scargilla siedzących na łóżku i ćmiących papierosy. Scargill wyglądał jak klasyczny patałach: patykowate ręce i nogi, ściągnięte w kucyk tłuste, czarne włosy. Ubrany był w kuchenny kitel z Green Brooke.

– Śmierdzi tu – skrzywił się James, wychodząc z otworu pomiędzy starą a nową częścią chaty.

– To jest mój brat Ross – przedstawiła Amy. – Płaczliwy, mały gówniarz.

– Ostra jesteś, Courtney – zaśmiał się Scargill.

James poczuł się urażony. Wprawdzie mieli udawać rodzeństwo, ale nie widział powodu, dla którego Amy miałaby być dla niego wredna. Był też zazdrosny. Scargill będzie mógł spędzać z nią całe dnie.

– Po coś tu przylazł, Ross? – spytała Amy.

– To także mój pokój – burknął James.

– Scargill i ja chcemy mieć trochę prywatności, więc bierz to, po co przyszedłeś, i wypad.

– Dostałaś pracę? – spytał James.

– Jestem asystentką w spa w Green Brooke. Przez cztery dni w tygodniu.

James zaczął szperać w swoich rzeczach.

– Czego szukasz, Ross? – spytała Amy.

– Komórki. Chcę sprawdzić, co u mamy.

– Weź moją. Ładuje się w samochodzie.

– Dzięki, Courtney – powiedział James.

James rozsiadł się na przednim fotelu land cruisera i zadzwonił do Ewarta Askera.

– Hej, James, jak leci? – spytał Ewart.

– Nie najgorzej. Amy mnie wkurza.

– Jest ze Scargillem?

– Nie rozstaje się z nim.

– To jej zadanie, James. Ma się do niego zbliżyć najbardziej, jak się da.

– Powiedziała mu, że jestem płaczliwym gówniarzem.

Ewart parsknął śmiechem.

– Dała mu znać, że woli jego od swojego młodszego brata. Nie mówiła serio.

– Scargill na pewno jest w niebie – stwierdził ponuro James. – Głupi, chudy patafian. Nie mogę patrzeć, jak Amy się do niego wdzięczy.

– Amy ci się podoba, prawda? – spytał Ewart.

W pierwszym odruchu James chciał zaprzeczyć.

– Trochę – przyznał. – Gdybym był starszy, zaprosiłbym ją na randkę. Skąd wiedziałeś?

Ewart roześmiał się.

– Masz takie maślane oczy, kiedy jest obok.

James wpadł w panikę.

– To aż tak widać?

– Żartuję, James – uspokoił go Ewart. – A jak tam Cathy?

– Już wszystko dobrze.

– Jak ci idzie z Sebastianem i Clarkiem?

– Opornie. Dziwni są. Wielcy i śmierdzący. Gadają jeden do drugiego, jakby wszędzie byli sami. Inni też raczej się z nimi nie zadają.

– Próbuj dalej, ale nic na siłę. Jeszcze jakieś nowiny?

– Jedna, ale dobra. Zaprzyjaźniłem się z Gregorym Evansem, synem Partaniny. Siedziałem u nich prawie godzinę. Partanina dał mi książkę do przeczytania: *No Logo*.

– Dobra rzecz – powiedział Ewart. – Przeczytaj ją. Potem przyjdziesz do niego, udasz, że czegoś nie zrozumiałeś, i użyjesz tego jako pretekstu, żeby trochę powęszyć.

– W aktach nie ma zbyt wiele o Partaninie, prawda? – spytał James.

– Fakt. Widywano go z różnymi mętami, ale nigdy nie był aresztowany. W Wielkiej Brytanii jest ponad tysiąc Brianów Evansów i nie wiemy, którym z nich jest Partanina. Nie wiemy nawet, ile dokładnie ma lat ani skąd pochodzi.

– Mówi jak Amerykanin – powiedział James. – Tak jakby trochę przez nos, jak ci, no... ziemniacy.

– Kto to jest ziemniak?

– No jak w filmach: typ wieśniaka, trochę przygłupi, ogrodniczki i koszula w kratkę. Gada jak ktoś w tym stylu.

Ewart roześmiał się.

– Chodzi ci o buraka?

– Właśnie – ucieszył się James. – Gada jak amerykański burak.

– Dobrze wiedzieć. Sprawdzę, czy jankesi mają coś na niego. Nieźle by było, gdybyś przy najbliższej okazji wkradł się do jego chaty, zrobił trochę zdjęć i przejrzał wszelkie papiery, jakie zdołasz znaleźć. Ale nic na siłę. Jeśli przyłapią cię na fotografowaniu, będziesz spalony.

– Partanina powiedział, że kiedyś być może poproszą mnie o przypilnowanie synka, kiedy ich nie będzie.

– To byłaby idealna okazja, zwłaszcza gdyby dzieciak zasnął. Jesteś pewien, że powierzyliby swoje dziecko komuś w twoim wieku?

– To on zaproponował – wyjaśnił James.

– Nie gódź się zbyt chętnie. To wyglądałoby podejrzanie. Coś jeszcze?

– To chyba wszystko.

– Tak trzymaj, James – powiedział Ewart. – Wygląda na to, że świetnie ci idzie.

– Dzięki. Na razie, Ewart.

*

Minęła jedenasta, a ludzi wciąż przybywało. Przyjeżdżali w grupkach po cztery, pięć osób, przywożąc ze sobą alkohol, jedzenie i drewno na ognisko. Przenośne odtwarzacze CD konkurowały tu z digeridoo, kongami i gitarami. Tłum składał się głównie z młodzieży w wieku od kilkunastu do dwudziestu kilku lat – studentów z Cardiff i dzieci z okolicznych wsi. Była też garstka starych hippisów, którzy przyjeżdżali tu co piątek od niepamiętnych czasów. James kręcił się po osadzie bez celu. Czuł się trochę niezręcznie. Młodsze dzieci biegały z krzykiem między chatami, ścigając się i przepychając. Starsi pili piwo i całowali się. James nie pasował do żadnej z grup. Coraz bardziej oddalając się od imprezy, zaszedł do lasu. Z polanki nieopodal dobiegały przytłumione trzaski. Kiedy James podszedł bliżej, uświadomił sobie, że to odgłosy strzałów z pneumatycznego pistoletu. Na polance stali Sebastian z Clarkiem. Kompletne świry. Gdyby James nie był na misji, oddaliłby się czym prędzej, ale on miał za zadanie zaskarbić sobie ich przyjaźń. Postanowił spróbować jeszcze raz.

Sebastian i Clark zniknęli, zanim James dotarł do polanki. Na ziemi leżał ptak. Głośno kwilił i szamotał się w błocie. W ciemności trudno było dojrzeć, co mu jest, ale było jasne, że cierpi. James przykucnął nad nim. Zastanawiał się, czy nie poszukać kamienia i nie skrócić jego męczarni.

Sebastian wystrzelił spomiędzy drzew. Skoczył na Jamesa i próbował przydusić go do ziemi, ale ten był na to zbyt silny. Napastnik jęknął, kiedy James wbił mu łokieć w brzuch. W tej samej chwili z drugiej strony dopadł go Clark. Był od niego tylko odrobinę niższy i prawdopodobnie cięższy. Jamesowi nagle spadła na głowę ciężka latarka. Oszołomiony, upadł na brzuch i pozwolił się unieruchomić. Clark wcisnął Jamesowi w oko szkło latarki i pstryknął włącznikiem. Zaciśnięta powieka zatrzymywała tylko część oślepiającego światła. James zaczął się bać. Mogło skończyć się na lekkim poturbowaniu, ale kto wiedział, jak bardzo pokręcone były te dzieciaki. Gdyby James zaczął krzyczeć, nikt nie usłyszałby go przez hałas przy ognisku.

– Czego za nami łazisz, łajzo? – warknął Clark.

– Wcale nie łażę za wami. Po prostu tędy przechodziłem.

Clark złapał Jamesa za włosy i odchylił mu głowę do tyłu. James poczuł, że Sebastian, który siedział mu na nogach, przesunął się trochę do przodu. Kopnął obiema nogami, trafiając go piętami w plecy. Sebastian wrzasnął i potoczył się w bok. Mając wolne nogi, James zaczął się szamotać, próbując uwolnić ręce, które Clark dociskał mu udami do boków.

– Zatłukę cię – powiedział Clark i przyłożył Jamesowi pięścią w głowę.

Natężając wszystkie siły, James zdołał unieść brzuch na tyle, by móc wsunąć ręce pod tułów i odepchnąć się od ziemi. Zrzucił z siebie napastnika i wstał. Clark ruszył w jego stronę, a Jamesowi przemknęło przez głowę, że miesiące obrywania od czarnych pasów przyniosły jednak efekt. Bez elementu zaskoczenia Sebastian i Clark nie mieli z nim szans.

James pozwolił się zaatakować. Następnie błyskawicznie przesunął się w bok, kopnął Clarka z całej siły w brzuch, wyrżnął pięścią w usta i zakończył kopnięciem w zagięcie nogi, którym posłał przeciwnika na ziemię. Sebastian wyglądał na wściekłego, ale nie miał ochoty się przyłączyć. Clark rzucił Jamesowi błagalne spojrzenie w nadziei, że to już koniec młócki.

– Nie chcę ci zrobić krzywdy – oświadczył James. – Po prostu powiedz, że masz dość.

Clark powoli dźwignął się z kolan, z trudem łapiąc powietrze. Bardzo go bolało, ale na twarz wypłynął mu szeroki uśmiech.

– Dawałem radę o wiele większym od ciebie – wykrztusił. – Gdzie nauczyłeś się tak walczyć?

James wyciągnął z kieszeni chusteczkę i podał ją Clarkowi, by mógł otrzeć krew z rozciętych ust.

– W Londynie, na kursie samoobrony.

Clark zwrócił się do brata.

– To były mocne ciosy, Sebastian.

– Trzeba to robić całym ciałem – wyjaśnił James. – Cios zaczyna się z biodra. Jak się ma dobrą technikę, uderzenie jest osiem razy mocniejsze niż normalnie.

– Niech cię walnie w brzuch, Sebastian – powiedział Clark. – Zakład, że się złożysz?

– Nie chcę mu zrobić krzywdy – zaprotestował James.

– Walimy się w brzuch dla treningu – objaśnił Clark. – Przykładam mu z całej siły, a on się tylko uśmiecha.

Sebastian stanął z rękami założonymi do tyłu, gotowy do przyjęcia ciosu.

– Uderzę go w ramię – zaproponował James.

– Możesz w brzuch – powiedział Sebastian. – Wytrzymam.

– Najpierw w ramię, a potem w brzuch, jeśli nadal będziesz chciał.

Sebastian odwrócił się bokiem do Jamesa. James nie chciał bić go w żołądek, bo wiedział, że to grozi niebezpiecznym urazem. Zamiast tego poczęstował go najmocniejszym ciosem w ramię, na jaki było go stać. Sebastian potoczył się w bok, wyjąc z bólu. Clark omal nie zsikał się ze śmiechu.

– Mówiłem ci, że jest dobry – rzucił z satysfakcją.

Sebastian ze wszystkich sił starał się ukryć ból. James trochę mu współczuł. Nagle jego uwagę zwrócił gołąb wciąż tarzający się bezradnie w błocie.

– Co mu się stało? – spytał.

– Dostał kulkę z pneumatyka – wyjaśnił Clark.

– Nie zdechł, więc obciąłem mu skrzydło scyzorykiem – dodał Sebastian.

– Jesteście pieprznięci! – James skrzywił się w szoku.

– Lepiej zginąć od kuli – powiedział Clark wesoło. – Jak nie chcą zdychać, nadchodzi czas tortur.

– Nie możecie skrócić biedakowi tej męki? – spytał James.

Sebastian wzruszył ramionami.

– Jeśli chcesz.

W gołębiu nie zostało już wiele życia. Sebastian podszedł do niego i piętą zgniótł mu głowę. Ptak wydał z siebie ostatni pisk, który znikł w chrzęście miażdżonej czaszki. Sebastian miał na twarzy szeroki uśmiech.

James uświadomił sobie, że właśnie zaprzyjaźnił się z parą poważnie popapranych dzieciaków.

32. DZIEWCZYNA

Sebastian, Clark i James poszli do głównego baraku, żeby coś zjeść. Goście przynieśli mięso na grilla i zimne przystawki, które wyłożono na długim stole. Joshua Dunn nakładał curry z warzywami. James nie przepadał za curry, ale dobrze było zjeść coś gorącego po tylu godzinach błąkania się na zimnie. Chłopcy wzięli jedzenie i przenieśli się bliżej ogniska. Wokół ognia, na nieprzemakalnych plandekach, siedziało kilka tuzinów gości. Sebastian i Clark usiedli obok swoich kuzynów Ognia i Świata.

– Cześć, małe psychole – powiedział Ogień.

– Cześć, skazańcy – odparł Clark, nawiązując do odsiadki braci.

Ogień i Świat byli bliźniakami, choć nie identycznymi, z zaplecionymi w warkoczyki włosami i kolczykami w brwiach. Świat spojrzał na Jamesa zza wpółprzymkniętych powiek. Wyglądał na pijanego.

– Nie wiesz czasem, co twoja seksowna siostra widzi w naszym braciszku?

James wzruszył ramionami.

– Nie jest wybredna. Rzuca się na wszystko, co się rusza.

– Co powiedziałeś? – spytała Amy.

James nie zauważył jej wcześniej. Wszyscy Dunnowie gruchnęli śmiechem. Amy stanęła przed Jamesem, trzymając się pod boki. Trudno było powiedzieć, czy naprawdę jest zła, czy tylko udaje.

– Nic takiego – wił się James. – Właśnie mówiłem, jak fajnie wyglądacie razem, ty i Scargill.

Amy objęła go i ścisnęła tak czule, że coś strzyknęło mu w grzbiecie.

– Jak to miło z twojej strony, Ross – powiedziała głośno.

– Bo gdybyś powiedział to, co usłyszałam, musiałabym ci wybić wszystkie zęby.

*

James dokończył curry i odszedł od ogniska. Spacerując, zauważył samotną dziewczynę opartą o drzewo i palącą papierosa. Długie włosy, workowate dżinsy, mniej więcej w wieku Jamesa. Ładna. Nie pamiętał jej z żadnych dokumentów wywiadu.

– Hej, dasz bucha? – zagadnął James, starając się być *cool.*

– Jasne.

Podała mu papierosa. James jeszcze nigdy nie palił i miał nadzieję, że nie zrobi z siebie idioty. Włożył filtr do ust i nieśmiało zassał. Zapiekło go w gardle, ale udało mu się nie kaszlnąć.

– Nie widziałam cię tu wcześniej – stwierdziła dziewczyna.

– Jestem Ross – powiedział James. – Ciotka wzięła mnie na trochę do siebie.

– Joanna – przedstawiła się dziewczyna. – Mieszkam w Craddogh.

– Jeszcze tam nie byłem.

– To dziura. Dwa sklepy i poczta. A ty skąd jesteś?

– Z Londynu.

– Zazdroszczę ci – westchnęła Joanna. – Podoba ci się tutaj?

– Ciągle jestem cały w błocie i chciałbym pójść spać, ale trzy metry od mojego łóżka jakiś kolo przygrywa na gitarze. Marzę o tym, żeby wrócić do domu, wziąć gorący prysznic i zobaczyć się z kolegami.

Joanna uśmiechnęła się.

– Dlaczego mieszkasz z ciotką?

– Długo by gadać. Starzy się rozwodzą, mamie odbiło, wywalili mnie ze szkoły...

– Czyli jesteś przystojniakiem, a do tego buntownikiem – powiedziała przymilnie Joanna.

James błogosławił ciemność skrywającą jego rumieniec.

– Chcesz dokończyć, Ross? – spytała, podsuwając mu dopalającego się papierosa.

– Nie, dzięki.

Joanna pstryknęła niedopałkiem w ciemność.

– No więc... powiedziałam ci komplement – podjęła po chwili.

– No – przytaknął James.

Joanna roześmiała się.

– To jak, zamierzasz się odwdzięczyć?

– Eee... jasne – zająknął się James. – Jesteś naprawdę... no, tego... fajna.

– Naprawdę tylko fajna?

– Piękna – wyrzucił z siebie James. – Jesteś piękna.

– Tak lepiej. Chcesz mnie pocałować?

– Em... no dobra.

James dawno nie był tak spięty. Nigdy nie starczało mu odwagi, by zaprosić dziewczynę do kina, a teraz miał pocałować kogoś, kogo znał od trzech minut. Musnął ustami jej policzek. Joanna rzuciła go na drzewo i zaczęła całować w twarz i szyję. Wsunęła mu dłoń do tylnej kieszeni dżinsów. Nagle odskoczyła do tyłu.

– Co? Co zrobiłem? – zaniepokoił się James. Właśnie zaczynało mu się podobać.

– Radiowóz – sapnęła Joanna. – Schowaj mnie.

James ujrzał niebieskie błyski i dwóch policjantów wysiadających z samochodu kilkaset metrów od nich.

– Jesteś na gigancie czy jak? – spytał James.

– Najpierw mnie ukryj, pytania później.

James poprowadził Joannę pod górę, w stronę zabudowań. Policjanci szli w tę samą stronę. Wydawali się przyjaźni. Co jakiś czas zatrzymywali się, by zamienić z kimś kilka słów. James otworzył kłódkę od domu Cathy i oboje weszli do środka. Joanna trzasnęła za sobą drzwiami.

– Co się dzieje? – spytał James.

– Wyjrzyj na zewnątrz i sprawdź, co robi policja.

James podszedł do okna.

– Widzę tylko jednego – oznajmił. – Rozmawia z jakimś facetem.

– Co mówi?

– Stoi dwadzieścia metrów ode mnie i jest ciemno. Mam czytać z ruchu warg? Zaczekaj... Ten facet wskazuje naszą chatę.

– Ale mam przechlapane – w głosie Joanny pobrzmiewała nutka histerii.

– A to czemu?

– Miałam dziś nocować u koleżanki, ale zamiast siedzieć u niej, wybrałyśmy się tutaj.

– Gdzie ta koleżanka? – spytał James.

– Spotkała swojego chłopaka i zostawiła mnie.

– Ale dlaczego szuka cię policja?

Drzwi chaty otworzyły się i policjant wycelował latarkę w twarz Joanny.

– Cześć, tatku – powiedziała Joanna, mrużąc oczy.

– Zbieraj się, młoda damo. Jedziemy do domu. A co do ciebie... – Snop światła przeniósł się na twarz Jamesa. – Nie wiem, co ty i moja córka knuliście tu razem, ale na twoim miejscu trzymałbym się od niej z daleka.

James patrzył, jak ojciec Joanny prowadzi ją do radiowozu. Nie miał ochoty wracać do ogniska. Zapalił gazową lampkę, wyjął garść marsów, po czym nalał sobie szklankę nieschłodzonego mleka.

*

– Podobno obłapiałeś córkę sierżanta Ribble'a – powiedziała Cathy. Wyglądała na zachwyconą.

– Poznaliśmy się pięć minut przed przyjazdem jej ojca – burknął James. – Jeden mały pocałunek.

– Ty tak twierdzisz, ogierze. – Cathy uszczypnęła go w policzek i roześmiała się. Jamesa nikt nie szczypał w policzek, odkąd skończył pięć lat. – Miło mieć was u siebie, dzieciaki – powiedziała Cathy. – Dom nabrał życia.

– Myślałem, że nas nie chcesz – zauważył James.

– Byłam w szoku. – Cathy machnęła ręką. – Po trzydziestu latach życia tutaj każda odmiana jest miła.

– Czemu nie wyjedziesz?

– Mogłabym, kiedy już znikniecie. Sprzedałabym ten wielki samochód, powłóczyła się trochę po świecie... Nie wiem, co potem. Może poszukam mieszkania i pracy?

– Jakiej pracy? – zainteresował się James.

Cathy roześmiała się.

– Bóg jeden wie. Nie przypuszczam, żeby ludzie pchali się z ofertami dla pięćdziesięcioletniej kobiety, która ostatnią pracę miała w 1971 roku.

– Co robiłaś?

– Pracowałam w sklepie samorządu studenckiego na moim uniwerku. Tam poznałam Michaela Dunna. Kilka lat później wyszłam za niego, urodziłam chłopca i rozwiedliśmy się.

– Masz syna? – zdziwił się James.

– Miałam. Umarł, kiedy miał trzy miesiące.

– Przykro mi – powiedział James.

Cathy posmutniała. Wyciągnęła z kąta wiklinowy kosz, a z niego album z fotografiami. Odszukała zdjęcie noworodka w białym włóczkowym czepku.

– Harmony Dunn – powiedziała. – Mam tylko to jedno zdjęcie. Michael zrobił je w dniu jego narodzin.

Widok Cathy wspominającej swoje dziecko sprawił, że James pomyślał o mamie. Nagle łzy napłynęły mu do oczu. Chciał opowiedzieć o swoim nieszczęściu, ale to byłoby złamanie reguł działania agenta. Cathy spostrzegła, że James się nachmurzył, i objęła go ramieniem.

– Nie ma potrzeby się smucić, Ross, to było dawno temu.

– Całe twoje życie mogłoby być inne, gdyby Harmony żył.

– Może – zadumała się Cathy. – Miły z ciebie chłopak, Ross, czy jak tam się naprawdę nazywasz.

– Dzięki – powiedział James.

– Uważam, że to nie w porządku, że rząd wykorzystuje dzieciaki. Może się wam stać krzywda.

– To nasz wybór. Nikt nas do tego nie zmusza.

– Courtney wykorzystuje Scargilla, żeby dobrać się do Ognia i Świata, prawda?

James był pod wrażeniem, że Cathy wszystkiego się domyśliła. Uznał, że nie ma sensu zaprzeczać.

– Tak.

– Dunnowie byli dla mnie dobrzy, nawet po tym, jak rozwiodłam się z Michaelem – powiedziała Cathy. – Ale ci dwaj zawsze się różnili. Jestem pewna, że oni coś knują.

– Skąd ta pewność? – spytał James.

– Znam ich od dnia narodzin. Z nimi jest coś nie tak. Aż ciarki mnie przechodzą, kiedy przebywają w pobliżu.

33. ODMIENIEC

W poniedziałek budzik rozdzwonił się o siódmej rano. James wyłączył go dopiero wtedy, gdy Amy cisnęła w niego poduszką. Wygramolił się z łóżka, przeciągnął i odpiął róg koca zasłaniającego okno, by wpuścić trochę światła.

– Musisz to odsłaniać? – jęknęła Amy spod pościeli.

– Wychodzę do szkoły.

James zaczął wkładać bluzę z kapturem i spodnie od dresu.

– Zimno – zauważył.

– Tu pod spodem jest ciepło, a ja nie muszę wstawać jeszcze przez trzy godziny – powiedziała Amy z nutką satysfakcji w głosie.

– Nie do wiary, że wymigałaś się od szkoły. To nie fair.

Amy zachichotała.

– W Green Brooke jest obłędnie. Woda w jacuzzi jest wspaniała i mogę brać gorący prysznic przed zmianą i po niej.

– A ja cuchnę – poskarżył się James. – Zniszczą mnie, jeśli pokażę się w szkole w tym stanie.

– Włóz czyste ciuchy i spryskaj się moim dezodorantem – poradziła Amy.

– Włożyłem, ale co z tego, jak metr za progiem znów będą całe w błocie. Gdzie masz dezodorant?

– W nogach mojego łóżka.

Dezodorant był w różowej puszce w motylki. James uznał, że lepiej pachnieć dziewczyńsko, niż cuchnąć wydzielinami ciała, i spryskał się od stóp do głów.

– Jak dobrze, że nie muszę wstawać – chichotała Amy. – To łóżko jest takie wygodne.

James zauważył wystającą spod śpiwora stopę i połaskotał ją. Amy zapiszczała i schowała nogę.

– To za drażnienie się ze mną – powiedział James.

Amy wystrzeliła z łóżka, złapała Jamesa w pasie i zaczęła łaskotać pod żebrami.

– Nie, proszę! – jęczał James, wierzgając i dusząc się ze śmiechu. Miał czerwoną twarz, a po podbródku ściekała mu strużka śliny.

– Błagaj o litość, cieniasie! – zażądała Amy.

– Nigdy! – wykrztusił James.

W żaden sposób nie mógł się uwolnić. Amy zaatakowała kolejną falą łaskotek.

– O nie, proszę... No dobra, błagam. Przestań! POWIEDZIAŁEM, BŁAGAM!

Amy przestała. Ze starej części chaty wysunęła się głowa Cathy. Miała zaspane oczy i potargane włosy.

– Co tu się dzieje? – spytała słabym głosem.

– Łaskoczemy się – wydyszał James, wciąż nie mogąc złapać tchu.

– Myślałam, że umieracie czy coś. – Cathy ziewnęła. – Chciałabym jeszcze pospać.

– Wychodzę do szkoły – wyjaśnił James.

– Więc rób to cicho. Ja wstaję znacznie później.

– Niektórzy to mają fajnie – zauważył James. – Jest coś na śniadanie?

Cathy zamyśliła się.

– Jest trochę zimnego curry albo możesz zjeść ostatniego marsa.

– Ekstra – mruknął James.

Amy wśliznęła się z powrotem do łóżka. Spod warstw pościeli dobiegał przytłumiony śmiech.

*

Do przystanku autobusu szkolnego w Craddogh były dwa kilometry. Kilkoro starszych dzieci z Fort Harmony pokazało Jamesowi drogę. Na przystanku stała Joanna z przyjaciółkami. Powiedział jej cześć, ale go zignorowała. Dzieci ze wsi nosiły porządne, sportowe ciuchy. Te z osady wyglądały przy nich jak dzieci trampów. Autobus jechał pół godziny, zatrzymując się co kilka minut, by zabrać kolejne grupki dzieci. James oparł czoło o szybę i patrzył na wschód słońca nad przepływającym za oknem krajobrazem.

*

Szkoła imienia Gwen Morgan wyglądała lepiej niż stara szkoła Jamesa w Londynie. Nowoczesne klasy zgrupowano w parterowych budynkach połączonych zadaszonymi pasażami. Teren między budynkami zdobiły klomby i starannie wykoszone trawniki z tabliczkami „Szanuj zieleń". Kiedy zadzwonił dzwonek, dzieci ruszyły do klas, o dziwo bez biegania i przepychanek. Nawet w łazience dla chłopców było czysto. James zmył jak najwięcej brudu z twarzy i rąk i dopiero potem poszedł szukać swojej klasy. Wręczył kartkę nauczycielce i poszukał wzrokiem wolnej ławki.

– To jest Ross – oznajmiła nauczycielka. – Proszę, żebyście byli dla niego mili i pomogli zapoznać się z naszą szkołą.

Uczniowie robili wrażenie grzecznych i dobrze wychowanych. Nikt nie odezwał się do Jamesa.

Pierwszą lekcją była fizyka. James spytał jakiegoś chłopca, czy może usiąść obok niego. Chłopak tylko wzruszył ramionami.

Lekcja się dłużyła. James był dość bystry, by zorientować się w temacie już w połowie wykładu, i szybko zaczął się nudzić. Wyglądało to zupełnie inaczej niż w CHERUBIE, gdzie wszyscy uczniowie byli bystrzy, a nauczyciele potrafili przykuć uwagę. James robił schludne notatki w swoim nowym zeszycie, ale nie mógł się oprzeć wrażeniu, że to czysta strata czasu. I tak miał tu spędzić zaledwie kilka tygodni.

Między pierwszą a drugą lekcją zaczepili go dwaj chłopcy z jego klasy, Stuart i Gareth. Jeden z nich popchnął go.

– Poczekaj do przerwy, hippisie – powiedział tonem groźby. James nie bał się. W razie potrzeby pokonałby ich bez trudu.

Na początku porannej przerwy Gareth znowu go popchnął, a potem jeszcze strzelił dłonią w kark. James wiedział, że jeśli nic nie zrobi, stanie się celem dla wszystkich, ale nie zamierzał dać się przyłapać nauczycielom na tarmoszeniu się z kimś na podłodze. Na pewno nie pierwszego dnia. Poprzestał na przyłożeniu Garethowi pięścią w twarz i ucieczce. Resztę przerwy spędził, wałęsając się samotnie po szkole, łapiąc paranoję, że wszyscy gapią się na niego jak na odmieńca.

Całą trzecią lekcję Gareth przesiedział z nosem przysłoniętym zakrwawioną chusteczką. Po lunchu James chciał przyłączyć się do uczniów grających na boisku w piłkę, ale byli tam też Stuart, Gareth i kilku ich kumpli. James uznał, że najlepiej będzie zmienić kurs i oddalić się. Znalazł sobie cichy zakątek za szkołą, usiadł oparty o ścianę klasy i wziął się do odrabiania lekcji.

*

Na książkę padł cień. James uniósł głowę, by ujrzeć Garetha, Stuarta oraz wsparcie w postaci sześciu kolegów. Był wściekły na siebie za to, że ich nie zauważył i pozwolił im podejść tak blisko.

– Rozwaliłeś mi nos, hippisowski leszczu – powiedział Gareth.

– Nie szukam kłopotów – odparł James. – Zostawcie mnie w spokoju.

Gareth roześmiał się.

– Chyba śnisz.

– Nienawidzimy was wszystkich, ścierwo z Fort Harmony – oznajmił Stuart. – Policja powinna pójść tam i poszczuć was psami.

James ocenił sytuację i uznał, że bez trudu pokonałby dowolnych dwóch spośród napastników, przed trzema lub czterema zdołałby uciec, ale ośmiu na jednego... Nie miał szans.

– Wstawaj, hipolu! – rozkazał Gareth.

Nie było sensu wstawać. Gdyby to zrobił, zaraz z powrotem zwaliliby go z nóg, a tu na dole mógł przynajmniej zwinąć się w kłębek dla ochrony przed ciosami.

– No już, rusz ten zad – ponaglał Gareth.

– Odwal się – rzucił James. – Nie masz odwagi walczyć ze mną sam na sam, co? Cienias.

Gareth kopnął Jamesa w kolano. Kilku pozostałych przysunęło się bliżej. James naliczył wokół siebie dziesięć nóg i zebrał się w sobie, gotując na ból. Runął na niego grad kopniaków. Na szczęście atakujących było tak wielu, że większość energii marnowali na kopanie siebie nawzajem. James próbował docisnąć kolana do piersi, ale czyjaś stopa przygniotła mu brzuch do podłogi. Nogi trzymał złączone, by chronić jądra, a przedramionami osłaniał twarz.

Katowanie trwało około minuty. Na koniec trzej chłopcy, którzy nie zmieścili się w kręgu oprawców, poprawili dzieło kolegów kilkoma brutalnymi kopniakami w żebra.

– Lepiej naucz się szacunku, hipolu – rzucił Gareth na odchodnym.

Chłopcy odeszli, śmiejąc się i przedrzeźniając swoją ofiarę wijącą się z bólu na podłodze. James nie mógł powstrzymać łez cisnących mu się do oczu, ale z całych sił walczył ze sobą, by nie zapłakać na głos. Poobijane ręce i nogi odmawiały mu posłuszeństwa.

James zebrał książki do plecaka. Trzymając się ściany, zdołał przekuśtykać kilka metrów, po czym kolano poddało się ostatecznie. Siedział tam, gdzie upadł, dopóki nie natknął się na niego nauczyciel, który szedł otworzyć klasę. James próbował udawać, że się pośliznął i zwichnął kostkę, ale nie był w stanie ukryć, że boli go całe ciało. Nauczyciel objął go ramieniem i pomógł dowlec się do gabinetu pierwszej pomocy.

*

Pan Crow, zastępca dyrektorki, wszedł do gabinetu. James siedział na krawędzi łóżka w bokserkach i z kubkiem napoju pomarańczowego w dłoni. Ręce i nogi miał pokryte plastrami.

– Kto ci to zrobił, Ross? – spytał Crow.

Był niedużym człowieczkiem o przyjaznej powierzchowności, mówiącym z walijskim akcentem.

– Nie wiem – powiedział James.

– Czy ktokolwiek z nich chodzi z tobą do klasy?

– Nie.

James uznał, że najlepiej będzie nie skarżyć. Szkoła i tak nie wydali ośmiu uczniów. Zostaną najwyżej zawieszeni na kilka dni, a potem wszyscy ich kumple i starsi bracia wsiądą na Jamesa za donosicielstwo, przemieniając jego życie w piekło. Jeżeli nikogo nie wsypie i zdoła zdobyć wsparcie kilku kolegów, wszystko może się jeszcze jakoś ułożyć.

– Ross, rozumiem, że nie chcesz skarżyć na kolegów z klasy, ale to twój pierwszy dzień w szkole, a już zostałeś ciężko pobity. To jest nie do przyjęcia. Chcemy ci tylko pomóc.

– Dam sobie radę – powiedział James. – To nic takiego.

*

Pod koniec lekcji James znowu mógł chodzić – w miarę. Z gabinetu wypuszczono go przed ostatnim dzwonkiem, dając szansę na spokojne wejście do autobusu przed tłumem uczniów.

Joanna przeszła między rzędami siedzeń i usiadła obok Jamesa. To była pierwsza przyjemna rzecz, jaka mu się dzisiaj zdarzyła.

– Co ci się stało? – spytała Joanna.

– A jak myślisz? – powiedział James gniewnie. – Dostałem wycisk.

– Gareth Granger i Stuart Parkwood.

– Skąd wiesz?

– Biją zawsze oni. Nie są nawet silni. Po prostu stoi za nimi banda opryszków.

– Mam nadzieję, że to nie wejdzie im w nawyk.

– Musisz się umyć – zauważyła Joanna.

– W Fort Harmony nie mam szans na kąpiel.

– Możesz wykąpać się u mnie.

– Co z twoim tatą?

– Pracuje do szóstej, a potem i tak pójdzie na drinka.

– A mama?

– Mieszka w Cardiff z moimi starszymi braćmi.

– Są rozwiedzeni?

– Od kilku miesięcy.

– Wywinęłaś się jakoś, kiedy cię wtedy przyłapał?

– Wstrzymane kieszonkowe, szlaban na dwa tygodnie.

– Cienka sprawa. – James pokiwał głową ze współczuciem.

Joanna uśmiechnęła się.

– To takie głupie. Daje mi szlaban, ale nigdy nie ma go w domu, żeby przypilnować, czy nie wychodzę.

*

Joanna mieszkała na skraju Craddogh w niedużym drewnianym domu z ozdobnymi firankami w oknach i mnóstwem kiczowatych ozdób. Włączyła MTV. Podczas gdy wanna napełniała się wodą, zjedli tosty z serem i napili się herbaty.

Od mydła szczypały go rany, ale gorąca woda nieco uśmierzyła ból, no i miło było znów poczuć się czystym.

Joanna uchyliła drzwi łazienki i cisnęła do środka czystą koszulkę z krótkim rękawem i stare bokserki swojego brata. Parsknęła śmiechem, kiedy ujrzała Jamesa w opadających gigantycznych majtkach i koszulce Pumy sięgającej mu prawie do kolan. Zaprowadziła Jamesa do swojego pokoju.

– Kładź się – poleciła, popychając go na łóżko. Zerwała z niego wszystkie nasiąknięte plastry i zaczęła przemywać skaleczenia wodą utlenioną, by móc przykleić świeże. James nie mógł oderwać wzroku od długich włosów i łuku pleców pochylającej się nad nim dziewczyny. Wyglądała przepięknie. Zapragnął znów ją pocałować, ale Joanna była o rok starsza, a do tego wspominała coś o swoich byłych chłopakach. Miał nieodparte wrażenie, że pakuje się w coś, co go przerasta.

34. OPRAWCA

Było zimno, a chmury pluły rzadkim, wrednym deszczykiem. Dla obolałych nóg Jamesa, wlokącego się w stronę Fort Harmony, każdy krok był torturą. Teraz czekał go wieczór w zimnej chacie bez telewizora, a potem cała noc przewracania się z boku na bok na niewygodnym materacu i słuchania chrapania Amy. Jutro, w szkole, prawdopodobnie znów zostanie pobity.

Ale James był w wyśmienitym nastroju. Miał za sobą półtorej godziny leżenia z Joanną na jej łóżku, całowania się i narzekania na podłe życie. Puścili sobie Red Hotów i śpiewali wszystkie piosenki na głos. Za każdym razem, kiedy James pomyślał o Joannie, doznawał takiego odlotu, że wszystko inne przestawało się liczyć.

Kiedy dotarł do chaty, Amy i Cathy nie było. Z podniecenia nie mógł jeść. Rzucił się na łóżko i oddał marzeniom o Joannie.

*

– Głuchy jesteś?! – wrzasnął Sebastian kilka centymetrów od głowy Jamesa. – Pukałem cztery razy. Ogień naprawił nasze zdalnie sterowane samochody. Idziesz je wypróbować?

James przewrócił się na bok. Nie chciało mu się wstawać, ale służba nie drużba. Kiedyś miał zdalnie sterowany model samochodu. Wtedy gdy jeszcze mieszkał z mamą. Był fajny, ale na osiedlu Jamesa nie należało wychodzić z czymś takim na dwór. W pięć minut ktoś by mu go ukradł albo przynajmniej rozwalił. Kiedy to było... James zamyślił się nad tym, jak daleko odszedł od swojego rodzinnego domu. Samochody Sebastiana i Clarka były niesamowite: plażowe buggy z wielkimi tylnymi oponami wzbijającymi fontanny błota. Nie były na baterie. Między tylnymi kołami tkwiły małe silniki spalinowe. Clark zatrzymał swój samochód przed Jamesem i wręczył mu nadajnik.

– Delikatnie – powiedział.

– Też miałem coś takiego – oznajmił James takim tonem, jakby irytowała go głupota Clarka. Nacisnął dźwigienkę gazu. Silnik zawył, wypluwając niebieskie płomienie przez rurę wydechową, ale auto nie ruszyło się nawet na milimetr. Koła wkopały się w grunt.

– Delikatnie, głupku – powtórzył Clark.

Sebastian wydobył model z błota. James lekko trącił dźwigienkę i samochód wystrzelił do przodu, wyciągając chyba z pięćdziesiąt na godzinę.

– Ekstra! – zaśmiał się James. Zatoczył wielkie koło, omal nie rozbijając samochodu o drzewo, przejechał pod land cruiserem i prawie przewrócił auto, biorąc ostry zakręt, by wreszcie zatrzymać je u swoich stóp. – Coś pięknego – rzucił z podziwem. – Ale szybki! Skąd je macie?

– Zrobili je Ogień i Świat, kiedy byli jeszcze nastolatkami – powiedział Clark. – Problem w tym, że ciągle się psują, a Ogień nigdy nie ma czasu ich dla nas naprawiać. W jego warsztacie jest jeszcze z sześć takich.

– Mogę zobaczyć?

– Już nas tam nie wpuszczają.

Sprawa warsztatu była intrygująca, ale James musiał uważać, żeby nie wydać się nazbyt wścibski.

– Co oni tam robią? – spytał tylko.

– Nie wiem. – Sebastian wzruszył ramionami. – Jak ich znam, to próbują opanować świat.

– Słyszałem, że pobili cię w szkole – wtrącił się Clark.
James przytaknął.
– Nie nakablowałeś, no nie?
– W życiu.
– Mnie i Sebastiana ciągle bili, bo mieszkamy w Fort Harmony. Teraz nie jest źle. Jesteśmy najwięksi w naszej szkole.
– Jesteśmy królami – zaśmiał się Sebastian. – Do mojej klasy chodzi kolo, który tak się boi, że jak pstrykniemy palcami, zaraz liże nam buty. Nie musimy go lać ani nic.
– We wrześniu idziesz do Gwen Morgan? – spytał James.
– Obaj idziemy – oświadczył Clark. – Między nami jest tylko dziesięć miesięcy różnicy.
– Przynajmniej nikt wam nie podskoczy.
– Zawiesili nas za bójki trzy razy – powiedział Clark. – Za czwartym razem wywalą nas z budy, ale prędzej dam się wywalić, niż pozwolę komuś mieszać nas z błotem.
– Co na to wasi rodzice?
– Taty nie znamy, a mama wie, jak jest. Wszystkie dzieci z Fort Harmony są gnojone przez normalnych.
– Co o nas pomyślałeś na początku? – spytał zaczepnie Sebastian.
– Fakt, nic dobrego – zaśmiał się James. – Nie byliście specjalnie przyjaźni.
– Gdybyś przeżywał to, co przeżyłeś dzisiaj, codziennie, odkąd skończyłeś pięć lat, też nie byłbyś przyjazny.
– Co mam robić? – spytał James.
– Dobrze postąpiłeś, że ich nie wsypałeś – pochwalił go Clark. – Gdybyś zakablował, miałbyś przeciwko sobie całą szkołę. Nigdy nie uciekaj, nie poddawaj się, nie błagaj o litość. Taki byk jak ty, Ross, powinien po prostu dorwać któregoś z przywódców, kiedy będzie sam, i zmasakrować go.

– Reszta mnie zabije, jeśli to zrobię – powiedział James.

– Wcale niekoniecznie – uśmiechnął się Clark. – Każdy z nich pomyśli dwa razy, zanim znów zadrze z kimś, kto potem może go wetrzeć w ziemię.

– Nie chcę wpakować się w kłopoty – oświadczył James.

– Z poprzedniej szkoły wywalili mnie za bójkę.

Sebastian roześmiał się.

– No to lepiej przywyknij do deptania po jajach.

*

Po posiłku w głównym baraku James znów zaległ na łóżku. Kiedy Amy wróciła z pracy, wściekła się, widząc, w jakim jest stanie.

– Pójdę do tej szkoły i sama im nakopię! – krzyczała. – Nikt nie będzie tak traktował mojego brata!

– Poradzę sobie – powiedział James.

– Właśnie, że nie poradzisz. Dlaczego nie powiedziałeś w szkole, kto to zrobił?

– Nie jestem kablem. Kable stoją niżej nawet od dzieci, które sikają w gacie.

– Powinieneś pojechać do szpitala. Możesz mieć wstrząs mózgu.

– Nie mam wstrząsu mózgu. Nikt nie kopnął mnie w głowę – skłamał James. – Nie możemy porozmawiać o czymś ważniejszym?

– Co może być ważniejszego od ciebie, wyglądającego jak po przejechaniu przez autobus?

– Widziałaś warsztat Ognia i Świata? – spytał James.

– Byłam w ich chacie. Raczej trudno ją nazwać warsztatem.

– Sebastian powiedział, że mają warsztat. Od jakiegoś czasu jemu i Clarkowi nie wolno tam wchodzić. To mi wygląda na miejsce, które warto sprawdzić.

– Spytałeś, gdzie to jest?

– Nie, ale spróbuję się dowiedzieć.

– Może uda mi się wyciągnąć coś od Scargilla – powiedziała Amy. – Założę się, że to jedna z tych niby opuszczonych chat.

*

James siedział w land cruiserze i jak co dzień zdawał Ewartowi relację z najnowszych wydarzeń, starannie omijając kwestię swojego zadurzenia w Joannie.

– Czy byłoby bardzo źle, gdybym narobił sobie problemów w szkole?

– Jak poważnych? – spytał Ewart.

– Gdyby na przykład mnie zawiesili. Pomyślałem, że to mogłoby być korzystne dla misji. Miałbym więcej czasu, żeby tu trochę powęszyć.

Ewart roześmiał się.

– I przy okazji urwałbyś sobie parę dni szkoły. Sprytne, James.

– Nawet nie przyszło mi to do głowy – udał oburzenie James, ale nie zdołał utrzymać powagi i zachichotał.

– Przypuszczam, że nie byłby to wielki problem – powiedział z namysłem Ewart. – Ale pamiętaj, że nie jesteś ponad prawem tylko dlatego, że wykonujesz tajne zadanie, więc nie spal szkoły ani nic w tym rodzaju, dobrze?

*

We wtorek budzik znowu zadzwonił o siódmej. James wyłączył go i naciągnął śpiwór na głowę.

– Spóźnisz się na autobus, jeżeli się zaraz nie ruszysz – ostrzegła Amy.

– Nigdzie nie idę – oświadczył James. – Mam sztywny grzbiet. Ledwo się ruszam.

– Wczoraj strzelałeś z Sebastianem i Clarkiem prawie do północy i jakoś nic ci nie dolegało.

– Pewnie w nocy zastały mi się mięśnie.

Amy roześmiała się.

– Uważaj, bo ci uwierzę.

James leżał do dziesiątej, celowo nie wychodząc ze śpiwora, dopóki Amy nie poszła do pracy. Cathy była w dobrym nastroju. Posłała Jamesa po jajka do kurnika i zrobiła omlety z grzybami i bekonem. James przeczytał pierwszy rozdział *No Logo*, na wypadek gdyby Partanina wypytywał go o książkę, po czym wybrał się na przechadzkę. Joshua Dunn był w głównym baraku, zajęty obieraniem góry warzyw. Gladys Dunn też tam była. Czytała poranną gazetę.

– Mogę dostać dział sportowy? – spytał James.

Podała mu papier.

– Kłopoty w szkole, jak słyszałam – zagadnęła.

James przytaknął.

– To niedobre miejsce dla małych chłopców – ciągnęła Gladys. – Wszystkie moje wnuki tak samo: w szkole dostają wciry, więc wyżywają się na zwierzętach albo chowają za książkami.

James uśmiechnął się.

– Nie są tacy źli.

– Przekleństwo tego miejsca, Ross. Pierwszy dzień i już cię pobili. A przecież nawet nie wyglądasz ani nie ubierasz się jak tutejsze dzieciaki. Chłopcy są tacy okrutni.

– Co robić? – westchnął filozoficznie James, nie wiedząc, co powiedzieć.

– Kiedyś mieliśmy tu szkołę. Rodzice prowadzili lekcje na zmianę. Wszystko przemieniło się w jedną wielką kłótnię o to, kto ma kiedy uczyć.

– Wszyscy są tu dla mnie ogromnie mili – powiedział James. – Jednak nie rozumiem, czemu ludzie chcą tutaj mieszkać.

Gladys uniosła palec.

– Poruszyłeś problem, nad którym i ja często się ostatnio zastanawiam. Zakładaliśmy Fort Harmony jako garstka młodych ludzi, pragnących wolności i odrobiny frajdy.

Kiedy policja usiłowała nas zniszczyć, pokazaliśmy światu, że zgraja przybłędów może stawić czoło rządowi i zwyciężyć. Ale czym jesteśmy teraz? Modnym schroniskiem dla pieszych turystów? Połowa ludzi, którzy tu mieszkają, zmywa i gotuje dla bogatych biznesmenów w tym cholernym centrum konferencyjnym.

James był lekko oszołomiony.

– Więc po co tu siedzieć?

Gladys położyła mu dłoń na kolanie.

– Potrafisz dotrzymać tajemnicy, Ross?

– Pewnie.

– We wrześniu wychodzi moja druga książka. Powinnam zarobić dość, by kupić sobie dom gdzieś, gdzie jest ciepło. Wezmę Joshuę. Reszta może sobie walczyć o Fort Harmony.

– Czytałem pani pierwszą książkę – pochwalił się James.

– Nawet ciekawa.

Gladys wyglądała na zaskoczoną.

– Nie sądziłam, że tak lubisz książki, Ross.

James był zły na siebie. Nie powinien przyznawać się, że czytał tę książkę. Wydane przed dwudziestu laty wspomnienia z hippisowskiej komuny nie należały do standardowych lektur dwunastoletnich chłopców.

– Cathy ma egzemplarz... – zająknął się James, bo wcale nie był tego pewien. – No, a tutaj nie ma telewizji.

– I dzięki Bogu – uśmiechnęła się Gladys.

– Podobał mi się ten fragment, w którym chowaliście się przed policją w tunelach i próbowaliście uciszać dzieci. Musiało być strasznie.

– Nie powinnam była brać chłopców pod ziemię. Joshua był najbystrzejszy ze wszystkich. Dziś jest szczęśliwy, mogąc obierać warzywa przez cztery godziny dziennie.

– Tych tuneli to już pewnie nie ma, prawda? – spytał James.

263

– Zachowały się jakieś fragmenty. Na twoim miejscu nie bawiłabym się tam, Ross. To niebezpieczne.

– Bez obaw, nie mam zamiaru. Mówię, bo nigdzie ich nie widziałem.

– To dlatego, że osada jest przeniesiona. Kiedyś była niżej, przy drodze. W głównej chacie mieliśmy czasem metr wody, więc przenieśliśmy się tutaj, skąd woda po prostu spływa.

*

James wetknął głowę do chaty Partaniny. Gospodarz, a także Ogień, Świat i Scargill, rozsiedli się na podłodze i o czymś zawzięcie dyskutowali. Pachniało kawą. Gregory jeździł matchboksem po łóżku rodziców. James chrząknął.

– Wpadłem się przywitać – powiedział. – Pójdę sobie, jeśli przeszkadzam.

Partanina roześmiał się.

– Jesteś zbyt uprzejmy, Ross. Siadaj. Chcesz kawy albo herbaty?

– Herbaty.

James usiadł na podłodze. Był pewien, że przerwał Partaninie i Dunnom jakąś burzliwą dyskusję polityczną, ale okazało się, że kłócą się o to, czy Julia Roberts jest seksowniejsza od Jennifer Lopez. Gregory przyniósł książkę z obrazkami i usiadł Jamesowi na nodze.

– Pociągi – oświadczył uroczyście.

James otworzył książkę na kolanach Gregory'ego. Chłopiec mówił mu, jakiego koloru są pociągi na ilustracjach, a on udawał zachwyt. Partanina otworzył paczkę ciasteczek. Gregory szybko uznał, że najsmaczniejsze są po wymoczeniu w herbacie Jamesa, najlepiej tak długo, aż zanurzony kawałek odpadnie.

– Jadę z chłopakami do miasta i po Eleonorę do wioski – powiedział Partanina. – Popilnujesz Gregory'ego przez godzinkę?

– Mogę – zgodził się James.

– W razie problemów na stole leży komórka, a w osadzie jest kupa dorosłych. Mój numer jest w szybkim wybieraniu.

James był dumny z siebie. Teraz mógł przeszukać chatę Partaniny i zrobić zdjęcia. Decyzja o urwaniu się ze szkoły była mistrzowskim posunięciem.

35. PRZESZŁOŚĆ

James opuścił Fort Harmony po lunchu. Przebiegł kilka kilometrów, sprawdził, czy nikt nie kręci się w pobliżu, i czekał. Ewart podjechał lśniącym bmw. Na twarzy nie miał ani jednego kolczyka i był ubrany jak rasowy biznesmen: garnitur w prążki i krawat.

– Fajny łach – zaśmiał się James.

– Muszę pasować do towarzystwa z Green Brooke.

Ewart kluczył przez kilka kilometrów, by wreszcie zatrzymać się na polnej drodze.

– Co masz? – spytał.

James wręczył mu kartę pamięci z aparatu i garść pomiętych notatek.

– Zrobiłem sporo zdjęć – pochwalił się, wskazując palcem kartę. – Masz tam cały pokój Partaniny, łącznie z książkami na półkach i zbliżeniami takich rzeczy, jak jego adresownik. Spisałem też wszystkie numery z komórki, którą zostawił, plus numer konta i dane z paszportu.

– Dobra robota, James. Spójrz na to.

Ewart podał Jamesowi teczkę ozdobioną godłem FBI. James otworzył ją i ujrzał czarno-białą fotografię Partaniny, młodszego o jakieś dziesięć lat i z długimi włosami.

– To on – powiedział James, przewracając stronę.

To były standardowe dokumenty FBI. James widywał już takie podczas przygotowań do misji. Na raporcie policyjnym wystukano na maszynie tylko trzy linijki:

Student, Stanford, Massachusetts. Współlokator notowanego Jake'a Gladwella.
Przesłuchany. Zwolniony 18.6.1998.
Naruszenie przepisów ruchu drogowego, Austin, Teksas,
23.12.1998.

– Niewiele tego – powiedział James.

– Też tak pomyślałem. A potem przyjrzałem się uważniej Jake'owi Gladwellowi. Odsiaduje osiemdziesiąt lat w więzieniu w San Antonio w Teksasie.

– Za co?

– Próbował wysadzić w powietrze gubernatora podczas balu dobroczynnego, ale bombę znaleziono przed imprezą i rozbrojono. Policja schwytała Gladwella w wieczór balu. Zaczaił się w pobliżu hotelu z radiowym detonatorem. Wiesz, co porabia teraz były gubernator Teksasu?

– Co? – spytał James.

– Jest prezydentem Stanów Zjednoczonych. To George Walker Bush. I wiesz, co jeszcze? W czasie, kiedy ta bomba miała wybuchnąć, obok Busha siedziało osiem naftowych grubych ryb z Teksasu.

– Partanina pojechał dokądś z Ogniem i Światem – oznajmił James.

– Znalazłem powiązania między Ogniem, Światem i Partaniną. Ogień i Świat, zanim trafili do paki, przez dwa lata studiowali na uniwersytecie York. Otóż York podpisał porozumienie o wymianie nauczycieli akademickich z Uniwersytetem Stanforda w Ameryce. Partanina pracował tam jako profesor gościnny. Uczył Ognia i Świata mikrobiologii przez dwa semestry, po czym rzucił pracę i przeniósł się do Fort Harmony.

– Czyli wszyscy należą do Help Earth! – zawyrokował James.

Ewart pokręcił głową.

– Niczego nie możemy dowieść. Zawsze podejrzewaliśmy, że Partanina, Ogień i Świat mają z nimi jakieś powiązania, a teraz, kiedy już znamy przeszłość Partaniny, postawiłbym na to oszczędności życia, ale wciąż brakuje nam twardych dowodów. Musimy działać dalej i mieć nadzieję, że ty lub Amy wpadniecie na trop, zanim bomba wybuchnie. – Ewart sięgnął na tylne siedzenie i wręczył Jamesowi małą, wytworną bombonierkę. – Daj to Joannie. To jej ulubione.

Jamesa zmroziło.

– O co ci chodzi? Wpadłem do niej tylko na kąpiel.

Ewart roześmiał się.

– Słyszałem co innego. I jak, fajnie się całuje?

– Szpiegujecie mnie?! – zdenerwował się James.

– Skądże znowu.

– To skąd wiesz, że się całowaliśmy?

– MI5 kontroluje aktywność internetową w całej okolicy. Jak pojawia się coś ciekawego, przysyłają mi raport. Wczoraj około ósmej Joanna zalogowała się na czacie. Chwaliła się swoim nowym chłopakiem o imieniu Ross. Powiedziała, że to „totalne ciacho" i że ma śliczne blond włosy. Nie mogła się doczekać spotkania na przystanku rano.

– To szkoda, że nie poszedłem do szkoły – westchnął James. – A czekoladki?

– Sprawdziłem profil użytkownika. Lubi ręcznie robione czekoladki Thorntona, muzykę rockową, blondynów, a jej marzeniem jest przejechać Amerykę na harleyu davidsonie.

– Podrzucisz mnie do wioski? Może zdążę ją złapać, jak będzie wysiadała z autobusu.

*

Kiedy wręczył Joannie czekoladki, z wdzięczności rzuciła mu się na szyję. Potem poszli do niej, by pić kakao, obgadywać wszystkie kapele z MTV oraz ganiać się po pokoju, łaskotać i okładać poduszkami z kanapy. James został aż do powrotu jej taty, a potem wymknął się tylnymi drzwiami i pomaszerował do Fort Harmony z uśmiechem od ucha do ucha.

James zaczynał rozumieć co nieco z tych straszliwych komedii romantycznych, za którymi przepadała jego mama, a w których główny bohater zawsze dostawał kota na punkcie jakiejś babki. Myśli o Joannie nie pozwalały mu zasnąć przez pół nocy. Uświadomił sobie, że kiedy wypełni zadanie, wyjedzie stąd, by już nigdy jej nie zobaczyć. Rano wstał wcześniej niż zwykle i czekał na nią na przystanku.

*

W szkole wszyscy gapili się na Jamesa i szeptali. Gareth i Stuart przez cały ranek rzucali obraźliwe uwagi.

– Po szkole druga runda – powiedział Stuart do Jamesa stojącego w kolejce po lunch.

Ostatnią rzeczą, jakiej James pragnął, było spóźnienie się na autobus i stracenie wizyty u Joanny.

– Dlaczego nie tutaj i teraz? – spytał. – Nie poradzicie sobie bez swoich koleżków?

– Jak chcesz zacząć, hipolu, to proszę bardzo.

Przez kolejkę przebiegł szmerek podniecenia. Zanosiło się na solówkę. Normalnie James nigdy nie zacząłby bójki przy tylu świadkach, ale tym razem starał się o zawieszenie, zatem nie miało to znaczenia. Kolejka przesunęła się do przodu.

– Tchórzysz, co? – prowokował go Gareth.

James tylko machnął ręką. Czekał, aż zrównają się z fasolką po bretońsku. Kiedy stanęli przy podgrzewanym pojemniku, błyskawicznie przywalił Garethowi w żołądek, złapał za kark i wcisnął mu twarz w gorącą fasolę. Gareth zabulgotał gwałtownie. Gorący sos palił mu twarz. Stuart zdzielił Jamesa w głowę swoją tacą. James złożył go wpół ciosem z łokcia, a potem posłał na ziemię kilkoma potężnymi uderzeniami pięści. Oślepiony Gareth wrzeszczał i gorączkowo wycierał twarz własną koszulką. James okładał Stuarta, dopóki nie przeszkodzili mu dwaj nauczyciele. Dwieście par oczu patrzyło, jak odciągają Jamesa, wciąż wierzgającego i wznoszącego wojownicze okrzyki.

*

Joannie bardzo się podobało, że James został zawieszony. Bohater leżał twarzą w dół na jej łóżku, jeszcze wilgotny po kąpieli. Dziewczyna wycierała mu włosy swoim ręcznikiem.

– Aleś ty zły – mruczała. – I nawet się nie przejąłeś. – Rzuciła ręcznik na podłogę i pocałowała Jamesa w kark. – Kiedy skończymy szesnaście lat, uciekniemy do Szkocji i weźmiemy ślub – marzyła. – A potem będziemy jeździć po całym kraju i obrabiać banki. Zgarniemy furę szmalu. Drogie restauracje, sportowe auta...

– Wszystko dokładnie sobie przemyślałaś – uśmiechnął się James. – A znamy się dopiero od tygodnia.

– A potem policja postrzeli cię podczas rabunku.

– Ale ty masz nasrane – zachichotał James, wciskając twarz w łóżko.

– Nie bój się, Ross, wyzdrowiejesz. Ale spędzisz pięć ciężkich lat w więzieniu. Codziennie będziesz całował moje zdjęcie, a ja pojadę do Ameryki i będę jeździć na harleyu. Kiedy cię wypuszczą, będziesz cały napakowany od ćwiczeń ze sztangą i wszędzie wytatuowany. Przyjadę po ciebie. Ty mnie pocałujesz, wsiądziesz na motor i odjedziemy w stronę zachodzącego słońca.

– Nie jestem przekonany co do tego kawałka z postrzałem i więzieniem – powiedział James. – Może ty dasz się postrzelić, a ja pojadę do Ameryki jeździć na harleyu?

– Chcesz, żebym była napakowana i cała w tatuażach? – spytała przymilnie Joanna.

James przetoczył się na plecy i pocałował ją w policzek.

36. KŁOPOTY

– Zadzwoń do Ewarta – powiedziała Amy, kiedy James wrócił do chaty. – Jest na ciebie wkurzony.

James poczłapał do land cruisera i wybrał numer.

– Cześć, James. Dobrze się bawiłeś ze swoją dziewczyną? – spytał z przekąsem Ewart.

– Co ja zrobiłem?

– Po twoich wyczynach w stołówce dyrektorka się wściekła i zadzwoniła do jednej z twoich rzekomych poprzednich szkół. Całe szczęście, że wzięła numer z podrobionego dokumentu i rozmowę przekierowano do sztabu CHERUB. Gdyby zadzwoniła pod prawdziwy, a w szkole powiedzieli jej, że nigdy o tobie nie słyszeli, mielibyśmy niezgorszy bałagan.

– Naprawdę dyrektorka się wściekła? – spytał James.

– Oddzwoniłem do niej, podając się za jednego z twoich starych nauczycieli. Udało mi się załagodzić sprawę. Powiedziałem, że miewasz głupie pomysły, ale w zasadzie jesteś nieszkodliwy.

– Mówiłeś, że mogę dać się zawiesić.

– Tak, ale nie przypuszczałem, że wsadzisz dzieciakowi łeb do garnka z gorącą fasolą. Podobno ma paskudnie poparzony nos.

– Przepraszam – mruknął James, powstrzymując śmiech.

– Przepraszam niczego nie rozwiązuje! – krzyknął Ewart. – O której wróciłeś do Fort Harmony?

271

– Przed chwilą. Około wpół do ósmej.

– Widziałeś się dziś z Clarkiem i Sebastianem?

– Nie.

– Dlaczego?

– Wiesz dlaczego. Byłem z Joanną.

– Masz za zadanie kręcić się przy Clarku i Sebastianie, a nie przy tej dziumdzi. Powiedziałem Cathy, żeby dała ci szlaban za wybryki w szkole. Przez tydzień nie możesz opuszczać Fort Harmony.

– Ale co z Joanną? – zaniepokoił się James.

– Przeżyjesz. Skup się na zadaniu. Schrzań to, a wrócisz do bazy i będziesz na czworakach szorował kible.

– Muszę się z nią zobaczyć. Proszę.

– Nie przeciągaj struny, James, nie jestem w nastroju. Masz spróbować załatwić dwie sprawy. Na twoich zdjęciach z chaty Partaniny widać broszurę z logo RKM. Leży na dole regału, pod oknem. Spróbuj przyjrzeć się jej uważniej. Wygląda jak jakiś komputerowy podręcznik, ale Partanina nie ma komputera. Może to jakiś trop. Po drugie, rozejrzyj się za czerwoną furgonetką. Amy widziała, jak wysiadają z niej Ogień i Świat, ale nie dostrzegła całej tablicy rejestracyjnej. Wszystko jasne?

– Tak, Ewart – powiedział żałośnie James.

– Zacznij używać mózgu, James.

Ewart rozłączył się. James walnął pięścią w kierownicę, pobiegł do łóżka i długo wrzeszczał w poduszkę.

– Co się stało? – spytała Amy.

– Daj mi spokój – zawarczał James.

– Nie może być aż tak źle, Ross.

– Zabronił mi wychodzić do wioski i spotykać się z Joanną.

– Wiedziałeś, że zostaniemy tu tylko kilka tygodni – powiedziała Amy. – Na twoim miejscu nie przyzwyczajałabym się do niej za bardzo.

James zwlókł się z łóżka, włożył buty i wyszedł w ciemność.

Położył się w wysokiej trawie u stóp wzgórza, nie bacząc, że ubranie powoli nasiąka mu wodą. Rozważał pomysł prześliźnięcia się do wioski i odwiedzenia Joanny, ale nie miał odwagi zadzierać z Ewartem. Gdyby Ewart odesłał go do kampusu w niesławie, już nigdy nie dostałby przyzwoitego zadania.

Jamesowi zachciało się wrócić do chaty, ale tam czekała Amy z kolejnym wykładem. Rozważył pomysł poszukania Sebastiana i Clarka, ale uznał, że nie ma ochoty spędzić całej nocy na strzelaniu do zwierząt. Został więc tam, gdzie był, nadąsany i smutny.

*

Jamesa okrążył szelest, jakby jakieś zwierzę biegało wokół niego po trawie. Uniósł głowę i ujrzał dwa zdalnie sterowane samochody. Elektryczne. Jedynym dźwiękiem, jaki wydawały, był chrzęst opon. Chromowane anteny błyskały w świetle księżyca. Po dwóch szybkich rundkach dookoła polany autka znieruchomiały. Z mroku wyłonili się Świat i Scargill z nadajnikami. Podnieśli samochody, naciągnęli kaptury i odbiegli. James uznał, że ściganie ich byłoby zbyt ryzykowne. Poczołgał się przez trawę do miejsca, w którym stali, i omal nie wpadł do dołu. To musiał być jeden ze starych tuneli. James wyciągnął komórkę i zadzwonił do Amy.

– Gdzie jesteś? – spytała Amy.

– Na dole, przy drodze. Tutaj dzieje się coś dziwnego. – James w kilku słowach wyjaśnił, co się stało. – Tunel ma drzwi zamknięte na kłódkę, a ja nie mam przy sobie wytrycha – oznajmił, kończąc opowieść.

– Będę za pięć minut – Amy wyraźnie się ożywiła. – Nic nie rób. Jeśli wrócą, powiedz, że wyszedłeś rozejrzeć się po okolicy.

Amy podbiegła do Jamesa, trzymając się blisko ziemi. Zaświeciła latarką do dołu i natychmiast ją wyłączyła.

– Mogą wrócić w każdej chwili – powiedziała. – Dajesz sobie radę z wytrychem?

– Tak.

– Masz aparat?

– Tak.

– No to ruszaj. Zrób szybko jak najwięcej zdjęć i zmykaj.

– Staniesz na czujce? – spytał James.

– Nie. Jak cię przyłapią, powiesz, że kłódka była otwarta i wszedłeś tam z ciekawości. Moja obecność w pobliżu byłaby zbyt podejrzana. Będę się trzymać z daleka, chyba że zrobi się gorąco.

James wziął latarkę, wytrych i zsunął się do dołu. Buty klasnęły o kałużę na dnie. Kłódka nie stawiała większego oporu. Za drzwiami ciągnął się trzymetrowy, wyłożony drewnem tunel, prowadzący do niskiego pomieszczenia. James wśliznął się do środka i zaczął robić zdjęcia. Nie było tam zbyt wiele do oglądania: półki ze zdalnie sterowanymi samochodami i częściami, stół warsztatowy, a pod nim skrzynka z pomarańczowego plastiku. James otwierał kolejne szuflady i fotografował ich zawartość.

Kiedy skończył, odwrócił się do wyjścia, na wpół przekonany, że ktoś będzie za nim stał. Nie było nikogo. Przecisnął się przez tunel, zamknął kłódkę i pobiegł na wzgórze, do Amy.

– No i ekstra – ucieszyła się Amy. – Widziałeś coś?

– Samochodziki i różne rupiecie. Przy latarce niewiele widać.

– Aparat z fleszem widzi więcej niż oko w ciemności – stwierdziła Amy. – Może na zdjęciach wyjdzie coś ciekawego.

– Tam musi być coś, co warto ukrywać – zauważył James. – Inaczej nie robiliby z tego tajemnicy.

– Pokręcę się w pobliżu i zobaczę, czy wrócą – powiedziała Amy. – Ty biegnij do domu i dzwoń do Ewarta. Umówcie się gdzieś. Na pewno będzie chciał zobaczyć te zdjęcia.

*

Po spotkaniu z Ewartem James wrócił do chaty i prawie natychmiast zasnął. Bez chrapiącej Amy spało mu się po prostu genialnie.

Amy obudziła go o drugiej w nocy potrząsaniem za ramię. Miała zadowoloną minę.

– Mamy ich, James. Ogień wrócił do warsztatu trzy minuty po twoim wyjściu. Mało brakowało, a by cię przyłapał. Wyciągnął wielki plecak i znów gdzieś poszedł. Śledziłam go aż do Green Brooke. Nigdy nie zgadniesz, do czego im te samochodziki.

– Do czego? – spytał James.

– Mają skrzynie ładunkowe. Ogień i Świat zapełniają je czymś, przeciskają przez małą dziurę w ogrodzeniu wokół Green Brooke, a potem podprowadzają na tyły sali konferencyjnej i tam wyrzucają ładunek. Samochody są za małe i za szybkie, żeby mogły je wykryć czujniki i kamery na ogrodzeniu.

– Nie mogli wynająć pokoju i wnieść tego czegoś przez hotel? – zdziwił się James.

– Do hotelu mogliby coś przemycić – przyznała Amy. – Sęk w tym, że przed Petroconem sala konferencyjna jest pilnie strzeżona. Wszyscy wchodzący są przeszukiwani. Mają nawet aparaty rentgenowskie. Policjanci przetrzepują wszystkim torby, oklepują ubrania, wywracają kieszenie.

– Czyli bomba jest szmuglowana do sali konferencyjnej kawałek po kawałku – powiedział James z namysłem. – To znaczy, że mają w Green Brooke kogoś, kto składa ją do kupy.

– Najwyraźniej. Gadałam z Ewartem. Posyłają tam ludzi, którzy przyjrzą się ładunkowi samochodzików, ale go nie zabiorą. Chcą się przekonać, kto po niego przyjdzie.

James zaśmiał się złowrogo.

– Zamkną ich i wyrzucą klucz.

– Biedny Scargill – westchnęła Amy.

– Chyba mi nie powiesz, że polubiłaś tego świra!

Amy wzruszyła ramionami.

– Żal mi go. To tylko biedny, samotny dzieciak, który próbuje zaimponować swoim starszym braciom. W pace zjedzą go na śniadanie.

– Ty naprawdę go polubiłaś – zaśmiał się James. – Największego ofermę świata.

– Naprawdę, czasem zachowujesz się, jakbyś miał dwanaście lat, James – powiedziała Amy. – Nawet z nim nie rozmawiałeś. Facet to nie tylko przystojna buźka i wielkie mięśnie.

– To wyjdź za niego i nie marudź. – James machnął ręką. – Co dalej?

– Nic się nie zmienia. Mamy oczy i uszy otwarte i czekamy, co z tego wyniknie. Ewart chce, żebyś się skupił na Partaninie i Eleonorze. Wiemy, że są zamieszani, ale nadal nie mamy dowodów.

37. ZARAZA

Amy obudziła Jamesa gwałtownym szarpaniem. Było jeszcze ciemno.

– Ubieraj się, migiem – poleciła. – Właśnie dzwonił do mnie Ewart. Jedzie po nas.

James przetarł oczy. Amy skakała na jednej nodze, naciągając dżinsy.

– Co się dzieje?

– Nie mam pojęcia – rzuciła Amy. – Ewart powiedział, że mamy się pośpieszyć i że nasze życie jest zagrożone.

James włożył dżinsy i sportowe buty. Złapał kurtkę i wybiegł za Amy. Cathy obudziła się i zapytała, co się dzieje. Odpowiedzi nie było. James i Amy zbiegli ze wzgórza na drogę, gdzie czekało na nich bmw.

– Siadajcie z tyłu – rozkazał Ewart.

Zapiszczały opony. Najwyraźniej Ewartowi bardzo się śpieszyło. Kiedy tylko ruszyli, wyjął ze schowka garść strzykawek i jakieś pastylki i rzucił je Amy na kolana.

– Daj Jamesowi cztery tabletki i dwa zastrzyki w ramię. Umiesz robić zastrzyki?

– Teoretycznie – odrzekła Amy.

– Zastrzyki? – spytał zdumiony James.

Pędzili wąską, wiejską drogą. Karoserię chłostały gałązki drzew.

– Co mi jest? – dopytywał się nerwowo chłopak.

– Ściągaj kurtkę – poleciła Amy.

Szybko wycisnęła cztery pastylki z listka i podała mu. James zerknął na opakowanie – to był antybiotyk o nazwie ciprofloksacyna.

– Muszę czymś popić.

– Nic nie mam – powiedział Ewart. – Zapomniałem. Zbierz trochę śliny. Im szybciej je połkniesz, tym lepiej.

James miał sucho w ustach od biegu. Trochę to trwało, nim udało mu się przełknąć wszystkie cztery proszki.

– Nie zrobię teraz zastrzyku. Za bardzo trzęsie – oznajmiła Amy.

Ewart wdepnął hamulec i zjechał na pobocze. Amy bezceremonialnie wbiła Jamesowi igłę w ramię. Bolało jak diabli.

– Robiłaś to już kiedyś? – spytał James.

Zamiast odpowiedzi Amy dźgnęła go drugą igłą. Ewart wcisnął gaz.

– Dowiem się wreszcie, co tu się dzieje?! – zdenerwował się James.

– To nie bombę montowali tam, w ośrodku – powiedział Ewart. – To była broń biologiczna. Zdalnie sterowane samochody przewoziły pojemniki z bakteriami.

– Mój Boże! – wykrzyknęła Amy. – Teraz, kiedy to mówisz, wszystko wydaje się takie oczywiste. Partanina wykładał mikrobiologię. Ogień i Świat studiowali biologię. Znają się na tym.

– Wszystko nagle ułożyło się w logiczną całość – przyznał Ewart. – Najlepszym sposobem na rozsianie zarazków po dużym budynku jest wpuszczenie ich do układu klimatyzacji. Sprawdziłem tę furgonetkę, którą widziała Amy. Należy do człowieka, który odpowiada za klimatyzację w Green Brooke. No i ta broszura RKM w chacie Partaniny. Myślałem, że to jakiś komputerowy podręcznik, ale RKM to także producent klimatyzatorów.

– Co to za zarazki? – spytała Amy.

– Policja nie przeanalizowała pojemników, ale najbardziej prawdopodobny jest wąglik.

– Jezu!

– Nie rozumiem nawet połowy z tego, co mówicie – stwierdził James gniewnym tonem. – Czy któreś z was może mi to wyjaśnić po ludzku?

– Wiesz, co to jest wąglik, James? – spytał Ewart.

– Nie mam pojęcia. Zgaduję, że to jakieś choróbsko, a ty sądzisz, że ja je złapałem.

– Wąglik to wyjątkowa choroba. Większość bakterii chorobotwórczych może przetrwać poza ciałem człowieka najwyżej osiem minut – wyjaśnił Ewart. – Wąglik wytrzymuje sześćdziesiąt lat niemal w każdej temperaturze. Dzięki temu łatwo go przechowywać i używać jako broni. Filiżanka przetrwalników wąglika rozpylonych w powietrzu mogłaby uśmiercić setki ludzi.

– Jak się zaraziłem? – spytał James.

– Nie wiemy, czy się zaraziłeś. Antybiotyki dostałeś na wszelki wypadek. Pamiętasz pomarańczową skrzynkę pod stołem w podziemnym warsztacie?

– Tak.

– To hermetyczny pojemnik na toksyczne odpady. Przeznaczony do spalenia w temperaturze dwóch tysięcy stopni.

– A ja zdjąłem wieko i wsadziłem tam rękę – powiedział żałośnie James.

– Niestety tak – przytaknął Ewart. – Mam zdjęcie zawartości, które zrobiłeś. Omal nie dostałem zawału, kiedy je zobaczyłem. Wygląda na to, że wyrzucili tam rękawice i maski, których używali przy pakowaniu wąglika.

– Czy mogę umrzeć? – spytał James.

– Będę z tobą szczery, James, jeśli wciągnąłeś bakterie do płuc, to wpadłeś w tarapaty. Nawet z antybiotykami, które ci podaliśmy, masz pięćdziesiąt procent szans na przeżycie.

– Mogłem zarazić tym Amy albo kogoś innego?

– Być może przeniosłeś trochę bakterii na palcach, ale są groźne tylko wtedy, gdy wciągnie się do płuc tysiące przetrwalników. Mimo to w szpitalu Amy też zostanie zbadana. Tak na wszelki wypadek.

– Jeśli mam umrzeć, jak długo to potrwa? – spytał ponuro James.

– Zaczyna się podobnie jak grypa mniej więcej dzień po zarażeniu. Większość chorych umiera w ciągu dziewięciu dni.

– Do którego szpitala jedziemy? – spytała Amy.

– Jest taki wojskowy szpital koło Bristolu, jakieś siedemdziesiąt kilometrów stąd – powiedział Ewart. – Z Manchesteru leci już lekarz. Wie o wągliku więcej niż ktokolwiek na tej planecie.

*

Czterej pielęgniarze w wojskowych mundurach wyciągnęli Jamesa z samochodu i ułożyli na noszach, ignorując jego protesty. Z hukiem przelecieli przez drzwi. Śmignął rząd świetlówek. James zauważył Meryl Spencer i Maca biegnących obok noszy. Przylecieli z bazy śmigłowcem.

Pielęgniarze wtoczyli nosze do dużej sali. W trzech rzędach stało tam trzydzieści łóżek, wszystkie puste. Jeden z mężczyzn zdjął Jamesowi buty i skarpetki, po czym jednym ruchem ściągnął mu dżinsy razem z bokserkami. James zaczerwienił się. Amy, Ewart, Meryl i wszyscy inni stali wciąż wokół niego i patrzyli. Kiedy James był już nagi, przełożono go do łóżka.

– Cześć, James, jestem doktor Coen.

Lekarz wyglądał, jakby przed chwilą wyciągnięto go z łóżka. Był w tenisówkach, spodniach od dresu i krzywo pozapinanej koszuli.

– Czy rozumiesz, co ci grozi? – spytał łagodnie.

– Mniej więcej – odrzekł James. – Czy to konieczne, by pięćdziesiąt osób stało i gapiło się, jak leżę tu goły?

Doktor Coen uśmiechnął się.

– Słyszeliście pacjenta.

Wyszli wszyscy oprócz trzech pielęgniarzy i garstki lekarzy.

– Na początek pobierzemy ci krew, żeby móc sprawdzić, czy zostałeś zarażony wąglikiem – podjął doktor Coen. – Ponieważ jednak, jeżeli jesteś zarażony, twoje szanse na przeżycie maleją z każdą minutą, przyjmiemy najbardziej pesymistyczne założenie i rozpoczniemy leczenie natychmiast. Założymy ci zgłębnik i podamy mieszankę antybiotyków i innych leków. Niektóre są toksyczne. Twój organizm zareaguje gwałtownie. Spodziewaj się wymiotów i gorączki.

*

Amy i Meryl siedziały obok łóżka. Po kilku godzinach od rozpoczęcia leczenia James zbladł i zaczął dygotać. Słabym głosem poprosił o jakieś naczynie, w które mógłby zwymiotować.

Amy wyszła z sali ze znękaną miną. Meryl ściskała jego dłoń.

W ciągu następnych godzin Jamesowi bardzo się pogorszyło. Miał wrażenie, że brzuch i klatka piersiowa rozłażą mu się w szwach. Wystarczył najlżejszy ruch, głębszy oddech albo kaszlnięcie, by zalewała go nowa fala mdłości i bolesnych skurczów żołądka. Dwaj umundurowani pielęgniarze wycierali go po każdym ataku torsji. Kiedy zrobiło się bardzo źle, wstrzyknęli mu środek przeciwwymiotny.

Oczekiwanie na wyniki badań było nie do zniesienia. James chciał zemdleć albo zasnąć. Patrzył na drzwi, modląc się w duchu, by doktor Coen wrócił z dobrą nowiną.

*

Doktor Coen wrócił o ósmej rano w czwartek.

– Nie jest dobrze – powiedział. – Właśnie dostałem wstępne wyniki. Kontynuujemy kurację.

38. ŚMIERĆ

James obudził się. Przebywał w szpitalu od trzydziestu godzin. W nosie tkwił mu zgłębnik biegnący aż do żołądka. Meryl była przy nim przez cały czas.

– Jak się czujesz? – spytała.

– Słabo – skrzeknął James. Rurka w gardle utrudniała mu mówienie.

– Doktor stwierdził, że ilość bakterii w twoim organizmie spada. Antybiotyki działają.

– Jakie mam szanse?

– Doktor Coen mówi, że ponad osiemdziesiąt procent dzięki temu, że tak wcześnie zacząłeś leczenie.

– Czuję się tak podle, że wolałbym umrzeć.

– Jest tu Laura – powiedziała Meryl.

– Co u niej?

Meryl wzruszyła ramionami.

– Jest nieźle wstrząśnięta. Czekała cały dzień, aż dojdziesz do siebie. Śpi na górze.

– Najpierw mama, a teraz ja – zauważył smutno James.

– To jej da po głowie.

Meryl pogłaskała wierzch jego dłoni.

– Nie umrzesz, James – zapewniła. – Wiesz, że o Fort Harmony pisały wszystkie gazety?

Meryl podała Jamesowi „Daily Mirror". Rozróżniał wielkie litery nagłówka, ale reszta się zlewała.

– Przeczytaj mi – poprosił.

FORT TERROR

Wczoraj oddziały antyterrorystyczne przeprowadziły niespodziewany atak na Fort Harmony, najstarszą komunę hippisowską w Wielkiej Brytanii.

Po znalezieniu bakterii wąglika w pobliskim ośrodku konferencyjnym Green Brooke aresztowano trzech wnuków kultowej pisarki Gladys Dunn. Bliźniacy Ogień i Świat Dunnowie (lat 22) oraz ich brat Scargill (lat 17) zostali zatrzymani wczoraj wczesnym rankiem. Wśród aresztowanych znalazł się także Kieran Pym, konserwator układów klimatyzacyjnych, oraz Eleonora Evans. Wciąż poszukiwany jest szósty podejrzany Brian Evans vel Partanina. Zdaniem policji jest on jednym z przywódców i założycieli organizacji terrorystycznej o nazwie Help Earth!

Na terenie Fort Harmony odkryto podziemny schron, gdzie przechowywano bakterie przed przeszmuglowaniem ich na teren Green Brooke. Schron nie miał wyposażenia pozwalającego na produkcję broni biologicznej. Trwają poszukiwania laboratorium, w którym wyhodowano śmiercionośne zarazki.

Powszechnie uważa się, że udaremniony zamach wymierzony był przeciwko członkom zbliżającego się zjazdu Petrocon 2004. Gdyby terrorystom udało się rozpylić przetrwalniki wąglika podczas konferencji, zginęłoby dwustu przedstawicieli przemysłu naftowego, jak również ponad pięćdziesiąt osób z obsługi i ochrony ośrodka Green Brooke.

Więcej na str. 2, 3, 4 i 11

– W telewizji też mówią tylko o tym – powiedziała Meryl. – Zdjęcie Partaniny było na pierwszej stronie każdej gazety w kraju. Nikt nie wie, gdzie on się podział. Zniknął jak kamfora.

– Szkoda mi jego synka – westchnął James. – Ma dopiero trzy latka.

*

Godzinę później do sali wszedł Mac, prowadząc ze sobą Laurę. Wciąż była ubrana w piżamę. Natychmiast wskoczyła na łóżko Jamesa i rzuciła mu się na szyję. Wyglądała, jakby właśnie usłyszała najśmieszniejszy dowcip świata.

– Nic ci nie jest – zapiszczała. – Dzięki, że mnie nastraszyłeś.

– O czym ty mówisz? – zdziwił się James.

– James – wtrącił Mac. – Rozmawiałeś już z doktorem Coenem?

James pokręcił głową.

– Nie.

– Okazało się, że bakterie w twoim organizmie są nieszkodliwe – oznajmił Mac. – Scargill Dunn zeznał, że wykorzystali słaby szczep wąglika. Groźnej odmiany mieli użyć dopiero w dniu konferencji. Laboratorium w Londynie przebadało próbkę twojej krwi. Twój wąglik nie zabiłby nawet muchy.

James rozciągnął usta w radosnym uśmiechu.

– Nie bardzo rozumiem – powiedział. – Co za sens rozpylać niegroźne bakterie?

– Partanina chciał zabić tylko delegatów Petroconu. Do przygotowania pierwszej partii wąglika użył tak zwanego szczepu atenuowanego. To osłabiona odmiana wykorzystywana do produkcji szczepionek, bo zapewnia odporność na zabójczą odmianę. Rozpylali ją przez klimatyzację od tygodni. Strażnicy, sprzątacze, kelnerzy i wszyscy, którzy regularnie pracują w sali konferencyjnej, mieli zostać uodpornieni przed rozpoczęciem Petroconu. Pierwszego dnia konferencji do klimatyzacji miał zostać wpuszczony groźny szczep wąglika, ale wtedy zachorowaliby tylko goście Green Brooke.

Doktor Coen wstrzymał podawanie antybiotyków. W piątek wieczorem James czuł się już o wiele lepiej. Wyjęto mu z nosa zgłębnik i wkrótce mógł jeść bez odczuwania mdłości. W sobotę rano był już właściwie zdrowy. Z Walii przyjechał do niego Ewart.

– Jest z tobą Amy? – spytał James.

– Nie. Wróciła do Fort Harmony i trzyma rękę na pulsie w nadziei, że wypłyną jakieś nowe informacje o Partaninie. To raczej mało prawdopodobne przy tym, co się tam dzieje. Pod wzgórzem koczuje z pięćdziesięciu gliniarzy. Pilnują chat, które zaplombowano dla zabezpieczenia śladów.

– Jak Amy wyjaśniła moje zniknięcie?

– Tamtego wieczoru strasznie się z nią pokłóciłeś. Uciekłeś z chaty i wybiegłeś na drogę, gdzie potrącił cię jakiś wariat w bmw. Szczęście, że się zatrzymał. Amy wciągnęła cię do samochodu i kierowca zawiózł was do szpitala. Straciłeś trochę krwi i złamałeś rękę, ale poza tym nic ci nie jest. Trzymają cię na obserwacji.

– Dobra legenda – pochwalił James. – Dziś powinni mnie wypisać.

– Po wszystkim, co przeszedłeś, zrozumiem, jeśli postanowisz wrócić do kampusu i odpocząć – powiedział Ewart. – Ale chciałbym cię prosić, żebyś pokazał się jeszcze w Fort Harmony, tylko na parę dni, góra tydzień.

– Będę mógł zobaczyć się z Joanną? – spytał James.

– Czemu nie – uśmiechnął się Ewart. – Pokręć się trochę z Sebastianem i Clarkiem, to może jeszcze się czegoś dowiesz. Ale chodzi nam głównie o przykrywkę dla Cathy. Wyglądałoby podejrzanie, gdybyś zniknął w przeddzień policyjnego nalotu, by już nigdy nie wrócić.

Pielęgniarz założył Jamesowi gips na rzekomo złamaną rękę. W drodze do Walii James przeczytał wszystkie artykuły prasowe o wąglikowych terrorystach i trwających poszukiwaniach laboratorium Partaniny. Czuł się dziwnie, czytając gazetowe relacje o kimś, kogo dobrze znał. O Partaninie pisano jak o superzłoczyńcy, ale James pamiętał tylko dużego, przyjaznego Amerykanina, który przejmował się prawami robotników i środowiskiem naturalnym.

*

Cathy czekała w land cruiserze piętnaście kilometrów przed Craddogh. James przebiegł między samochodami i pomachał odjeżdżającemu Ewartowi.

– Cześć, Ross – powiedziała Cathy. – Fałszywy gips?

James skinął głową.

– Swędzi dokładnie tak samo jak pod prawdziwym.

Przed osadą zatrzymała ich policjantka, by spytać, dokąd jadą. Przepuściła ich. Na wzgórze musieli wjechać od drugiej strony, bo spory teren wokół podziemnego warsztatu był odgrodzony taśmą policyjną.

Kiedy przyjechali, główny barak był pełen ludzi. Mieszkańcy osady wydawali się nieco rozdrażnieni obecnością policji i mediów. Kilku dziennikarzy i fotografów dopraszało się o darmowy gulasz. Amy podbiegła do swojego niby-brata, by go uścisnąć. James rozważał pomysł odwiedzenia Joanny we wsi, ale było już późno i jej tata mógł wrócić do domu.

Sebastian klepnął Jamesa w plecy.

– Cześć, kaleka – rzucił Clark. – W porządku?

– Nieźle – odrzekł James. – Mogło być gorzej.

– Masz szczęście, że ten samochód cię nie rozpłaszczył – powiedział Clark.

– Nieźle byłoby wstać do szkoły i zobaczyć cię wprasowanego w asfalt – zaśmiał się Sebastian. – Masz jakieś blizny?

James podciągnął rękaw koszuli, by zademonstrować siniaki i ślady po igłach.

– Tutaj cię walnął?

James skinął głową.

– Tamtego wieczoru mieliśmy o coś spytać, ale nie mogliśmy cię znaleźć – powiedział Clark.

– Spytać o co?

– Czy chciałbyś u nas zanocować.

– Super – ucieszył się James.

39. POGRZEB

James nie mógł zdecydować, czy lubi Sebastiana i Clarka. W ich charakterach była jakaś mroczna skaza, która jednak na swój pokrętny sposób czyniła ich interesującymi. Sypiali w zardzewiałej furgonetce-blaszaku obok chaty swojej mamy.

James zabębnił w blachę. Clark odsunął boczne drzwi.

– Pakuj się do środka – zarządził.

James pochylił się, żeby zdjąć buty. Po kilku dniach w Fort Harmony weszło mu to w nawyk.

– Zostaw – rzucił Clark. – Brud nadaje temu miejscu charakter.

James wszedł do środka, w ponury, pomarańczowy blask rzucany przez dwie lampy gazowe. Otarł się włosami o blaszany dach. Materac Clarka leżał pod pękniętą przednią szybą, gdzie niegdyś stały fotele. Sebastian siedział na drugim końcu, bawiąc się dużym nożem myśliwskim. Metalowa podłoga była mokra, przez przerdzewiałe szczeliny sterczały z niej kępy trawy. Wszędzie walały się rozmaite rzeczy: brudne ubrania, pistolety pneumatyczne, noże, podarte podręczniki.

– Orientuj się! – wrzasnął Sebastian i cisnął butem przez całą kabinę furgonetki.

But przeleciał obok Clarka i grzmotnął w ścianę, zostawiając na niej błotny rozbryzg. Drugi trafił Jamesa w plecy. James obejrzał plamy na swojej bluzie i uśmiechnął się.

– Już nie żyjesz – powiedział cicho.

Odrzucił but z powrotem, po czym skoczył na Sebastiana, przygniatając go gipsem na przedramieniu.

– Kupa! – wrzasnął Clark i rzucił się na Jamesa.

Trzej chłopcy mocowali się, dopóki nie dostali wypieków i nie mogli już złapać tchu. Kiedy skończyli, James był prawie tak samo brudny jak Sebastian i Clark. Clark wyciągnął skądś butelkę wody. James pociągnął kilka łyków i wylał sobie trochę na głowę dla ochłody.

– Chodźmy coś porobić – zaproponował Clark.

James wzruszył ramionami.

– Pod warunkiem, że nie będzie żadnego zabijania.

– Ale z ciebie baba – powiedział Clark. – Zejdę na dół i odstrzelę jakiemuś gliniarzowi zad.

Sebastian parsknął śmiechem.

– Byłoby super. Ale nigdy się nie odważysz.

Clark podniósł pistolet z podłogi, napompował i załadował.

– Zakład?

– O piątkę. – Sebastian wyciągnął do Clarka dłoń.

Clark myślał przez chwilę, a potem zaczął się śmiać.

– Wiedziałem – powiedział Sebastian.

– Nienawidzę glin – stwierdził Clark. – Ogień i Świat to byli najrówniejsi goście w Fort Harmony.

– Mam nadzieję, że tym razem mama pozwoli nam chodzić na widzenia – rzucił Sebastian.

Zapadła cisza.

– Ale byłoby super, gdyby im się udało – wypalił nagle Clark. – Bylibyśmy krewnymi dwóch największych morderców w historii Wielkiej Brytanii, a do czasu, kiedy ludzie zaczęliby chorować, Ogień i Świat byliby już daleko stąd. Nigdy by ich nie dorwali.

– To jednak dwieście trupów – zauważył James. – Wszyscy mają rodziny i tak dalej.

– Same bogate sukinsyny! – wybuchnął Clark. – Z tłustymi, szpetnymi żonami i zepsutymi dzieciakami. Świat może się bez nich obejść.

– Powinieneś posłuchać, co Ogień i Świat mówili nam o całym tym gównie, jakie wyrabiają kompanie naftowe, Ross – powiedział Sebastian. – Raz jednemu farmerowi w Ameryce Południowej pękł nad polami rurociąg. Zalało mu całą farmę, więc facet poszedł do właściciela rurociągu poprosić, żeby posprzątali. Dostał tylko wycisk. Facet poskarżył się na policji, ale policja dostawała kasę od firmy naftowej, żeby pilnowała jej interesów. Wsadzili biedaka do celi i nie dawali nic do picia tak długo, aż podpisał oświadczenie, że sam wysadził tę rurę. A jak już podpisał, to dostał pięćdziesiąt lat paki. Wypuścili go tylko dzięki masowym protestom zielonych.

– To jakaś ściema – powiedział James.

– Następnym razem, jak dorwiesz się do Internetu, to sam sobie sprawdź. Są tam tony takich historii – poradził Clark.

– Ogień mówi, że w biednych krajach mnóstwo dzieci umiera od wody zatrutej rozlaną ropą – oznajmił Sebastian.

– Co nie znaczy, że wolno zabijać ludzi – zauważył James.

– Mówisz, że jesteśmy skrzywieni – powiedział Clark. – To jak skrzywieni muszą być ci z Petroconu? Każdy ma miliony, ale nie wyda grosza na to, żeby ich ropa przestała truć dzieci.

*

Ostatecznie uznali, że nie warto wychodzić. I tak niewiele dałoby się zrobić przy wszystkich tych dziennikarzach i policjantach kręcących się po okolicy. Clark umocował kulochwyt pod przednią szybą furgonetki i urządzili sobie turniej strzelecki. James strzelał już z prawdziwej broni na szkoleniu podstawowym i radził sobie całkiem nieźle, choć mógł trzymać pistolet tylko jedną ręką. Sebastian i Clark strzelali genialnie. Każda kulka przelatywała dokładnie przez środek papierowej tarczy. Potem bracia pokazywali różne sztuczki. Clark zdołał trafić między oczy uśmiechniętego kujona z okładki podręcznika matematyki, trzymając pistolet za plecami.

O północy mama Sebastiana i Clarka wetknęła głowę do furgonetki i powiedziała im, żeby kładli się spać. Chłopcy przeorganizowali bałagan tak, by zrobić miejsce na śpiwór Jamesa, i zgasili lampy. Rozmawiali w ciemności, głównie o Ogniu i Świecie. Sebastian i Clark znali tony historii o zabawnych numerach, jakie bliźniacy wykręcali w szkole i w więzieniu. Ogień i Świat wydawali się fajni. Jamesowi prawie było przykro, że przyczynił się do ich schwytania.

*

Z jakiegoś powodu znów zaczęli walczyć, rozrzucając wszystko dookoła i naparzając się poduszkami. W ciemności waliło się fajniej, bo można było się podkradać i przeprowadzać podstępne ataki. W szamotaninie śpiwór Jamesa rozdarł się i zasypał ich strzępkami watoliny.

Clark wystrzelił z pneumatycznego pistoletu. Sebastian i James przypadli do podłogi. Nie wiedzieli, czy strzela do nich, czy tylko chciał ich nastraszyć. W oknie furgonetki znów pojawiła się głowa mamy Sebastiana i Clarka. Trzej chłopcy dali nura pod śpiwory, opętańczo chichocząc.

– Jest pierwsza w nocy! – krzyknęła mama. – Jeszcze raz usłyszę hałas, a wejdę tam i wtedy dopiero pożałujecie!

Mama braci musiała być ostra. Po tym wybuchu Sebastian i Clark poprawili swoje łóżka i powiedzieli dobranoc. James był spocony, brudny, a jego porwany śpiwór leżał na nagiej, metalowej podłodze. Jednak przeżycia ostatnich dni tak go wycieńczyły, że zasnął natychmiast, kiedy zamknął oczy.

James sądził, że ogłuszający łomot, jaki go obudził, to jakiś kolejny kawał Sebastiana i Clarka. Clark włączył latarkę.

– Co się dzieje? – spytał James.

Ktoś na zewnątrz walił w ścianę furgonetki.

– Otwierać! Policja!

Clark skierował snop światła na tył głowy Sebastiana i roześmiał się.

– Jego to nic nie obudzi. Kiedyś odpaliłem petardę tuż przy jego uchu, a on nawet nie drgnął.

Clark, w samych szortach i koszulce, wyczołgał się ze śpiwora i otworzył drzwi. Dwie silne latarki oświetliły mu twarz. Policjant wyciągnął chłopca z samochodu i wycelował latarkę w Jamesa.

– Hej, chłopcze! – zawołał. – Wyłaź stąd, ale już!

James wolną ręką naciągnął spodnie i buty, po czym wyszedł z furgonetki. Całe Fort Harmony płonęło niebieskimi błyskami policyjnych kogutów i snopami światła latarek. Policjanci w kamizelkach kuloodpornych i hełmach powyciągali wszystkich z chat. Dzieci żałośnie płakały. Mieszkańcy osady i policjanci bez przerwy wrzeszczeli na siebie.

Policjant rzucił Jamesa na furgonetkę tuż obok Clarka.

– Ktoś jeszcze jest w środku?! – krzyknął.

– Mój młodszy brat. Pójdę go obudzić – powiedział Clark.

– Nic z tego. Ja to zrobię – odparł policjant.

Kiedy zniknął we wnętrzu furgonetki, James zwrócił się do drugiego:

– Co tu się dzieje?

– Nakaz sądowy.

Policjant wyciągnął z kieszeni kartkę papieru i zaczął czytać.

– Na mocy postanowienia Sądu Najwyższego wszyscy mieszkańcy osady znanej jako Fort Harmony opuszczą ją w ciągu siedmiu dni. Data: szesnasty września 1972 roku.

– To ponad trzydzieści lat temu – powiedział James.

Policjant wzruszył ramionami.

– Zajęło nam to trochę dłużej, niż się spodziewaliśmy.

Policjant w furgonetce wrzasnął przeraźliwie. Wytoczył się ze środka, trzymając się za udo. James dostrzegł błysk myśliwskiego noża tkwiącego w jego nodze. Drugi policjant zaczął krzyczeć w krótkofalówkę.

– Jedynka, jedynka! Ranny policjant! Poważne obrażenia!

Z ciemności wybiegło z dziesięciu gliniarzy. Dwaj złapali policjanta z nożem w nodze i dokądś go wynieśli. Dwaj inni pchnęli Jamesa i Clarka na furgonetkę i zaczęli szukać przy nich broni.

– To nie ci dwaj, to dzieciak w samochodzie – powiedział policjant.

– Przecież mówiłem, że go obudzę! – krzyknął zirytowany Clark. – On się boi ciemności, więc śpi z nożem.

– Zamknij pysk, zanim ja ci go zamknę – rzucił ktoś.

Sześciu policjantów stanęło półkolem przed bocznymi drzwiami furgonetki. Trzej trzymali broń w pogotowiu.

– Wychodzić! Natychmiast! – zawołał sierżant.

Z samochodu dobiegł żałosny głos Sebastiana.

– Nie strzelajcie. Zabierzcie broń.

– Opuśćcie broń, to tylko dziecko – powiedział sierżant. – Jak masz na imię, synu?

– Sebastian.

– Sebastian, chcę, żebyś powoli wyszedł z samochodu z rękami w górze. Wiemy, że to był wypadek. Nie skrzywdzimy cię.

Sebastian pojawił się w świetle latarek. Kiedy podszedł do drzwi, policjanci złapali go i cisnęli twarzą w błoto. Jeden oparł mu but na plecach i szybko zapiął kajdanki.

Chłopiec wydawał się malutki w porównaniu z policjantami w grubych kamizelkach kuloodpornych. Zaciągnęli go do radiowozu.

– Zabierzcie mnie z nim – powiedział Clark.

Policjant znów pchnął go na furgonetkę.

– Niczego się nie uczysz, co?! – krzyknął.

Mamę Sebastiana i Clarka wywleczono z chaty i wciśnięto do radiowozu obok syna.

– A co z nami? – spytał James.

– Zabieramy wszystkich do kościoła w wiosce. Na dole czeka autokar – wyjaśnił sierżant.

– Muszę wziąć dres i buty – powiedział Clark.

– Nie możesz tam wejść. To miejsce przestępstwa.

– Jestem boso – poskarżył się Clark. – Zamarznę.

– Mam to gdzieś, choćbyś miał iść po tłuczonym szkle! – krzyknął policjant. – Zasuwać do autokaru albo będziecie mieli poważniejsze zmartwienia niż bose nogi!

James i Clark ruszyli przed siebie.

– Muszę znaleźć moją siostrę i ciocię Cathy – szepnął James.

Policjanci byli wszędzie, grubo ponad stu. Kolumna mieszkańców osady sunęła w dół zbocza. Ktokolwiek próbował się opierać, szybko odkrywał, że funkcjonariusze nie mają oporów przed używaniem pałek. James i Clark znikli w mroku, by wyłonić się znowu obok chaty Cathy. Nie było przed nią land cruisera. Chłopcy weszli do środka. Amy i Cathy musiały zabrać większość rzeczy ze sobą.

– Czego szukasz? – spytał Clark.

– Komórki. Wygląda na to, że Courtney wzięła ją ze sobą. Jaki masz numer buta?

– Dwójka.

James kopnął na środek podłogi parę swoich nike'ów.

– To trójki. Dorośniesz do nich. Bierz z ciuchów, co ci się podoba.

– Dzięki – ucieszył się Clark.

Włożył spodnie od dresu i buty. James znalazł mu ciepłą bluzę z kapturem.

– Moja siostra pewnie jest w wiosce – powiedział. – W sumie możemy wsiąść w ten autokar.

*

James i Clark usiedli obok siebie. Autokar stopniowo wypełniał się ludźmi niosącymi rzeczy, które zdążyli zabrać z domu. Clark próbował nie dać po sobie poznać, jak bardzo jest zaniepokojony.

– Ma dopiero dziesięć lat. Skumają, że to był wypadek – uspokajał go James.

– Nie licz na to, Ross. Gliny będą tak zeznawać, żeby go ujaić. A sędzia komu uwierzy, dwóm gnojkom, którzy wiecznie mają kłopoty, czy stróżom prawa?

– Będę świadkiem – zadeklarował James.

– Jak Sebastiana zamkną w poprawczaku, sam dźgnę jakiegoś glinę, to przynajmniej będziemy razem.

40. KOŚCIÓŁ

Kościółek w Craddogh przemienił się w prawdziwy dom wariatów. W środku tłoczyło się osiemdziesiąt osób. Nie było czym oddychać. Dzieci biegały między ławami i darły się wniebogłosy. Dziennikarze nagabywali Gladys Dunn o komentarze i pstrykali jej zdjęcia. Zdenerwowana staruszka nie mogła się od nich opędzić. Michael Dunn przyłożył jednemu w szczękę i policjanci wywlekli go na dwór w błyskach fleszów.

Osadnicy chcieli wrócić do Fort Harmony po swoje rzeczy, ale policjanci zablokowali drogę radiowozami i nie przepuszczali nikogo. Twierdzili, że wszystko jest właśnie zbierane i zostanie przywiezione za kilka godzin.

Clark był już strzępkiem nerwów. Przez cały czas płakał za swoim bratem i mamą. Za każdym przechodzącym obok policjantem wrzeszczał, że zabije go przy pierwszej nadarzającej się okazji. James próbował go uspokajać, ale bez powodzenia.

– Jesteś pierwszym dzieciakiem, który był dla nas miły – wyznał nagle Clark.

James czuł się podle. Nie uważał Clarka za przyjaciela. Wykorzystał go, żeby wykonać zadanie.

*

W telewizji wiadomo, kto jest dobry, a kto zły, a na koniec programu źli ponoszą zasłużoną karę. Tego dnia James zrozumiał, że źli ludzie to przede wszystkim ludzie zwyczajni. Opowiadali dowcipy, częstowali kawą, przesiadywali na klozecie i mieli rodziny, które ich kochały.

James spróbował poukładać sobie wszystko w głowie: Ogień, Świat i Partanina byli rzecz jasna źli, bo próbowali pozabijać ludzi wąglikiem. Ludzie z firm naftowych też byli źli, bo niszczyli środowisko i dręczyli ludzi w biednych krajach. Źli byli także policjanci. Owszem, nie mieli łatwej pracy, ale wielu z nich najwyraźniej czerpało frajdę z zadawania bólu tym, nad którymi mieli władzę. Nic na sumieniu nie mieli tylko zwykli mieszkańcy Fort Harmony, ale to właśnie ich wyrzucono z domów. James nie mógł zdecydować, po której stronie się znalazł. Wyglądało na to, że powstrzymał małą grupkę złoczyńców od wymordowania dużej grupy złoczyńców i w rezultacie grupa dobrych ludzi została wykurzona ze swoich domów przez kolejną bandę złoczyńców. Czy to czyniło go dobrym, czy złym? Od myślenia o tym rozbolała go głowa.

*

James zostawił Clarka w kościele i wyszedł na zewnątrz. Wciąż nie wiedział, gdzie są Cathy i Amy. Nie miał przy sobie komórki, a przy jedynej w okolicy budce telefonicznej stała kolejka dwudziestu osób obdzwaniających znajomych w poszukiwaniu miejsca, gdzie mogliby pomieszkać przez jakiś czas. Jamesowi przyszło do głowy, że mógłby zadzwonić do Amy albo Ewarta z domu Joanny. W taką noc jej tata na pewno był na służbie.

Joanna i jej tata stali przy furtce swojego ogródka w nocnych ubraniach, obserwując kłótnie i niebieskie światła na środku wsi.

– Hej – powiedział James.

Joanna uśmiechnęła się do niego, co natychmiast poprawiło mu samopoczucie. James wciąż trochę się bał sierżanta Ribble'a po tym, jak przyłapał ich u Cathy, ale policjant wydawał się przyjazny.

– Co się tam dzieje? – spytał sierżant Ribble.

– Wyrzucają wszystkich z Fort Harmony – wyjaśnił James. – Nie powiedzieli panu? Jest pan policjantem.

– Nie odpowiedzieliby mi, gdybym spytał o godzinę. Jestem dla nich tylko wiejskim gliną. Kiedy dowiedzieli się o wągliku, antyterroryści odebrali mi całą władzę.

– Czy mógłbym skorzystać z telefonu? – spytał James. – Zgubiłem swoją ciocię i siostrę.

– Oczywiście, synu. Jojo pokaże ci, gdzie jest telefon.

James zdjął buty i wszedł do domu za Joanną. Była w kapciach i koszuli nocnej z kaczorem Duffy.

– Cześć, Jojo – zachichotał James.

– Zamknij się, Ross. Tylko tata i moi bracia mogą mnie tak nazywać.

– Teraz pewnie będę musiał wrócić do Londynu – oświadczył James.

– Och...

Joanna zmarkotniała. Jamesowi sprawiło to dziwną przyjemność. To znaczyło, że lubiła go tak samo jak on ją. Wskazała mu telefon. Potrzebował dłuższej chwili, by przypomnieć sobie numer Amy.

– Courtney? Gdzie jesteś? – spytał słuchawkę.

– Cathy kompletnie odbiło – powiedziała Amy. – Uważa, że to, co się stało, to jej wina, bo wpuściła nas do Fort Harmony. Porzuciła mnie kilka kilometrów za Craddogh z większością naszych rzeczy. Ewart już po mnie jedzie. Powinien być lada chwila.

– Ja jestem u Joanny w wiosce – powiedział James. – Co mam robić?

– Zostań tam, gdzie jesteś. Przyjedziemy po ciebie z Ewartem. Gdyby ktoś zadawał pytania, powiedz, że Ewart jest kierowcą taksówki bagażowej. Cathy wynajęła go, żeby odwiózł nas do Cardiff na pierwszy poranny pociąg do Londynu. Dotrzemy do ciebie w ciągu pół godziny.

– Wracamy do domu? – jęknął James.

– Zadanie wykonane, James. Bez Fort Harmony nie mamy powodu, by tu tkwić.

James odłożył słuchawkę i spojrzał na Joannę.

– Jedzie po mnie taksówka. Wracam do mamy, do Londynu.

– Chodź do mojego pokoju. Pożegnalny pocałunek – powiedziała Joanna.

Tata Joanny był zbyt pochłonięty obserwowaniem wydarzeń w wiosce, by zauważyć, że córka przemyciła chłopaka do swojej sypialni. Joannie nie przeszkadzało, że James jest cały w błocie. Oparła się o drzwi, żeby tata nie mógł ich otworzyć, i zaczęli się całować. Jej skóra była gorąca i miękka. Włosy pachniały szamponem, a oddech pastą do zębów. Było wspaniale, ale całą frajdę psuła Jamesowi świadomość, że mają dla siebie tylko kilka minut, a potem nie zobaczy jej już nigdy w życiu.

Drzwi pchnęły Joannę w plecy.

– Co wy tam wyprawiacie? – spytał jej tata, szarpiąc klamkę.

James i Joanna odsunęli się od drzwi. Sierżant Ribble wszedł do pokoju. Zapewne wymyśliliby jakąś wymówkę, gdyby nocna koszula Joanny nie była pokryta odciskami dłoni w kolorze błota.

– Joanno, ty masz trzynaście lat! – krzyknął Ribble.

– Ale tato, my tylko...

– Włóż coś czystego i marsz do łóżka. A ty... – Tata Joanny złapał Jamesa za kark. – Zadzwoniłeś już?

– Tak – stęknął James. – Jedzie po mnie taksówka.

– Możesz poczekać na zewnątrz.

Sierżant Ribble wypchnął Jamesa z domu i posadził na murku przy ulicy. James czuł się podle. Martwił się o Sebastiana, nękało go poczucie winy, ponieważ praca jego i Amy doprowadziła do zniszczenia Fort Harmony, a co w tym wszystkim najgorsze, najlepsza dziewczyna, jaką kiedykolwiek poznał, była uwięziona w domu kilka metrów od niego, a on miał już nigdy jej nie zobaczyć.

James usłyszał za sobą skrzyp otwieranego okna. Joanna rzuciła w powietrze papierowy samolocik. Sierżant Ribble wparował do domu.

– Kazałem ci leżeć w łóżku, młoda damo!

James zeskoczył do ogrodu i podniósł samolocik. Widząc litery na kartce, rozpostarł ją.

Ross,
Zadzwoń do mnie, proszę. Jesteś taki słodki.
Joanna.
XXX

James złożył kartkę, wsunął do kieszeni i poczuł się jeszcze gorzej.

*

Ewart zawiózł Amy i Jamesa z powrotem do Fort Harmony swoim bmw.

– Czemu wszystko rozwalają? – spytał James.

– Rozmawiałem z jednym z antyterrorystów – odrzekł Ewart. – Mówią, że Fort Harmony stanowi zagrożenie dla bezpieczeństwa. Chcą zrównać osadę z ziemią, zanim zacznie się Petrocon, a prawo jest po ich stronie.

– Żałuję, że w ogóle tu przyjechałem. To wszystko nasza wina – powiedział gniewnie James.

– Myślałam, że nienawidzisz Fort Harmony – zdziwiła się Amy.

– Nie powiedziałem, że chciałbym tu mieszkać – odparł James. – Po prostu to nie fair, że wszystkich wykopali.

– Osada i tak była skazana – powiedział Ewart. – Gdyby Ogień, Świat i Partanina zabili gości Petroconu, policja zrównałaby Fort Harmony z ziemią po konferencji zamiast tuż przed nią. Nie wykonując zadania, odwlókłbyś koniec o miesiąc, ale nic ponadto.

– Wiedziałeś, że do tego dojdzie, Ewart? – spytał James.

– Gdybym wiedział, nie posyłałbym cię z powrotem na jedną noc.

– Gdzie jest Cathy?

– Zdenerwowała się – odpowiedziała Amy. – Mówiła coś o znajomych w Londynie.

– Cathy złamała umowę – wtrącił Ewart. – Nie powinna porzucać Amy na środku pustkowia. Jak ją dorwę, zwróci mi pieniądze, które wzięła.

– Daj jej spokój – powiedziała Amy. – Mieszkała w Fort Harmony od trzydziestu lat. Nic dziwnego, że jej odbiło, kiedy zobaczyła tych wszystkich gliniarzy. Do wczoraj zajmowała się nami bez zarzutu.

– Szesnastoletnia dziewczyna zostawiona na pustej drodze, w nocy i z czterema torbami bagaży – Ewart nakręcał się coraz bardziej. – Mógł porwać cię jakiś szajbus i zamordować.

– Ale nie porwał – ucięła Amy ostrym tonem. – Dlatego zostaw ją w spokoju. Dostaliśmy od niej wszystko, czego chcieliśmy.

Ewart zdzielił pięścią kierownicę.

– Dobra, co tylko chcesz, Amy! Cathy wyszła z tego bogatsza o osiem tysięcy i samochód. Nie zasłużyła na to po tym, jak cię potraktowała.

Ewart zwolnił przy blokadzie. Policjant zerknął na legitymację i przepuścił ich. Wschodziło już słońce. W osadzie pracowały oddziały prewencyjne. Pierwsza grupa opróżniała domki, pakując rzeczy do worków i wrzucając na ciężarówkę, a druga, wyposażona w piły spalinowe i młoty, burzyła chaty i cięła na kawałeczki, z jakich już nikt nie zdołałby niczego odbudować.

Ewart, James i Amy wysiedli z bmw. Ewart nosił poprzecierane dżinsy i wyglądał na zbyt młodego, by być kimkolwiek ważnym. Do grupki podeszli szybko dwaj policjanci.

– Do samochodu i jazda stąd! – krzyknął jeden z nich.

Ewart zignorował go i ruszył w kierunku domu Cathy. James i Amy poszli za nim.

– Prosisz się o kłopoty – powiedział policjant ze złym uśmiechem i wyciągnął rękę, by złapać Ewarta za ramię. Ewart wywinął się, jednocześnie otwierając legitymację. Policjant osłupiał.

– Ehem... Po co przyjechaliście?

– Sir – rzucił Ewart.

– Co?

– Czy starszego stopniem nie powinno tytułować się sir?

– Co mogę dla pana zrobić, sir?

– Skombinuj trochę foliowych worków.

Weszli do chaty i zaczęli pakować rzeczy. Po chwili do izby wparowała starsza inspektorka. Wyglądała na zakłopotaną.

– Przepraszam za to zajście – wydyszała. – Czy mogę jeszcze raz zobaczyć pańską legitymację?

Ewart wręczył jej dokument.

– W życiu czegoś takiego nie widziałam – wyznała policjantka. – Dopuszczenie pierwszego stopnia. Komisarz z jednostki antyterrorystycznej ma drugi stopień. Co pan tu robi?

Ewart wyjął jej z dłoni legitymację.

– Strasznie pani ciekawska – zauważył. – Proszę to zanieść do mojego samochodu.

Ewart rzucił jej na ręce wypchany foliowy worek. Widok starszej policjantki, ślizgającej się w błocie z workiem pełnym brudnych ciuchów, wydał się Jamesowi bardzo zabawny.

– Myślałam, że tylko Mac ma pierwszy stopień – powiedziała Amy.

Ewart wzruszył ramionami.

– Bo tak jest.

– To co jej pokazałeś?

– Bardzo dobrą podróbkę.

James roześmiał się.

– Ale ekstra!

Załadowali resztę rzeczy do samochodu. James odwrócił się, by po raz ostatni spojrzeć na Fort Harmony. Po chwili wyciągnął aparat i zrobił kilka zdjęć drzewa.

– O co chodziło z tym drzewem? – spytała Amy, kiedy już odjeżdżali.

– Nie powiem. Będziesz się naśmiewać.

Amy wyciągnęła do niego złowrogo zakrzywione palce.

– Wyciągnę to z ciebie łaskotkami.

– No dobra. Ale obiecaj, że nie będziesz się śmiać.

– Obiecuję.

– Tam po raz pierwszy pocałowałem Joannę.

Amy uśmiechnęła się z politowaniem.

– Jakie to słodkie.

Ewart włożył sobie dwa palce do ust i zaczął symulować odruch wymiotny.

– Obiecaliście – powiedział James.

Ewart roześmiał się.

– Amy obiecała. Ja nie powiedziałem ani słowa.

– Nie mogę się doczekać, kiedy opowiem Kerry, jak obściskiwałeś się z Joanną – rzekła Amy.

– O Boże... Nie! Nie rób tego – błagał James.

– Niby dlaczego tak ci zależy, żebym jej nie mówiła? A może lubisz ją bardziej, niż chcesz przyznać? – drażniła się z nim Amy.

James miał ochotę uciec, ale to było trudne w samochodzie jadącym osiemdziesiątką. Skrzyżował ręce na piersi i patrzył za okno, starając się ukryć, jak bardzo przygnębiała go myśl, że nie zobaczy Joanny już nigdy w życiu.

41. CIEMNA STRONA

W kampusie Amy zaprowadziła Jamesa do warsztatu stolarskiego. Znalazła wiertarkę i założyła na nią tarczę do cięcia. James obrzucił narzędzie ponurym spojrzeniem.

– Chyba nie będziesz tego ciąć TYM. Zabijesz mnie – jęknął.

– Nie bądź takim mazgajem. Zakładaj to.

Amy rzuciła mu okulary ochronne. Drugą parę wzięła dla siebie.

– Połóż rękę na stole – poleciła.

– Robiłaś to już kiedyś?

Amy uśmiechnęła się.

– Nie.

James oparł swój gips na stole warsztatowym. Amy kilka razy zawarczała wiertarką na próbę i przystąpiła do pracy. Odłamki gipsu strzelały Jamesowi w twarz, a biały pył wysuszał usta. Raz wydało mu się, że czuje, jak wirująca tarcza muska mu włosy na ręce. Miał nadzieję, że tylko to sobie wyobraził.

Amy zatrzymała wiertarkę i rozkruszyła większość gipsu, zostawiając tylko część wokół łokcia.

– No dobra, ostatni kawałek – powiedziała.

Teraz cięła pod innym kątem. Kiedy skończyła, James ściągnął ostatnią część plastra i zaczął się obłąkańczo drapać.

– O wiele lepiej – cieszył się. – Cóż to za ulga! OOOOOOCH!

– Zostaw, zedrzesz sobie skórę – śmiała się Amy.

– Nieważne.

James ściągnął gogle i strzepnął biały pył z włosów.

– Idź pod prysznic i oddaj swoje ciuchy do pralni – powiedziała Amy. – Kiedy będziesz gotów, Mac chce cię widzieć w swoim biurze.

– Tylko mnie? – zdziwił się James.

– Normalka. Spotyka się z każdym, kto zakończył swoją pierwszą misję.

*

James zastał Maca ubranego tylko w szorty i koszulkę z krótkim rękawem.

– Wejdź, James. Jak się czujesz?

– W porządku – odrzekł James. – Trochę zmęczony.

– Ewart chyba sądzi, że masz pewne wątpliwości co do moralnej zasadności swoich działań.

– Nie rozumiem.

– Powiedział, że nie jesteś pewien, czy postąpiłeś dobrze, czy źle – wyjaśnił Mac.

– Słyszałem różne rzeczy o ludziach, którzy przyjadą na Petrocon. Że trują ludzi, zastraszają i tak dalej. Nawet nie wiem, czy to prawda.

– Często tak – powiedział Mac. – Kompanie naftowe mają bogatą tradycję szkodzenia środowisku naturalnemu i łamania praw człowieka. Bez ropy i gazu świat przestałby działać. Zero samolotów, zero statków, zero samochodów, odrobina elektryczności. Ponieważ ropa jest tak ważna, przedsiębiorcy i rządy naginają zasady, żeby ją zdobyć. Help Earth! oraz mnóstwo innych ludzi, w tym ja, uważa, że posuwają się za daleko.

– Czyli popierasz Help Earth!? – zdumiał się James.

– Ja także chcę, żeby kompanie naftowe przestały wykorzystywać i truć ludzi. Nie uważam jednak, by zmuszanie ich do tego terrorem było właściwym rozwiązaniem.

– Rozumiem to – powiedział James. – Zabijanie nigdy niczego nie rozwiązuje.

– Pomyśl, co by to było, gdyby ci wszyscy ludzie zginęli podczas Petroconu. Czy Help Earth! uderzyłaby tylko w tym miejscu, czy gdzieś jeszcze? A jeśli wąglik dostałby się w ręce innej grupy terrorystów? Nigdy nie wiadomo, co by się stało, gdyby Ogień i Świat nie zostali schwytani. Do następnego ataku mogłoby dojść w centrum miasta. Rozpyl trochę wąglika na stacji londyńskiego metra, a będziesz miał pięć tysięcy trupów. Być może właśnie tyle istnień ocaliliście wraz z Amy.

– Partanina wciąż jest na wolności – zauważył James.

– Mogę zdradzić ci pewną tajemnicę? – spytał Mac.

– Jaką?

– Będziesz jedyną osobą, która o tym wie, poza mną i Ewartem, więc jeśli to wyjdzie na jaw, będę wiedział, że to ty.

– Przyrzekam, że nikomu nie powiem – oświadczył James.

– MI5 wie, gdzie jest Partanina – powiedział Mac.

– To czemu go nie złapią?!

– Śledzą go. Partanina nie powie nam niczego, jeśli go zatrzymamy. Ale pozostając na wolności, może zaprowadzić nas do innych członków Help Earth!

– A jeśli go zgubicie? – spytał James.

Mac roześmiał się.

– Zawsze zadajesz mi pytania, na jakie nie chcę odpowiadać.

– Zdarzyło się wam już kogoś zgubić?

– Owszem – przytaknął Mac. – Ale tym razem to się nie zdarzy. Partanina nie może wetknąć sobie palca w nos, żeby nie dowiedziało się o tym dziesięć osób.

– Dzięki, że mi to wyjaśniłeś – powiedział James. – Teraz przynajmniej widzę w tym jakiś sens. Ale i tak szkoda mi tych wszystkich ludzi, których wywalono z Fort Harmony. To banda dziwaków, ale tak w ogóle to są w porządku.

– Mnie też jest ich szkoda, ale lepiej, by kilka rodzin straciło dom, niż żeby tysiące ludzi straciło życie. – Mac wyprostował się i przyjął bardziej oficjalny ton. – Dlatego chciałbym ci podziękować, James, za wzorowe wypełnienie misji. Zaprzyjaźniłeś się z właściwymi ludźmi, nie zdemaskowałeś się i uporałeś z zadaniem dwa razy szybciej, niż się spodziewaliśmy.

– Super – ucieszył się James.

– Jestem ci winien także ogromne przeprosiny – ciągnął Mac. – Mogłeś zginąć. Nie mieliśmy pojęcia, że Help Earth! chce użyć wąglika. Gdybyśmy wiedzieli, nigdy nie posłalibyśmy tam kogoś tak niedoświadczonego jak ty.

– To nie twoja wina.

– Musiałeś bardzo się bać, ale spisałeś się wybornie. Nie straciłeś głowy i nawet zgodziłeś się powrócić do zadania. Postanowiłem zaklasyfikować twoją ogólną skuteczność w tej misji jako wybitną.

Mac wyciągnął spod biurka granatową koszulkę CHERUBA i rzucił ja Jamesowi.

– Łał! – James nie wierzył własnym oczom. – Ale się Kerry wpieni, jak to zobaczy!

– Udam, że tego nie słyszałem – powiedział Mac. – Ale jeśli jeszcze raz użyjesz takiego języka w moim biurze, uczynię cię bardzo nieszczęśliwym chłopcem.

– Przepraszam – rzucił James. – Mogę włożyć?

– Śmiało.

James dosłownie zerwał z siebie T-shirt Arsenalu i wciągnął przez głowę granatową koszulkę z godłem CHERUBA.

*

W niedzielę dzieciom z CHERUBA pozwalano spać dłużej i nosić cywilne ubrania. Było jeszcze wcześnie, więc stołówka była pusta. James jadł śniadanie samotnie, jednym okiem zerkając w telewizor. Na News 24 nadano materiał o zniszczeniu Fort Harmony. Relację zakończono krótkim filmem, na którym Michael Dunn wznosił pięść i przysięgał, że odbuduje Fort Harmony, choćby miało mu to zająć resztę życia.

Kerry zeszła na dół w krótkich spodenkach i denimowej kurtce. Uścisnęła Jamesa na powitanie.

– Tak się cieszyłam, że wreszcie dostałeś misję – powiedziała szybko. – Ja wróciłam ze swojej trzeciej w czwartek.

James był zachwycony, że nie oparła się pokusie zaznaczenia, w ilu misjach brała już udział. Zastanawiał się, ile czasu minie, nim zauważy granatową koszulkę. Po chwili zjawił się Bruce i kiwnąwszy głową Jamesowi, dołączył do Kerry przy bufecie.

– Dobrze poszło? – spytał, kładąc tacę na stole i siadając obok Jamesa.

James miał pokerową twarz.

– Mac chyba uznał, że nieźle.

Kerry usiadła naprzeciwko. Na tacy miała tylko babeczkę z otrębów i kilka kawałków owoców.

– Dieta? – zainteresował się James.

– Staram się jeść mniej tłustych rzeczy – odpowiedziała Kerry.

– To dobrze, bo zaczynasz się zaokrąglać – pochwalił James.

Bruce parsknął śmiechem, wypluwając pół swojego bekonu na stół. Kerry kopnęła Jamesa w goleń.

– Świnia.

– To bolało! – zawołał James. – Przecież żartowałem.

– A widziałeś, żebym się śmiała?

Ktoś huknął Jamesa w plecy.

– Nie bądź złośliwy dla Kerry – powiedziała Laura. – Skoro już wróciłeś, powinieneś gdzieś ją zaprosić. Widać, że bujacie się w sobie.

James i Kerry oblali się rumieńcem. Laura wzięła sobie śniadanie i usiadła obok Kerry. Kilka minut później przy sąsiednim stoliku usiedli Callum i Connor. James nie widział ich razem, odkąd Callum ponownie rozpoczął szkolenie podstawowe.

– Który z was to Callum? – spytał James.

Callum podniósł palec.

– Ukończyłeś szkolenie?

– We wtorek wróciłem z Malezji. Spałem bite dwadzieścia godzin.

– Dobrze mieć to za sobą, co? – uśmiechnął się James.

– Wiesz, że założyłeś mundurową koszulkę CHERUBA? – spytał Callum. – Jest granatowa.

James ucieszył się, że wreszcie ktoś zauważył.

– Wiem – rzucił niedbale.

– Lepiej ją zdejmij, James – powiedział Bruce poważnym tonem. – Dzieciaki ciężko na nią pracują. Zginiesz, jak ktoś cię w tym zobaczy.

– To moja koszulka – powiedział James. – Zapracowałem na nią.

Kerry roześmiała się.

– Jasne, James, a ja jestem królową Chin.

– Nie musisz mi wierzyć.

– Powaga, James. – Bruce był coraz bardziej przerażony. – Ludzie nie lubią, jak ktoś wkłada koszulkę, na jaką nie zasłużył. Zdejmij to. Jeszcze wsadzą ci głowę do kibla czy coś.

– Kupiłabym bilet, żeby to zobaczyć – zachichotała Laura. – Nie zdejmuj.

– Nie zdejmę. Jest moja – oświadczył James.

– Ale z ciebie kretyn – rozzłościła się Kerry. – Nie mów, że cię nie ostrzegaliśmy, kiedy będą zdrapywać cię z podłogi.

Do stołówki weszła Amy, a za nią Arif i Paul. Cała trójka ruszyła w stronę Jamesa.

– Za późno – mruknął Bruce. – Już nie żyjesz.

James trochę się bał. Nie był pewien, czy Amy wie, że Mac nagrodził go granatową koszulką. Wstał od stołu i odwrócił się, by stanąć z nią twarzą w twarz. Paul i Arif wyglądali groźnie. Same mięśnie. Duże.

Amy objęła Jamesa i uścisnęła.

– Gratuluję – powiedziała. – Naprawdę zasłużyłeś na tę koszulkę. Spisałeś się znakomicie.

Amy odstąpiła. Arif i Paul wymienili z nim przyjacielskie uściski dłoni.

– Nie do wiary, że to ty jesteś tym cieniasem, którego musieliśmy wrzucać do basenu – powiedział Arif.

James zerknął na swych przyjaciół siedzących wokół stołu. Wszyscy wyglądali na osłupiałych. Laura podskoczyła i zawisła mu na szyi. Kerry miała usta otwarte tak szeroko, że można by włożyć w nie piłkę tenisową bez ocierania o zęby. James nie potrafił powstrzymać radosnego uśmiechu.

Było cudownie.

EPILOG

RONALD ONIONS (wujek Ron) miał kłopoty z dostosowaniem się do życia za kratkami. W bójce z innym więźniem złamał obie ręce. W więzieniu pozostanie do 2012 r.

GLADYS DUNN za pieniądze z drugiej książki kupiła farmę w Hiszpanii, gdzie mieszka ze swoim synem JOSHUĄ DUNNEM. Joshua codziennie gotuje curry, gulasz lub paellę dla trzydziestu byłych mieszkańców Fort Harmony, którzy z nimi zamieszkali. Gladys żartobliwie nazywa swoją farmę „Fort Harmony 2, cieplejszy i bez błota".

CATHY DUNN sprzedała land cruisera, kupiła bilet dookoła świata i poleciała do Australii, by wędrować z plecakiem.

SEBASTIAN DUNN został zwolniony z aresztu. Nie wniesiono oskarżenia. Zranienie funkcjonariusza zakwalifikowano jako wypadek. Poszkodowany policjant wrócił do służby kilka miesięcy później.

Obecnie Sebastian mieszka w Craddogh ze swoją mamą i bratem CLARKIEM. Sebastian i Clark stanowczo zaprzeczają, jakoby mieli cokolwiek wspólnego z tajemniczym zniknięciem sporej liczby wioskowych kotów.

OGIEŃ i ŚWIAT DUNNOWIE zostali osądzeni w londyńskim Old Bailey. Obu skazano na dożywocie z prawem do ubiegania się o przedterminowe zwolnienie po upływie dwudziestu pięciu lat.

Ponieważ SCARGILL DUNN miał zaledwie siedemnaście lat i żadnych konfliktów z prawem na koncie, skazano go tylko na cztery lata w więzieniu dla młodocianych przestępców. Przy wcześniejszym zwolnieniu za wzorowe zachowanie może wyjść na wolność już po dwóch latach. Większość czasu Scargill poświęca nauce. Po zwolnieniu ma zamiar ubiegać się o przyjęcie na uniwersytet.

ELEONORĘ EVANS podejrzewano o członkostwo w Help Earth! i pomoc w zorganizowaniu zamachu na uczestników Petroconu. Ze względu na brak dowodów nie postawiono jej żadnych zarzutów i zwolniono. Obecnie mieszka w Brighton ze swoją matką, synem GREGORYM EVANSEM oraz nowo narodzoną córeczką Tiffany.

BRIAN EVANS alias PARTANINA po kilku tygodniach wymknął się śledzącym go agentom MI5. Obecnie jest jedną z najbardziej poszukiwanych osób na świecie. Szukają go służby policyjne Wielkiej Brytanii, Stanów Zjednoczonych, Francji i Wenezueli.

JOANNA RIBBLE była zawiedziona, że Ross Leigh nie zadzwonił do niej ani nie napisał. Dziś ma nowego chłopaka. James wciąż przechowuje jej papierowy samolocik i fotografię drzewa, przy którym pocałowali się po raz pierwszy.

KYLE BLUEMAN wrócił ze swojej osiemnastej misji i wreszcie otrzymał upragnioną granatową koszulkę. Był, delikatnie mówiąc, rozczarowany faktem, że James dostał swoją wcześniej. Jego zdaniem stało się tak tylko dlatego, że kiedy James zaraził się wąglikiem, Macowi zrobiło się go żal.

Kiedy James zaczyna zadzierać nosa, BRUCE NORRIS i KERRY CHANG ochoczo przypominają mu, że choć dostał granatową koszulkę, oni mają na koncie znacznie więcej akcji, a w dodatku mogą bez trudu skopać mu tyłek.

AMY COLLINS ma nadzieję na jeszcze kilka misji, zanim opuści CHERUBA i pójdzie na studia.

LAURA ADAMS (dawniej LAURA ONIONS) polubiła życie w CHERUBIE. Wkrótce po swoich dziesiątych urodzinach, we wrześniu 2004 r., rozpocznie szkolenie podstawowe.

JAMES ADAMS (dawniej JAMES CHOKE) zdobył czarny pas karate wkrótce po powrocie ze swojej pierwszej misji. Huczne obchody tego wydarzenia skończyły się małą katastrofą. Kara: miesiąc sprzątania kuchni codziennie po kolacji.
Obecnie James przygotowuje się do swojej drugiej misji.

CHERUB: HISTORIA (1941-1996)

1941 Podczas drugiej wojny światowej Charles Henderson, brytyjski agent działający w okupowanej Francji, wysłał raport do swojego dowództwa w Londynie. Pisał w nim, w jaki sposób francuski ruch oporu wykorzystywał dzieci do przemycania przesyłek przez punkty kontrolne i wyciągania informacji od niemieckich żołnierzy.

1942 Henderson utworzył niewielki oddział dziecięcy pod dowództwem brytyjskiego wywiadu wojskowego. Oddział składał się z chłopców w wieku trzynastu i czternastu lat, głównie uchodźców z Francji. Po podstawowym szkoleniu szpiegowskim zrzucono ich na spadochronach na terytorium Francji. Chłopcy pomogli w zebraniu ważnych informacji, które później wykorzystano podczas przygotowań do inwazji w Normandii.

1946 Jednostkę znaną jako Chłopcy Hendersona rozwiązano. Większość jej członków wróciła do Francji. Jej istnienie nigdy nie zostało oficjalnie potwierdzone.

Charles Henderson wierzył, że dzieci mogą być skutecznymi agentami również w czasie pokoju. W maju 1946 r. otrzymał pozwolenie na utworzenie agencji CHERUB z siedzibą w opuszczonej wiejskiej szkole. Pierwsi agenci (dwudziestu chłopców) mieszkali w drewnianych barakach za boiskiem szkolnym.

1951 Przez pięć lat CHERUB zmagał się z poważnymi kłopotami finansowymi. Wszystko zmieniło się po pierwszym znaczącym sukcesie: dwaj agenci zdemaskowali siatkę radzieckich szpiegów kradnących informacje o brytyjskim programie zbrojeń atomowych. Rząd był zachwycony. CHERUB otrzymał środki na rozwój. Wybudowano nowocześniejszy ośrodek, a liczbę agentów zwiększono z dwudziestu do sześćdziesięciu.

1954 Dwaj agenci CHERUBA, Jason Lennox i Johan Urmiński, zostali zabici podczas tajnej operacji w Niemczech Wschodnich. Nikt nie wie, jak zginęli. Rząd rozważał likwidację agencji, ale w owym czasie już ponad siedemdziesięciu funkcjonariuszy CHERUBA wykonywało ważne zadania na całym świecie. Dochodzenie w sprawie śmierci chłopców doprowadziło do wprowadzenia nowych środków bezpieczeństwa:
1) Utworzono komisję do spraw etyki. Od tej pory plan każdej misji musiał być zatwierdzony przez trzyosobowy zespół ekspertów.
2) Jason Lennox miał dziewięć lat. Po jego śmierci wprowadzono minimalny wiek uprawniający do wykonywania misji: dziesięć lat i cztery miesiące.
3) Zaczęto stosować bardziej rygorystyczne podejście do kwestii przygotowania agentów oraz wprowadzono trwające sto dni szkolenie podstawowe.

1956 Chociaż wielu ludzi uważało, że dziewczęta nie nadają się do pracy w wywiadzie, CHERUB przyjął
pięć dziewczyn w ramach eksperymentu. Ekspery-
ment powiódł się znakomicie. W ciągu roku liczba
dziewcząt w szeregach agencji zwiększyła się do
dwudziestu, a w ciągu kolejnych dziesięciu lat zrów-
nała z liczbą chłopców.

1957 CHERUB wprowadził system kolorowych koszulek.

1960 Po kolejnych sukcesach CHERUB mógł sobie pozwolić na kolejne powiększenie liczebności, tym razem do 130 agentów. Otaczające siedzibę agencji
pola wykupiono i ogrodzono. Była to mniej więcej
jedna trzecia obszaru zajmowanego dziś przez kampus CHERUBA.

1967 Katherine Field stała się trzecim członkiem CHE-
RUBA, który zginął podczas akcji. Ukąsił ją wąż podczas operacji w Indiach. Do szpitala trafiła w ciągu
pół godziny, ale wąż został błędnie zidentyfikowany
i Katherine podano niewłaściwą surowicę.

1973 Z biegiem lat siedziba CHERUBA stała się komplek-
sem małych budynków. Rozpoczęto budowę nowej,
dziewięciopiętrowej kwatery głównej.

1977 Wszyscy agenci CHERUBA są sierotami albo dziećmi opuszczonymi przez rodzinę. Max Weaver był
jednym z pierwszych funkcjonariuszy agencji. Później dorobił się fortuny, budując biurowce w Londynie i Nowym Jorku. Zmarł w 1977 r. w wieku zaledwie czterdziestu jeden lat. Zapisał swój majątek
dzieciom z CHERUBA.

Fundusz powierniczy Maksa Weavera sfinansował wzniesienie wielu budynków kampusu, w tym krytego ośrodka sportowego i biblioteki. Obecnie aktywa funduszu przekraczają miliard funtów.

1982 Thomas Webb zginął na minie na Falklandach-Malwinach, stając się czwartym agentem CHERUBA, który zginął w akcji. Thomas był jednym z dziewięciu agentów użytych w rozmaitych operacjach podczas konfliktu falklandzkiego.

1986 Rząd zezwolił CHERUBOWI na zwiększenie liczebności do czterystu agentów. Mimo to ich liczba zatrzymała się znacznie poniżej tej granicy. CHERUB potrzebuje funkcjonariuszy inteligentnych, o dobrej kondycji fizycznej i bez powiązań rodzinnych. Dzieci spełniające wszystkie warunki są szalenie trudne do znalezienia.

1990 CHERUB dokupił więcej ziemi, powiększając obszar swojej siedziby oraz poprawiając jej zabezpieczenia. Na wszystkich brytyjskich mapach kampus jest zaznaczony jako wojskowa strzelnica. Prowadzi do niego tylko jedna droga. Zewnętrznego muru kampusu nie widać z okolicznych dróg. Przestrzeń powietrzna nad ośrodkiem jest zamknięta dla śmigłowców i samolotów lecących na wysokości mniejszej niż dziesięć tysięcy metrów. Zgodnie z Ustawą o tajemnicy państwowej za nielegalne przekroczenie granic kampusu grozi dożywocie.

1996 CHERUB uczcił swoje pięćdziesiąte urodziny otwarciem basenu nurkowego i krytej strzelnicy. Na uroczystości zaproszono wszystkich byłych agentów.

Gości z zewnątrz nie było. Zjawiło się ponad dziewięćset osób ściągniętych z różnych zakątków świata. Wśród przybyłych znalazł się między innymi były premier oraz gwiazdor rocka, który sprzedał ponad 80 milionów płyt.

Po pokazie sztucznych ogni goście rozstawili namioty i przenocowali w kampusie. Następnego ranka, przed odjazdem, zebrali się wokół kaplicy, by uczcić pamięć czworga dzieci, które oddały za CHERUBA swoje życie.

Robert Muchamore
CHERUB, t. 2: KURIER

Keith Moore jest największym w Europie handlarzem kokainy. Policja od ponad dwudziestu lat poszukuje dowodów, które pozwoliłyby go zamknąć. Do polowania przystępuje czworo agentów CHERUBA. Czy grupka dzieci zdoła przeniknąć do organizacji, którą bezskutecznie szturmowały tuziny najlepszych tajnych agentów?

James Adams zaczyna od podstaw, trudniąc się dostawami dla pomniejszych handlarzy narkotyków i stopniowo poznając niebezpieczny świat, w jakim funkcjonują. Będzie musiał zrobić sporo hałasu, jeżeli chce zwrócić na siebie uwagę człowieka na szczycie i zdobyć jego zaufanie.

www.cherubcampus.com

Strona internetowa dla każdego, komu sprawiła frajdę lektura *Rekruta*. Znajdziecie tam biografie wszystkich postaci, fragmenty książki, które nie znalazły się w jej ostatecznej wersji, jak również pierwsze rozdziały następnych tomów z serii *CHERUB*.

CHERUB

W serii **CHERUB** ukazały się:

Rekrut
Kurier
Ucieczka
Świadek
Sekta
Bojownicy
Wpadka
Gangster
Lunatyk
Generał